Niet verder vertellen

JENNIFER KAUFMAN &
KAREN MACK

NIET VERDER
VERTELLEN

the house of books

Oorspronkelijke titel
A version of the truth
Uitgave
Delacorte Press, published by Bantam Dell,
A division of Random House, Inc., New York
Copyright © 2008 by Jennifer Kaufman & Karen Mack
Copyright voor het Nederlandse taalgebied © 2009 by The House of Books,
Vianen/Antwerpen

Vertaling
Cherie van Gelder
Omslagontwerp
marliesvisser.nl
Omslagillustratie
Getty Images en Studio Marlies Visser
Foto auteurs
Firooz Zahedi
Opmaak binnenwerk
ZetSpiegel, Best

ISBN 978 90 443 2378 8
D/2009/8899/75
NUR 302

www.thehouseofbooks.com

DEEL EEN

'Je bent wat je voorgeeft te zijn.'

KURT VONNEGUT JR.

PROLOOG

Op school moest ik groep twee, drie en negen overdoen. En diep in mijn hart wist ik heel goed dat ik dom was, ook al werd dat nooit hardop gezegd. Iedereen deed altijd zijn uiterste best om het onderwerp te vermijden. Ik was gewoon het tegendeel van slim en dat betekende destijds dat ik langzaam was, warrig, ongedisciplineerd en eigenzinnig. Mijn moeder zei altijd dat er een steekje aan me loszat. Alsof ik een of ander stom apparaat was dat het niet deed. Ik kan jullie niet vertellen hoe vaak ik er het liefst de brui aan had gegeven, maar dat gebeurde pas toen ik zestien was. Mijn moeder vond het goed dat ik in plaats van rijles te nemen van school af zou gaan om staatsexamen te doen. In feite hadden we er allebei meer dan genoeg van.

En zo voelde ik me ook toen Frank zo zat als een Maleier in zijn vrachtwagen van de snelweg afkukelde en de pijp aan Maarten gaf. Volgens een getuige gleed de wagen van mijn man als een stapel omgevallen borden van het klif de oceaan in. In mijn verbeelding zag ik hem midden in de nacht op weg naar huis, goedgemutst als altijd met Johnny Cash keihard op de achtergrond en zijn hawaïhemd wapperend in de wind, en ineens... bóém! Al dat popiejopie charisma en sexappeal aan diggelen.

De volgende dag, toen de politie kwam opdagen om me het nieuws te vertellen, was het kloteweer. De lenteregens begonnen dat jaar aan de late kant en waren blijven hangen. Vieze, natte straten, dooie bladeren en een lucht als afwaswater. Ze vonden me waarschijnlijk een kouwe kikker toen ze me de plastic tas met zijn persoonlijke bezittingen overhandigden: het adresboekje vol bloedvlekken, zijn portefeuille, zijn horloge en het losse geld dat hij in zijn zakken had gehad. Volgens mij waren ze een beetje bang dat ik in shocktoestand verkeerde. Maar dat was al een paar jaar eerder gebeurd, toen het venijn in ons huwelijk nog niet aan de oppervlakte was gekomen. Hij was dood en daar kon ik niet om rouwen.

Ik ben niet slecht. Echt niet. Ik ben alleen geen treurende weduwe. Dat wordt in onze samenleving gewoon niet geaccepteerd, tenzij je de schoft zelf om zeep hebt geholpen. En dat was niet het geval. Maar volgens de psychotherapeut van het buurtcentrum, aan wie ik kort na de begrafenis mijn gebrek aan gevoelens opbiechtte, was ik de vleesgeworden droom van veel gescheiden en ongelukkig getrouwde vrouwen. En die komt erop neer dat je partner op een dag 's morgens het huis uit gaat en jij niet lang daarna het telefoontje krijgt waarop je eigenlijk al jaren zit te wachten. Alles keurig volgens de regels. Afgewerkt. Je bent vrij. Een leven dat door een gelukkig toeval te vroeg wordt beëindigd.

Het ergste was de week na de begrafenis. Ik zat samen met mijn moeder als een stel kraaien op Franks glimmende leren bank terwijl de hele processie van fluisterende mensen vol meegevoel langs paradeerde. Er vielen lange en ongemakkelijke stiltes. Je kunt bij dat soort gelegenheden nu eenmaal geen gezellig babbeltje aanknopen. Je praat niet over het leuke weekend dat je net achter de rug hebt, of over de fijne dingen in je leven: feestjes, zakelijk succes, vakanties of grote aankopen. En je durft ook niet te beginnen over die steeds hoger wordende stapel boeken op de salontafel met tips over het verwerken van verdriet. *Als Gods wegen ondoorgrondelijk zijn, Het handboek voor omgaan met verdriet,* vier exemplaren van *Waarom aardige mensen ook akelige dingen meemaken* en een pocketuitvoering van *Een persoonlijke crisis overwinnen* (hoewel ik daar misschien echt iets aan heb).

Nee. Je moet je beperken tot een paar algemene gespreksonderwerpen. Zoals het eten, de begrafenisdienst, de zoveelste bespiegeling over het ongeluk (onder welke hoek zou de vrachtwagen eigenlijk van de rotsen gekukeld zijn?) en heb je tussen twee haakjes misschien ook whisky in huis? Uiteindelijk komt het er meestal op neer dat mensen te veel drinken en vervelende herinneringen ophalen aan de dode.

'Weet je nog dat Frank op die bruiloft zo dronken als een kanon poedelnaakt in het zwembad plonsde waardoor alle bruidsmeisjes ineens in kletsnatte jurken stonden?' Hahaha. 'Kan ik misschien iets voor je doen, Cassie?' Die vraag krijg ik van iedereen te horen als ze hun rauwe wortels in de dipsaus met sourcream dompelen.

Als ze eens wisten. Wat zou je ervan zeggen als jullie de openstaande posten van Franks creditcards eens betaalden en al die lelijke bekers die hij op de middelbare school met American football heeft gewonnen meenamen, net als de drugsspulletjes die hij in zijn stinkende sokkenla bewaarde? O, en haal dan meteen zijn as op, zoek een urn uit en lever het hele zootje af bij zijn familie in Florida, die niet eens de moeite hebben genomen om hiernaartoe te komen, maar me wel verzekerden dat ze zelf ook een begrafenisdienst zouden houden zodra ze zijn overblijfselen ontvingen. O, en tussen twee haakjes, kon ik dan ook meteen zijn computer, zijn goedkope macho meubelen, zijn country & western-verzameling, en ja, zelfs zijn truck opsturen? Dat had ik trouwens met alle liefde gedaan, ware het niet dat die inmiddels zo plat als een dubbeltje was. Ze wilden ook weten hoe het zat met zijn levensverzekering, maar die had hij een paar jaar geleden al afgekocht om die verrekte vrachtwagen te kopen.

Ik ken het gezegde 'over de doden niets dan goeds'. Maar moet je dan echt oneerlijk zijn? De meeste mensen die langskomen, menen het goed, ook al klopt er niets van. Ze komen hier om iemand die hen helemaal niet mocht de laatste eer te bewijzen en iemand die daar helemaal niet op zit te wachten hun sympathie te betuigen. Nou ja, hij had wel een paar vrienden die hem zouden missen. En hij was ook een goede vriend, ondanks het feit dat hij mij ontrouw was. Mijn moeder heeft altijd volgehouden dat iedereen zijn goede en zijn slechte kanten heeft. Dat mag ik niet vergeten.

Maar toch heb ik geen verdriet. Ik heb wel last van schuldgevoelens en een knagend gevoel van woede en ergernis. En o ja, heb ik al verteld dat ik geen cent te makken heb? Dáár word je pas verdrietig van, geloof me maar gerust. Ik heb me trouwens niet altijd zo gevoeld. Er is een tijd geweest dat ik alleen maar wenste dat hij van me zou houden. Niet echt hartstochtelijk, dat hoefde niet. Ik wenste gewoon dat hij van me zou houden zoals dat in het leven van alledag gebeurt. Dat je samen die doodnormale dingen doet, altijd op dezelfde saaie manier, dag in dag uit, zodat je nooit voor verrassingen komt te staan, tot je 's avonds naast hem in bed ligt te luisteren naar de vertrouwde verkeersgeluiden in de verte. Ik wenste dat hij me zou bellen als hij ergens aankwam, of als hij weer op weg naar huis ging, of als hij in de file stond en niet op tijd thuis zou komen. Ik wenste dat hij net zo zou verlangen naar het geluid van mijn stem als ik naar dat van hem. Ik wenste dat hij me geld zou geven om eten te kopen, dat hij de dvd-speler zou repareren, dat hij tegen me zou zeggen dat ik voorzichtig moest rijden, dat hij zou mopperen over de zaak, de hele badkamer zou bezaaien met natte handdoeken en zou zeggen dat hij mijn jurk heel mooi vond, maar dat die eigenlijk wel een beetje te bloot of te strak was.

De laatste paar maanden was hij nauwelijks thuis geweest. 's Ochtends was hij de deur al uit voordat ik zelfs de kans had gehad een kop koffie te drinken en in de loop van de dag spraken we elkaar maar zelden. Als ik hem belde, klonk zijn stem nors alsof hij druk bezig was en hij belde me nooit terug. We hielden ons ook niet aan een vaste etenstijd en als ik vroeg wat hij wilde eten, zei hij altijd dat het hem niets kon schelen, dus daar hield ik ook al snel mee op. De laatste keer dat ik hem iets te eten voorzette, mopperde hij dat de kip halfgaar was en gaf het bord zo'n zet dat het over de tafel zeilde en via mijn schoot op de grond aan diggelen viel. Ik wist allang dat hij een vriendin had, voordat hij dat wilde toegeven. Zo stom ben ik ook weer niet.

Toen ik tegen hem zei dat hij haar de bons moest geven omdat ik anders mijn koffers zou pakken, reageerde hij zoals de meeste mannen zouden doen. Hij loog. Ik weet uit ervaring dat mannen nog liever harakiri plegen dan ronduit toe te geven dat ze meer om een ander geven. Maar nadat hij me had beloofd dat hij uit een ander vaatje zou gaan tappen, moest hij natuurlijk wraak op me nemen en maakte feilloos gebruik van het enige argument waarvoor ik door de knieën zou gaan. Hij zorgde ervoor dat ik me dom voelde. Je moet je diepste geheimen nooit prijsgeven, daar krijg je altijd spijt van.

Uiteindelijk brak hij mijn hart. Zelfs een rotzak kan je hart breken. Het verliep allemaal eigenlijk vrij snel en zonder ophouden. Het had wel iets weg van de novemberregens die onvermijdelijk worden gevolgd door de vrieskou van de winter. Ik kon niet meer slikken, ik kon niet meer rustig zitten en ik kon me niet meer concentreren. Het leek op een kille, harteloze strafexpeditie. Ik wist precies wanneer hij me iets op de mouw probeerde te spelden of me vol ijzige minachting aankeek. Ik herkende al snel de voortekenen van zijn leugens, het mechanische vertrekken van zijn mond en het nerveuze gefriemel met zijn vingers. En daar zat ik dan, in mijn eentje in een leeg huis, waar de post zich naast de voordeur opstapelde en het gazon vol lag met ongelezen, natte kranten. Waar ik de hele middag in bed bleef liggen, met de gordijnen dicht en geen licht aan, terwijl gehuurde dvd's die allang teruggebracht hadden moeten worden als wegwerpartikelen door de kamer slingerden.

'Hallo, lieverd, hoe gaat het ermee?'

'Fantastisch, mam. Frank en ik staan net op het punt om uit te gaan. We hebben een etentje met vrienden.'

'Wat leuk voor je, kind. Een chique bedoening?'

'Nogal. Ik heb mijn nieuwe cocktailjurkje aan.'

'Vergeet niet om een attentie voor de gastvrouw mee te nemen.' Nee, natuurlijk niet. Een snoezig handgranaatje zou perfect zijn.

'Nee, hoor.'

'Zorg maar dat jullie een gezellige avond hebben.'

Ik schaamde me, net als op school als ik de hele week had zitten blokken en toch een onvoldoende haalde.

Uiteindelijk kreeg ik er genoeg van. Ik was het zat om maar te blijven vechten en ik legde het hoofd in de schoot tot het me uiteindelijk niets meer deed. Ik kapte ermee. Ik hield gewoon niet meer van hem.

Er is geen mens die dit soort dingen van tevoren plant. Ik kan me nog zo goed herinneren dat ik hem voor het eerst zag, vier jaar geleden. Hij was lang en slank, met hoge jukbeenderen en glad zwart haar, dat hij als een samoerai in een paardenstaart droeg. Een mengeling van brute kracht en gratie. Hoe kon ik nou weten dat hij de mentaliteit van een kakkerlak had? Hij had een gewonde roodstaarthavik bij zich, die hij lachend een verkeersslachtoffer noemde. Toen hij het Topanga Wildlife Center binnenkwam, waar ik samen met mijn moeder werkte, staarde hij me met zijn doordringende zwarte ogen aan alsof ik rijp was voor de slacht. Hij deed me aan een valk denken. Een gevaarlijke roofvogel. Toen had ik gewaarschuwd moeten zijn. De bioloog Konrad Lorenz heeft bewezen dat kuikentjes zich meteen uit de voeten maken als ze het silhouet van een valk zien, ook al is dat maar van triplex.

We stonden even met elkaar te babbelen. Later belde hij op. Hij was koel en afstandelijk, sexy op een lome manier. Gevaarlijk als de duivel in eigen persoon. Knap en fantastisch in bed. Hij zei dat hij dol was op mijn lange benen, op mijn diepe donkergroene ogen, op mijn brede mond en op het feit dat ik niet constant kwekte zoals andere vrouwen. Ik heb altijd het idee gehad dat ik maar heel gewoontjes was, maar hij gaf me het gevoel dat ik mooi was. Hij overviel me en zette me onder druk, omdat hij had besloten dat het hoog tijd was om te trouwen. Al zijn vrienden hadden inmiddels de sprong al gewaagd. Ik was de geluksvogel en hij had geen beter moment kunnen kiezen. Na twee maanden deed hij me al een aanzoek en dat accepteerde ik maar al te graag.

Nadat we getrouwd waren, begon ik hem parttime te helpen bij zijn werk. Hij had een autosleepbedrijf aan de Pacific Coast Highway. Iedere dag lieten surfers, verslaafde tieners en toeristen hun auto's achter in de berm van de snelweg waar ze niet mochten parkeren en als ze dan moe en nat terugkwamen, was de auto verdwenen. Hij had een parkeerterrein achter het Mobil-benzinestation tegenover het duurste winkelcentrum in Malibu en in een mooi, zonnig weekend had hij daar zoveel auto's staan dat het meer weg had van een parkeerplaats bij een popfestival. Mijn werkplek was een benarde, van airconditioning voorziene caravan die aan het begin van de stoffige oprit dienstdeed als kantoor. Op elk moment van de dag kwamen bezorgde mensen op teenslippers opdagen, in alles tussen surfpakken en bikini's. Sommigen in taxi's, maar meestal lopend en versuft starend naar het met de hand ingevulde bonnetje waarop stond dat ze Frank tweehonderdveertig dollar schuldig waren voor het wegslepen (géén cheques!), plus vijfenzestig dollar per dag voor de stalling vermeerderd met de gemeentelijke boete voor het parkeren op een plek waar een wegsleepregeling van kracht was.

Vaak hadden ze hun portefeuilles of portemonnees in de auto achtergelaten en dan moest ik samen met hen naar de auto toe alsof ze een stel misdadigers waren, het portier openmaken zodat ze hun spulletjes konden pakken en dan meteen de wagen weer op slot doen.

'Je mag ze nooit de sleutels geven,' waarschuwde Frank steeds opnieuw. 'Want voor je het weet, gaan ze ervandoor.'

'Hoe kunnen ze er nou vandoor gaan? Je hebt ze helemaal vastgezet. Geef die kinderen toch een kans,' zei ik dan met een blik op hun zanderige blote voeten en hun bezwete, bezorgde gezichten.

'Ze hoefden daar toch niet te parkeren? Heb ik ze dat soms gezegd? Ik doe alleen maar wat de smerissen me opdragen. Je hoeft geen medelijden met ze te hebben,' zei hij dan minachtend en met een valse grijns.

In één middag kon Frank van de ene stemming in de andere vallen. 'Barst maar'-onverschilligheid werd gevolgd door chagrijnig gemok dat uiteindelijk omsloeg in hoogdravend gezwets. Hij was een geboren oplichter en joeg me de stuipen op het lijf. Ik wist altijd precies wanneer hij een driftaanval kreeg, want dan had hij de starende blik van iemand die echt ergens mee zat: dreigend samengeknepen wenkbrauwen en zo'n gespannen trek om de mond dat de spieren ieder moment konden knappen. Dan bleef ik doodstil zitten wachten tot hij zijn gemoed gelucht had, voordat ik mijn werk weer oppakte.

Door het werk op het parkeerterrein kreeg ik echt het gevoel dat ik een mispunt was, vooral bij jongelui die geen geld hadden. Dan zat ik daar achter mijn bureau expres de andere kant op te kijken, terwijl zij hun ouders belden. Ik moest al die zielige verhalen aanhoren en wist dat ze zich ongelooflijk geneerden. Er was zelfs een jongen die een uur of zes moest wachten, tot zijn moeder klaar was met haar werk in de stad om vervolgens helemaal naar het strand te rijden en hem het geld te brengen. In de spits. Misschien is dat ook wel de dag geweest dat ik de bedragen op de rekening verkeerd optelde, waardoor Frank zo woedend op me werd dat hij in blokletters 'stomkop' achter op mijn stoel schreef.

Daarna zei hij op een soort fluistertoon die voor iedereen verstaanbaar was dat in dit kantoor geen plaats was voor Malle Pietjes en dat ik een hopeloos geval was, een misbaksel van Moeder Natuur. Ik gaf er nog diezelfde dag de brui aan. Letterlijk. Ik heb tegen hem gezegd dat ik liever terugging naar het Wildlife Center. Eigenlijk had ik toen al bij hem weg moeten gaan.

Maar nu maakt dat niets meer uit. Het schijnt dat Frank de zaak met geleend geld dreef en dat hij daarvoor een hypotheek op ons huis had genomen. Dus nu woon ik weer bij mijn moeder, in het huis waar ik als kind ben opgegroeid, boven in Topanga Canyon in een kleine woongemeenschap op een halfuurtje rijden van L.A., met maar één stoplicht en een waarschuwingsbord bij de plek waar schildpadden de weg oversteken. Het is zo'n gehucht waar niemand precies weet hoeveel honden of katten ze hebben en dus gewoon een paar grote bakken met voer bij de achterdeur zetten. Schurftige katten met één oor doezelen op veranda's met ingewikkelde windklokken en zelfgemaakte vogelhuisjes. Volgens mijn moeder is het eerder rustiek dan verlopen en dat vind ik eigenlijk ook wel.

Mijn achtertuin maakt deel uit van de Santa Monica Mountains Conservancy, een beschermd gebied van zo'n negenhonderd vierkante kilometer vol wandel- en fietspaden, bossen en valleien. Het is ruig, onbewoonbaar en bergachtig terrein vol duistere wouden, meren, watervallen, geheimzinnige grotten en bomen die weelderige groene luifels vormen waarin het lied van honderden vogels weerklinkt.

Als kind mocht ik vrijuit ronddwalen door de heuvels waar ik nooit werd herinnerd aan al mijn afwijkingen en tekortkomingen. Vaak bracht ik het hele weekend door in de vrije natuur, in een soort droomtoestand waarbij ik me allerlei fantastische voorstellingen voor de geest haalde en allerlei verhaaltjes verzon over de verbazingwekkende dingen die ik zag en deed. Ik kwam poema's tegen, wolven, prairiewolven, vossen en roodstaarthaviken die als een geleid projectiel uit de lucht omlaag vielen om zich op hun prooi te storten. Het was een wereld waarin ik me thuis voelde, zonder ooit bang te zijn voor de dieren. Zelfs niet voor de gevaarlijke.

Inmiddels heb ik mijn plicht vervuld door geduldig in de woonkamer te luisteren naar kennissen en verre familieleden, zoals mijn oudtante Stella, die probeerde me een hart onder de riem te steken met deprimerende clichés uit haar cursus rouwverwerking. Gelukkig komt er nu niemand meer langs. Mijn moeder en ik hebben de koud geworden en halfopgegeten stoofpotten en de overgebleven koekjes in aluminiumfolie verpakt en in de vriezer gelegd. Ik loop naar mijn benauwde slaapkamertje dat veel kleiner lijkt dan in mijn jeugd en kijk door het smalle raam naar de bergen.

Vroeger vond ik dit de fijnste tijd van het jaar. Binnenkort beginnen de monarchvlinders aan hun spectaculaire trektocht langs de Californische kust naar Mexico. Ze komen hier ieder jaar op dezelfde plek aan, schitterende wolkjes geel en zwart die als herfstblaadjes uit de bomen vallen. De hele oprit kan ermee bedekt zijn, evenals de voorruit van je auto. Ik let altijd goed op dat ik hun tere vleugeltjes niet beschadig als ik ze voorzichtig van de verandatrap bij ons huis veeg.

Ik zeg vaak tegen mensen dat je helemaal niet naar de Amazone of Nieuw-Guinea hoeft om je te verbazen over de wonderen van de natuur. Loop op een willekeurige herfstdag maar gewoon bij mij de voordeur uit en dan zul je al die schitterende wezentjes in een soort lichtgevend waas door de lucht zien dartelen, alsof het vermomde elfjes of engeltjes zijn. En het doet er niet toe in welke stemming je bent, of helemaal niet in de stemming bent en als een soort robot de dag afwerkt. Ze zijn er ineens, zwierend door de lucht als losgebroken stukjes kleur uit een caleidoscoop.

Mijn moeder zegt dat het kijken naar de monarchs soelaas biedt voor alle verdriet dat het leven brengt. Dat gaat me iets te ver, maar ze zijn een regelrecht wonder. Ze volgen de zon en vliegen per dag soms wel vijfenzeventig kilometer ver, soms zelfs op dertig meter hoogte. Uiteindelijk komen ze keurig op tijd in Mexico aan, ergens rond 2 november, Allerzielen. De legende wil dat het de zielen zijn van dode familieleden die weer thuiskomen. Lieve hemel, alsjeblieft niet.

EEN

Ik was niet van plan om op mijn sollicitatieformulier te liegen. Maar ik ontkwam er niet aan, na de ijzige ontvangst die me te beurt viel bij de laatste twee uitzendbureaus. De eerste keer kreeg ik van een man met een rattenkop, ogen die te dicht bij elkaar stonden en een mond als een scheermes te horen dat ik maar beter naar een baantje bij een dierenwinkel kon gaan solliciteren. Bij de volgende bracht een dame me na een korte blik op mijn cv meteen naar de deur met de mededeling dat ik volgens haar alleen geschikt was voor thuiswerk en dat ik maar eens in de kleine advertenties moest kijken.

Dus jullie begrijpen wel dat ik behoorlijk ontmoedigd was toen ik me bij het volgende uitzendbureau meldde. Het mededelingenbord naast de voordeur hing vol met allerlei berichten over bijvoorbeeld 'Accentverwijdering' (alsof het een gevaarlijke aandoening is) en 'Spreek Amerikaans, gratis consult'. Ik zag dat er nog niemand was geweest die het bonnetje onderaan had afgescheurd, en ik ging, om de formulieren in te vullen, op een stoel zitten waarvan het gebarsten vinyl kussen nog warm was van de vorige zwetende billen. Maar zelfs bij deze sjofele bedoening wist de beheerder niet hoe snel hij me de deur uit moest werken.

Dus het komt hierop neer. Gezien mijn opleiding (afgestudeerd aan de universiteit van Nergenshuizen) en mijn leeftijd (dertig) zal ik nooit een baan kunnen krijgen. Mijn jaren bij het Wildlife Center schijnen niet mee te tellen, zeker niet bij uitzendbureaus. Daar wordt gewoon overheen gelezen en alleen maar op mijn gebrek aan opleiding gelet. 'Zou u ons nog eens willen vertellen waarom u uw middelbare school niet hebt afgemaakt?' Alsof het al een wonder was dat ik erop had gezeten.

Mijn moeder, als eeuwige optimist, bleef me maar geruststellen. 'Ze zullen er wel spijt van krijgen dat ze je niet aangenomen hebben. Er zijn meer dan genoeg studies die bewijzen dat je een veel grotere kans hebt om miljardair te worden als je langzaam begint.'

'Welke studies dan, mam?'

'Dat heb ik in de wachtkamer bij de tandarts gelezen.'

Het geeft me het gevoel dat ik weer terug ben op de lagere school, waar ik echt een hopeloos geval was. Wat de rest zonder moeite voor elkaar kreeg, was voor mij een kwelling.

'Cassie, hou dat potlood nou eens niet vast alsof het een spijker is,' drong de onderwijzeres aan terwijl ze in mijn nek stond te hijgen en gruwelde van mijn handschrift. 'En zet je tanden niet in je lip. Lieve hemel, straks bijt je die nog kapot. Probeer even tot rust te komen en begin straks maar weer opnieuw.'

Dat was het teken waarop ik uiteindelijk zou wachten: zij gaf het op en ik zou dat voorbeeld volgen. Je zou eigenlijk verwachten dat ze me uit mijn lijden zou verlossen, maar in feite snapte ze er niets van en dat gold voor iedereen. De rest van het jaar was ik op vrijdag altijd schoolziek of ik kwam veel te laat. Maar dat maakte niets uit, ik was toch maar die sufferd in de hoek met een knalrode *Nul* op mijn borst.

Af en toe hoorde ik vriendinnen van mijn moeder over hun kinderen praten, hun kleine Stacy of die lieve Susie. 'Mijn dochter laat ons echt versteld staan. Op een dag werd ze wakker en toen kon ze ineens lezen.'

'O ja?' zei mijn moeder dan een tikje lusteloos. 'Dat hou je toch niet voor mogelijk.'

En dan dacht ik altijd: Waarom is mij dat niet overkomen?

Wanneer zou ik nou eens 'op een dag wakker worden' en ineens kunnen lezen? En later, toen de ene mislukking zich op de andere stapelde: 'Wat is er eigenlijk zo bijzonder aan lezen? Mijn moeder zat me urenlang allerlei dingen voor te lezen waarvan ze dacht dat ik ze leuk zou vinden. Haar lievelingsboek was een geïllustreerde verzameling Griekse mythen, waarin we verhalen over goden en helden als Athene, Diana, Aphrodite en Zeus voorgeschoteld kregen. De verhalen die ik het mooist vond, waren die waarin mensen in vogels, dieren of bloemen veranderden. Maar mijn moeder hield vooral van de vertellingen waarin de goden bepaalde mensen bijzondere krachten verleenden. Ik denk dat ze me daarom ook Cassandra heeft genoemd, naar de mooie godin die de toekomst kon voorspellen. Ze was dol op die magie en ze hoopte dat ik daar ook iets van mee zou krijgen als ze me het boek overhandigde, maar ik kon nog steeds geen woord lezen.

In de eerste klassen van de middelbare school verzon ik zelf de plots van de boeken die ik moest lezen aan de hand van het eerste en het laatste hoofdstuk. Met als gevolg dat mijn cijfers voor tekstverklaringen nogal wat pieken en dalen vertoonden. Soms had ik het goed geraden en soms zat ik er volkomen naast. De grondregels van algebra begreep ik best, maar als ik erachter moest zien te komen hoe ver meneer Smith per trein van zijn huis in Phoenix naar zijn kantoor in Albuquerque reisde en met welke snelheid de trein opknalde tegen een goederentrein die met een lading stoffen onderweg was naar Texas... Nou ja, je snapt wel wat ik bedoel. Gedurende mijn hele schooltijd werd ik door de andere kinderen achter mijn rug uitgemaakt voor 'dom', 'stom' of 'sufkop'. Maar niet door mijn vrienden. Wij hadden het nooit over mijn 'probleem'. Ze dachten er gewoon nooit aan, behalve als zij allemaal achten en negens binnensleepten en ik weer op mijn gebruikelijk drie of vier werd getrakteerd.

'Maar god, Cassie, dat proefwerk was echt gemakkelijk,' zeiden ze dan ongelovig.

'Ik heb het niet geleerd,' zei ik dan lachend, alsof het niets uitmaakte. *Heathers* werd mijn lievelingsfilm.

Uiteindelijk vond ik een manier om het allemaal te overleven. Dat lukt de meeste kinderen wel. Ik verstopte mijn proefwerken en mijn opdrachten alsof het om pornografie ging. Als mijn moeder vroeg hoe ik mijn dictee had gemaakt, zei ik 'goed, hoor' en als ze me vroeg of ik geen huiswerk had, zei ik dat ik dat al op school had gemaakt. Wat inhield dat ik het daar gewoon in mijn la had gestopt, samen met nog een stuk of zes werkbladen waar ik geen raad mee wist. Natuurlijk viel ik uiteindelijk altijd door de mand. Dan belde de klassenlerares weer naar mijn moeder, die op haar beurt vroeg wat ik me in vredesnaam in mijn hoofd haalde. Vervolgens zaten we in de vrije weekenden de taken af te maken die de anderen al op school hadden gedaan. Het woordje 'bijles' hing als het zwaard van Damocles boven mijn hoofd.

En dus bleef ik verstoppertje spelen. Af en toe ging ik een stapje vooruit, maar ik deed toch meestal alsof ik me zat te vervelen of kletste met mijn buurvrouw. Ondertussen fantaseerde ik er lustig op los. Ik verzon woorden. Ik dokterde mijn eigen spelling uit. En in mijn verbeelding leefde ik me uit in wilde verzonnen verhalen die veel spannender waren dan alles wat ik voor school probeerde te lezen.

'Er was eens een groep gemene bullebakken, die vloekend en tierend het bos in trok om bessen te plukken...'

Ongeveer rond die tijd nam mijn veelgeplaagde moeder een mooie, zilverharige onderwijzeres in de arm, een zekere Janet Monroe. Die woonde in een schattig landhuisje met uitzicht op de oceaan en het was de bedoeling dat ik me in de zomervakantie eens per week bij haar thuis zou melden. Maar na onze eerste ontmoeting was ze al van mening dat ik beter drie keer per week kon komen voor een twee uur durende les. In het begin voelde ik me echt een rijkeluiskind, ook al wist ik best dat mijn moeder die lessen amper kon betalen.

Iedere middag liep mevrouw Monroe voor me uit door haar

huis naar een zonovergoten veranda vol weelderige palmen, stoelen met dikke kussens en verschoten Perzische kleedjes. Als je binnenkwam, moest je eerst je schoenen uittrekken en dan hallo zeggen tegen haar papegaai, een schitterende grijze roodstaart die Sam heette. Hij bauwde haar stem na, kende binnen de kortste keren mijn naam en was de eerste die me nafloot, meteen gevolgd door een flirtend 'Hallo, schattebout!'

Die hele zomer worstelde ik met het probleem van het ontcijferen, dat wil zeggen dat ik moest leren hoe een geschreven woord bepaalde klanken uitbeeldt. Dat is iets wat de meeste kinderen komt aanwaaien, net als fietsen of zwemmen. Maar voor mij was het een hele opgave.

'Dit komt wel vaker voor bij intelligente kinderen,' zei mevrouw Monroe, met haar hese rokersstem die af en toe gewoon wegstierf, tegen mijn moeder. 'Ze heeft een leerstoornis die dyslexie heet.' Ik probeerde dat net te verwerken toen ze tegen Sam zei dat hij me maar eens moest vertellen wie daar allemaal in hun jeugd ook mee hadden getobd. Die vogel was echt briljant, hij lepelde ze zo achter elkaar op: 'Einstein, Rockefeller, Edison, Picasso, Walt Disney en John Lennon.'

'Kijk aan,' zei ze toen hij klaar was. 'Je verkeert in goed gezelschap.'

We deden allerlei oefeningen uit mijn leesboek en lazen hardop, waarbij Sam mijn moeizame, hakkelende stem naaapte, hele stukken uit zijn hoofd leerde en me kusjes gaf met zijn snavel als ik klaar was. Uiteindelijk kon ik niet wachten tot ik hem weer zou zien. Maar toen was het ineens september en moest ik terug naar school. Ik heb mevrouw Monroe nooit meer gezien.

Op een dag in de herfst belde ze ons op om te vertellen dat ze ziek was. Een maand later kwam mijn moeder thuis met Sam. Mevrouw Monroe was gestorven en had hem aan mij nagelaten. Op een briefje aan de kooi stond: 'Lieve Cassie, na mij ben jij de liefste leerling van mevrouw Monroe.'

Papegaaien blijven hun partner een leven lang trouw, maar

om de een of andere reden accepteerde Sam mij. De Zuid-Amerikaanse natuurvolken geloven dat papegaaien een menselijke ziel hebben en daar kan ik me helemaal in vinden. Hij trippelde na schooltijd altijd meteen over mijn arm omhoog om me kusjes te geven op mijn mond en mijn oren. Af en toe zei hij: 'Hou van je. Mis je. Heb je een voldoende?' Goed, hij bauwde mijn moeder na, maar ik weet zeker dat hij het meende. En bij andere gelegenheden herhaalde hij alles waarvoor ik mezelf uitmaakte.

'Ik ben gewoon een stomkop!' gilde ik bijvoorbeeld.

Waarop hij vrolijk reageerde met: 'Stomkop! Stomkop! Stomkop!'

'Hou je bek!' schreeuwde ik dan.

'Nee!' krijste hij terug, fladderend en knikkend met zijn kop. Sam vond het prachtig om mij op de kast te jagen. Al mijn tekortkomingen waren voor hem gewoon een spelletje.

Toen Sam en ik bij Frank introkken, hadden ze op slag een hekel aan elkaar. Als we ruzie hadden, loerde de papegaai met zijn kraaloogjes naar Frank, nam zijn agressieve houding aan – een beetje in elkaar gedoken en met gespreide vleugels op zijn stok – en begon furieus naar Franks gezicht en handen te pikken. Het zal de klank van zijn stem wel zijn geweest.

'Doe dat verrekte deurtje dicht!' schreeuwde Frank dan terwijl hij achteruitweek voor Sams scherpe, hoekige snavel.

'Doe dat verrekte deurtje dicht! Doe dat verrekte deurtje dicht!' krijste Sam hem na. Waarschijnlijk om hem te pesten klonk hij net als Frank. Papegaaien laten zich echt niet kisten door een boze stem. Ze hebben nooit met elkaar kunnen opschieten, ook al heb ik mijn best gedaan om Sam zover te krijgen. Hij bleef Frank gewoon op allerlei geniepige maniertjes tegen de haren in strijken. Hij kon de telefoon en de deurbel zo perfect nadoen, dat Frank op z'n minst één keer per avond naar de deur holde, waarna Sam kakelde van het lachen en 'stomkop!' krijste.

Frank heeft meer dan eens tegen me gezegd dat ik Sam weg

moest geven, omdat hij anders die 'verrekte vogel de strot zou omdraaien'. Uiteindelijk liep het zo hoog op dat ik tegen mijn moeder zei dat zij hem maar een tijdje moest nemen, tot hij weer een beetje tot bedaren was gekomen. Sam vertoont ook geen enkel teken van rouw.

Ik stap weer in mijn auto en rijd naar een klein uitzendbureau tegenover de universiteit dat sterk aanbevolen wordt... in de Gouden Gids. Als ik naar binnen loop, hoor ik de kantoorhoudster tegen een vrouw zeggen: 'Het spijt me, maar iets anders heb ik niet. Tegenwoordig is een afgemaakte studie niet meer waard dan een diploma van de middelbare school. Je moet echt een titel hebben als je meer wilt dan een baantje als assistent.'

Wat betekent dat dan voor mij? Dat ik nooit meer dan een voetveeg word? Ik kijk de vrouw na als ze wegloopt. Wat mij betreft, ziet ze er bijzonder chic uit. Ik trek even aan het elastiek in de band van mijn kaki broek. Zo zal ik er nooit uitzien. Wat moet je eigenlijk doen om een dergelijke indruk te maken?

Nee, ik ben zeker niet chic. Ik ben gewoon, juffrouw doorsnee ten voeten uit. Ik ken vrouwen die er in een gezelschap echt uitspringen, maar dat geldt niet voor mij, al zal mijn moeder het daar niet mee eens zijn. Zij zegt altijd dat ik 'mooie beenderen' heb, alsof ik iemand uit een van haar klassieke romans ben, en dat al haar vriendinnen me ook heel mooi vinden. Maar zo denk ik er zelf niet over, zeker niet als ik een kamer vol mensen binnenkom. Frank noemde het altijd 'hét', dat bepaalde iets waardoor iemand opvalt. Misschien komt het door mijn haar. Dat zit altijd in een lange paardenstaart met een soort Peter Pan-pony. Waarom weet ik niet, maar zo heb ik het altijd gedragen. Frank vond dat het leukst. Als ik het los liet hangen, vroeg hij me altijd waarom ik dat deed.

'Je ziet er beter uit met je haar uit je gezicht,' zei hij dan. Maar nadat we getrouwd waren, zei hij nooit meer dat ik er leuk uitzag. Eigenlijk zei hij alleen maar dat ik me niet zo moest aanstellen als ik me een keertje optutte.

Ik pak een sollicitatieformulier op en begin het langzaam in te vullen. Naam: Cassie Shaw.

Opleiding: Daar gaat het dus om. Ik moet ineens denken aan die keer dat ik samen met Frank naar een wedstrijd in de Rose Bowl zat te kijken. Wie speelden er toen? Was dat niet een van die grote universiteiten uit het Middenwesten? Uit Michigan of Wisconsin. Een stadion vol juichende studenten. Wie weet dat nou nog? Een of andere plek waarvan ik gewoon lachend kan zeggen dat het verdomd koud was als ze me vragen hoe ik het daar vond. Ik doe het gewoon. Michigan. Ik weet alles van Michigan. Daar maken ze immers auto's? Shit. Hoofdstudie: Wat nu? Mijn handen beginnen te trillen. Nou ja, ik begin zo langzamerhand een soort psychopaat te worden, dus psychologie dan maar? Dat klinkt best goed. Iedereen weet wel iets van psychologie.

Daarna vul ik de rest in: nummer rijbewijs, sofinummer, adres (het postbusnummer van mijn moeder, er wordt al twee jaar lang geen post meer bij ons bezorgd), leeftijd, enzovoort. Als puntje bij paaltje komt, heb ik eigenlijk het grootste deel van het formulier naar waarheid ingevuld. En laten we wel wezen: iedereen jokt toch over dat soort dingen?

'En hoe vond je het in Michigan?' vraagt de kantoorhoudster. Ik concentreer me op een pluizige plant in de vensterbank. Hij staat in zo'n klein potje dat de wortels er als witte wormpjes onderuit krullen.

'Het was er verdomd koud,' antwoord ik. Ze lacht.

'Nou, dan begrijp ik wel waarom je terug bent gekomen. Psychologie. Wat kun je daarmee beginnen?'

'U zegt het.' Ik grinnik een beetje geheimzinnig.

'Ik zie hier dat je na je periode bij het Wildlife Center voor het autosleepbedrijf van je man hebt gewerkt.'

'Ja, dat klopt. Hij is pas geleden overleden.' Oké, ik hang dus de zielige weduwe uit. Nou en?

Ze kijkt meteen vertederd. Verdorie, ik haat die blik. Medelijden. Verbazing. Ik kan haar bijna horen denken: 'En ze is nog zo jong.'

'Nou, we hebben op het moment niet zoveel, maar ik kan je een bescheiden baantje op de universiteit aanbieden. Bij de faculteit gedragswetenschappen, dus dan heb je al wat houvast.'

Raar genoeg vind ik dat een leuk compliment, ook al is het gebaseerd op een leugen.

'Hoor eens, ik wil je niet voor de gek houden. Het komt in feite alleen maar neer op telefoon aannemen, tikken, post rondbrengen en archiveren, je weet wel, het gewone kantoorwerk.' Maar wel een stuk beter dan alles wat ik niet aangeboden heb gekregen. Ik beaam achteloos dat ik wel een afspraak wil voor een sollicitatiegesprek. En ik ben in de zevende hemel, tot ik weer buiten sta. Dan begin ik me ineens zorgen te maken over het feit dat ik gejokt heb. En het waren niet zo maar leugentjes, het waren kanjers. Ach, hou toch op. Frank loog ook altijd of het gedrukt stond en God heeft hem nooit gestraft. Dat wil zeggen... Als ik oversteek, kijk ik zorgvuldig eerst naar links en dan naar rechts.

TWEE

Voor me rijzen de universiteitsgebouwen op, hoog op een heuvel als een soort sprookjesstad. Rode baksteen, glad geschoren gazons en speelweiden vol voetpaden en beelden. Ik loop onder een koepel van boombladeren door de Van Dorman Gates, zwarte rijk versierde smeedijzeren hekken tussen twee imposante pilaren. In een daarvan is een citaat van Cicero gebeiteld.

'De eerste plicht van de mens is het vinden en het onderzoeken van de waarheid.' Ik loop door, met mijn sollicitatieformulier in mijn hand geklemd. Ik wens niet aan de gevolgen te denken.

Jokkebrok, jokkebrok!

Toen ik nog klein was, ging het op zondagschool eigenlijk alleen maar over God en de duivel, de twaalf apostelen, de tien geboden en de zeven doodzonden. In ons wereldje was alles keurig geregeld en dus bevattelijk. Er waren honderden wetten met bijpassende straffen, netjes gerangschikt naargelang de ernst van de overtreding. Als het om de zonde ging, was er kennelijk geen grijs gebied, alleen maar een kil, grimmig landschap vol uiterst pijnlijke straffen of hemelse beloningen, afhankelijk van de weg die je volgde.

Ik kan me nog goed herinneren hoe de onderwijzeres met haar krijtje naar het schoolbord priemde, toen ze ons een heel stel 'gij zult niets' voorschotelde. Gij zult niet doden. Priem.

Gij zult niet stelen. Priem. Priem. Gij zult niet overspelig zijn. Alles was alleen maar negatief. Maar zo simpel is het leven niet. En ik moet eerlijk toegeven dat ik zelfs als verlegen en ernstige kleuterklasleerling niet zoveel ophad met dat soort onderwerpen.

Ik geloofde over het algemeen wel in God, maar niet in eeuwige verdoemenis. Nou ja, als je zondigde dan had dat uiteraard bepaalde gevolgen, maar diep in mijn hart wist ik zelfs al op mijn zesde dat God nooit passief zou toekijken als mensen in grote ketels vol kokende olie gekookt werden of ten slachtoffer vielen aan het hellevuur, zoals ik een keer een tv-dominee had horen beweren toen ik op een zondag ziek thuis was gebleven.

Als puntje bij paaltje komt, denk ik eigenlijk dat het alleen maar een kwestie van geweten is of je goed of slecht bent, en of je kunt leven met de dingen die je doet. Maar daar staat weer tegenover dat er psychopaten zijn die tienermeisjes vermoorden zonder zich ook maar een beetje schuldig te voelen... die hebben dus gewoon een enorme blinde vlek op hun ziel. De onderwijzeressen op de zondagsschool bleven maar vertellen hoe belangrijk het was dat wij, als goede christenen, een leven zonder zonde moesten leiden. Maar voor zover ik me herinner, staat 'gij zult niet liegen' niet bij de tien geboden. Er wordt wel min of meer naar verwezen met die opmerking dat je geen valse getuigenissen mag afleggen, maar er is geen gebod dat ons ronduit verbiedt te liegen. En als dat echt zo belangrijk was geweest, dan zou het toch wel bij de tien geboden hebben gestaan?

Misschien komt het omdat er verschillende vormen van waarheid zijn. Smoesjes, leugentjes om bestwil, halve waarheden, sterke verhalen, en het niet zo nauw nemen met de waarheid geven je toch niet het gevoel dat ze onder het kopje 'regelrecht kwaad' vallen. Zelfs een kanjer van een leugen hoort daar niet bij. Dan heb ik het bijvoorbeeld over dingen als zeggen dat je ziek bent, terwijl je alleen maar lekker thuis wilt blijven, onderuitgezakt met een zak chips voor de tv. Of tegen mensen zeggen dat ze er geweldig uitzien, alsof ze niet gigantisch aangekomen zijn, of koerend boven de pasgeboren baby van je vriendin hangen terwijl die in werkelijkheid op een kale aap lijkt. Of tegen iemand zeggen dat hij zo slim is, terwijl dat helemaal niet waar is. Iedereen ter wereld doet dat, behalve de dieren. Maar wacht even, en Sam dan? Waarschijnlijk kun je er niet omheen als je kunt praten.

En dat zeg ik echt niet om mezelf schoon te praten. Wat had ik anders moeten doen? Tegen die juffrouw van het uitzendbureau zeggen dat ik niet eens de middelbare school heb afgemaakt en alleen maar staatsexamen heb gedaan? En dat ik me nu nog, als ik lees, heel goed moet concentreren omdat anders de woorden één grote warboel worden? Het kan hun echt niet schelen wat ik allemaal heb gepresteerd, ze kijken toch alleen maar naar dat sollicitatieformulier. Het interesseert ze niets dat ik uiteindelijk toch heb leren lezen, alleen wat langzamer dan gewone leerlingen.

Ik stap de universiteit binnen en loop naar een jonge vrouw die achter een lage balie zit. Ze heeft glanzend blond haar dat net tot op haar schouders valt en draagt een geelbruin truitje. Rode flatjes met puntneuzen steken onder het bureautje uit. Ze ziet eruit alsof ze alles voor elkaar krijgt en zelfs ongestraft met een kar vol onbetaalde boodschappen de Wal-Mart uit kan lopen (alsof ze zich daar ooit zal vertonen). De bewaker zou alleen maar naar haar lachen en haar een prettige dag wensen.

Dat overkomt mij nou nooit. Toen we nog op de middelbare school zaten, gingen mijn beste vriendin Tiffany en ik een keer een weddenschap aan om iets uit de 7-Eleven op de hoek te jatten. Ik holde naar de kassa met iets kleins, een pakje kauwgom, om de aandacht af te leiden terwijl Tiff een paar repen in haar bloesje stopte onder het mom dat ze haar beha verstelde. Ik was zo zenuwachtig dat ik alles verraadde, maar de winkelier heeft toch de politie niet gebeld. Hij viel op Tiff. Iedereen viel altijd op Tiff. Zo'n type was ze gewoon. Net als deze receptioniste die zit te wachten tot ik mijn mond opendoe. Ik schenk haar mijn allerliefste glimlach.

'Hallo. Ik ben degene over wie net gebeld is. Je weet wel, voor die vacature.'

'Pardon?' zegt ze met een vernietigende blik.

'Ik ben Cassie Shaw. Ik heb een afspraak met een zekere mevrouw...' O god, hoe heet ze ook alweer. Ik vis het papiertje uit mijn zak. 'Pearce?'

'Bedoel je proféssor Pearce?' Met de nadruk op: Stomme idioot, je hebt het wel over een professor.

'Ja, dat zal wel.' Ze pakt de telefoon op en lacht even tegen me alsof ze binnenpretjes heeft.

'Hoi, met Alison. Heeft de professor vanmorgen een afspraak?' Stilte. 'Oké, dat geef ik wel door.' Ze kijkt me aan alsof ik een vlekje ben dat weggepoetst moet worden.

'Je bent kennelijk bij de verkeerde faculteit. Dit is psychologie. Sorry,' wimpelt ze me af en richt haar aandacht weer op haar boek.

'Ik weet zeker dat ik op de juiste plek ben. Het uitzendbureau heeft me hiernaartoe gestuurd.'

'O.' Met een veelzeggende blik.

'Hoi, nog een keer met Alison. Ze is gestuurd door een uitzendbureau.' Stilte. Dan lacht ze. Het klinkt niet vriendelijk.

'Ze heeft het op dit moment nogal druk. Ga daar maar even zitten,' zegt ze op een minachtend toontje en wijst naar een kleine wachtruimte achter in de hal.

Tiff en ik hebben een lijst die we meestal het Guinness Boek van Onbeschoft Gedrag noemen. Daar staan bijvoorbeeld mensen op die twee parkeerplaatsen bij het winkelcentrum in beslag nemen, of hun boodschappenkarretje zo neerzetten dat niemand er meer uit kan. Of die in een auto aan een flesje water zitten te lurken en op hun dooie akkertje hun veiligheidsriem omdoen, hun lippen stiften en zelfs doodleuk uitgebreid gaan zitten bellen, terwijl jij daar urenlang op dat verrekte plekje staat te wachten. Of verkopers die gewoon met een collega staan te zwetsen in plaats van jou te helpen. Of de klojo die met zijn koffer over je voeten rijdt en geen bek opentrekt. En de liftheks hoort ook in dat rijtje thuis. Ik heb het over zo'n mens dat daar met een strak smoel blijft staan als jij vraagt of ze alsjeblieft de deur open wil houden terwijl jij je hand in de spleet probeert te wrikken. Ze kijkt dwars door je heen, alsof je onzichtbaar bent.

Ik kijk naar buiten. Er is een kleine binnenplaats bij het U-vormige en met klimop begroeide bakstenen gebouw. Studenten zitten op de bankjes of liggen languit in het gras met hun hoofd op hun rugzak met elkaar te vrijen. Ze zien eruit alsof ze tijd zat hebben om met frisbees te spelen, cola te drinken en dikke boeken te lezen.

Ze doen me denken aan de jonge, optimistische vrijwilligers vroeger bij het Wildlife Center. Dat waren meestal studenten die stage moesten lopen. Een korte onderbreking op weg naar iets anders. Het Center was een oude blokhut die ooit eigendom is geweest van een beroemd schrijver, met een manshoge schoorsteen van ruwe steen. Daar zaten we met ons allen om de potkachel urenlang te kletsen en liters koffie te drinken. Ze hadden altijd zoveel plannen. Een semester in Zuid-Amerika om het regenwoud te bestuderen, of in Oostenrijk om meer te weten te komen over raven. In de lentevakantie naar Hawaï. Vriendjes die rechten studeerden, vriendinnetjes die op het punt stonden om met medicijnen te beginnen. Eindeloze mogelijkheden. Ze raakten niet uitgepraat over het feit dat ze hun liefste wensen wilden vervullen. Ik was al blij als ik de dag doorkwam.

Uiteindelijk kwam ik tot de conclusie dat ze tot een bepaalde club behoorden, waar ik nooit lid van zou worden. En daar werd ik steeds opnieuw met de neus op gedrukt als ik aan het werk was. Rapporten die bij de wastafel bleven liggen. Zoektochten naar een kwijtgeraakt diamanten oorbelletje. Dure auto's met milieustickers en parkeervergunningen voor het universiteitsterrein naast mijn oude, aftandse barrel.

Toen leerde ik Frank kennen en we weten allemaal hoe dat is afgelopen.

Nu hoor ik iets dat klinkt alsof er vette kevers te pletter slaan op een voorruit. Ik kijk naar buiten en dan zie ik hem. Hij is lang en slank, met zandkleurig haar dat voor zijn ogen hangt terwijl hij achter een tennisbal aan holt en die tegen de muur van het gebouw slaat. De bal stuit van de muur en zeilt hoog door de lucht. Zonder een moment te aarzelen trekt hij een nieuwe bal uit zijn zak en begint opnieuw. Kwak! Zijn armen zijn lang en gespierd en hij draagt een verschoten rode short en een afgedragen donkerblauw T-shirt. De klasse straalt van hem af alsof hij een dure rashond is. Hij is niet klassiek knap, maar hij is wel iemand die de aandacht trekt.

'Hé, Sampras!' schreeuwt iemand vanuit een raam op de eerste etage. 'Ben je zover? We moeten ervandoor.' Hij kijkt met samengeknepen ogen tegen de zon in en lacht. Ik zie dat hij met zijn arm over zijn voorhoofd wrijft als hij, nog steeds met het racket in de hand, naar binnen komt.

'Hallo, professor Conner,' mauwt Alison terwijl ze haar volmaakte, witte tandjes ontbloot. Haar houding is totaal veranderd. Als hij langs me heen loopt, ruik ik een vlaag gemaaid gras vermengd met zweet en aftershave. Bij nader inzien valt me op dat hij vastberaden en bedaard overkomt, in tegenstelling tot wat je bij dat slordige haar en die afwezige blik zou verwachten. Hij holt de trap op.

Nu ben ik weer alleen met die valse prinses met haar mooie kleren en haar baan. Ze kijkt me aan alsof ze wil zeggen 'ben je er nu nog?' Haar telefoon gaat over met het geluid van antieke Chinese gongs. (Tiff heeft ook net een nieuwe ringtoon, het geluid van een wegspuitende Chevrolet uit '56.) Ze begint te babbelen met een zekere 'Lanie' over de 'uitzonderlijk minimalistische' tentoonstelling die ze gisteravond in een of andere galerie heeft gezien.

'Toen ik daar rondliep, besefte ik ineens waarom ik zo van Tsjechov hou.' Stilte. 'Nee. Ik heb gezegd dat ik vanavond geen

tijd had.' Stilte. Gegiechel. 'Hou je mond. Ik zie je.' Weer gegiechel. Ik krijg de neiging om te gaan schreeuwen. Ik zit hier
al bijna een uur.

Ik loop met grote passen naar de balie. 'Neem me niet kwalijk, maar ik heb nog een afspraak. Kun je even informeren hoe
lang het nog duurt?' Alison hangt op en belt naar boven.

'Je kunt nu naar boven.' Ze loopt de gang in, terwijl ik me
afvraag wat 'naar boven' precies inhoudt.

'Welk kamernummer?'

'Twee-vijf-vier, tweede deur rechts,' roept ze over haar schouder. Ik kan haar wel wurgen.

Terwijl ik langzaam de trap op loop, doe ik mijn best om
mijn heldhaftige twijfels te onderdrukken en klop op de deur.
Aan de andere kant zegt een afgemeten stem: 'Hij klemt, maar
als je er een flinke zet tegen geeft, gaat hij wel open.'

Ik geef een duwtje, zonder resultaat. Dan geef ik er met mijn
vuist een hengst tegen. De deur vliegt open en knalt tegen de
muur.

'Geweldig. Kom binnen,' zegt professor Pearce met een on-
miskenbaar Brits accent en een vriendelijke glimlach, iets waar
ik totaal niet op voorbereid ben. Ze is een jaar of zeventig, met
donkere, heldere ogen en een wilde, grijze krullenbol, die zo
statisch is dat het haar bijna rechtop op haar hoofd staat. Ze
heeft een dikke, zwarte bifocale bril op en draagt een stijf mantelpakje met brede revers in een zachtblauwe kleur. Afgezien
van dat haar en die bril lijkt ze echt op een dame die met zo'n
mopshondje op staatsieportretten staat.

Haar kantoor ziet er net zo uit – waardig en toch vreemd. De
wanden zijn bedekt met houten boekenkasten, rondom een
bakstenen open haard met een gebeeldhouwde schoorsteenmantel. Er klinkt klassieke muziek. Haar bureau is bedekt met
stapels papieren en tijdschriften, maar ook daar slingeren allerlei vreemde dingen tussendoor. Een antiek haardstel met
handvatten in de vorm van paardenhoofden. Porseleinen buldogs met bloedrode tongen. In dure lijsten gevatte schilderijen.

Groepsfoto's van chic uitgedoste mensen in smoking en toga. Lachend, vol zelfvertrouwen en succesvol.

'Het spijt me dat je zo lang moest wachten. Er zijn kennelijk wat dingen door elkaar gehaald. Maar je bent er toch. En wat zou je voor ons kunnen betekenen?' vraagt ze terwijl ze me over haar leesbril aankijkt met een blik die vertrouwd en toch autoritair aandoet.

'O, ik had begrepen dat het alleen maar om kantoorwerk ging, maar ik ben best bereid om ook andere dingen voor u aan te pakken. Ik ben vrij handig. Ik kan zelfs banden verwisselen.' Ha ha. Ik lach een beetje nerveus. Op haar gezicht is geen spoor van een glimlach te zien.

'Vertel me maar eens iets over jezelf.'

Ik haal diep adem. 'Nou... ik werkte voor het eigen vervoersbedrijf van mijn man... voornamelijk administratief werk, maar hij is pas geleden overleden en ik wilde liever iets heel anders gaan doen.'

Er verschijnt een zachte trek op haar gezicht. Ik lijk wel een grammofoonplaat met een barst erin. Als ik voor het blok word gezet, ga ik meteen de jonge weduwe uithangen.

'Ach, nee toch. Dan hebben we iets gemeen. Ik heb mijn man vijf jaar geleden verloren. Dat valt niet mee, hè? Was hij ziek?'

'Nee. Hij was zo gezond als een vis. Maar hij is met zijn auto in een ravijn gereden. En toen kon hij het schudden, hij was op slag dood.'

'Wat afschuwelijk,' zegt ze, terwijl ze me een beetje vreemd aankijkt. 'Mijn man had de ziekte van Huntington. Af en toe denk ik wel eens dat het zo maar beter is,' vervolgt ze, terwijl ze haar la opentrekt en twee theekopjes plus een zilveren zakflacon met op de voorkant een gegraveerde P tevoorschijn haalt.

'Sherry?' Ik vraag me af of ze me op de proef stelt. Wie drinkt er om deze tijd nou sherry? Ik hou het maar op beleefdheid.

'O, dank u wel,' zeg ik voorzichtig. Pearce schenkt al in.

'Nou, het werk houdt voornamelijk in dat je voor mij en professor Conner het archief bijhoudt, bandjes uitwerkt, de telefoon aanneemt, de post doet en helpt met het organiseren van faculteitsevenementen en een paar speciale projecten. Hij wil bijvoorbeeld graag zijn bibliotheek opgeruimd hebben voordat we allemaal onze nek breken over in de gangen rondslingerende boeken,' zegt ze, terwijl ze haar flinterdunne porseleinen kopje gretig aan haar mond zet, haar gewelfde wenkbrauwen optrekt en de inhoud in één slok achteroverslaat. Het kopje is versierd met een rand viooltjes die samengebonden zijn met roze linten en strikjes.

'Nu staat Descartes naast Deepak Chopra en Muir naast Miller. Henry Miller, niet Arthur.' Pearce schiet in de lach. Ik knik zenuwachtig en probeer me te herinneren wie ook alweer wie is. Ik heb eigenlijk geen serieus literair boek meer in handen gehad sinds ik die op de middelbare school moest doorworstelen.

Ze stelt een paar oppervlakkige vragen over mijn niet-bestaande opleiding en over het Wildlife Center en gebruikt de rest van het sollicitatiegesprek om me alles te vertellen over de tijd die ze in Oxford heeft gezeten, haar boeken, haar kinderen, haar andere twee echtgenoten en een 'goede vriendin' van haar die net in de stad is komen wonen. Het valt me op dat ze haar kopje nog een paar keer vol schenkt voordat ze zich excuseert om naar het toilet te gaan. Zo'n fijn sollicitatiegesprek heb ik nog nooit gehad. Ik ben dolgelukkig, want ik heb geen twee woorden hoeven zeggen en ik heb toch het gevoel dat ik de baan heb.

Als professor Pearce weer binnen komt stommelen, met glanzende ogen en blosjes op haar wangen, lijkt alles in kannen en kruiken.

'Ik vond het echt gezellig om met je te praten. Kun je morgen beginnen?'

Ik wil net antwoord geven als de tennisprofessor zijn hoofd om de deur steekt. Hij draagt inmiddels een wit sportoverhemd, een spijkerbroek en een versleten leren jasje en heeft een dikke bruine papieren map onder zijn arm. Zijn ogen hebben een eigenaardig blauwe tint en hij straalt een natuurlijke elegantie uit. Waarom weet ik niet precies, maar hij bezorgt me een verlegen gevoel. Als ik naar hem kijk, moet ik onwillekeurig denken aan typische oostkust-dingen als staartklokken, zilveren cocktailshakers en dat meisje van de middelbare school dat ons constant inpeperde dat haar voorouders al op de *Mayflower* naar Amerika zijn gekomen.

'Ga je mee?' zegt hij tegen Pearce, maar die wenkt hem met een kortaf en koninklijk gebaartje naar binnen.

'Als je het niet erg vindt, wachten we wel even op Samantha,' vervolgt hij als hij het kantoor binnenkomt, zijn map neerlegt en even zijn ogen met zijn hand beschut tegen het felle zonlicht dat door het raam naar binnen valt. Dan ziet hij mij. Ik zit me net af te vragen of het verstand van deze man op die map van hem lijkt, zo volgepropt met kennis dat die er letterlijk uitpuilt.

'O, hallo,' zegt hij met een glimlach vol belangstelling. Zijn stem heeft het volle timbre van een operazanger in de rol van de voornaamste boef of een tragische koning. Hij leunt tegen een van de met dikke kussens gestoffeerde stoelen als Pearce over een vergadering begint die volgende week gepland staat en daarna met allerlei roddelverhalen komt over een collega van de faculteit psychologie die 'echt niet goed wijs' is. Hij luistert maar half, terwijl hij mij afwezig staat aan te kijken. En dan doet hij iets wat me bekend voorkomt.

Hij klopt op zijn zakken op dezelfde manier als Tiffs broer ook altijd deed als hij zijn sigaretten zocht. Ja, daar doet hij het opnieuw. Hij klopt nog nadrukkelijker en steekt ten slotte zijn hand in zijn broekzak om met wat los geld te rinkelen. Als hij ziet dat ik naar hem kijk, bukt hij zich, kijkt me met samengeknepen ogen aan en fluistert: 'Begin er maar nooit aan.' Dan loopt hij naar zijn volgepropte map en controleert de inhoud. 'Mij best,' mompelt hij zonder er iets uit te halen.

'Laat me je even voorstellen aan Cassie, onze nieuwe hulp,' zegt Pearce terwijl ze Conner mijn sollicitatieformulier overhandigt en zonder omhaal de beide kopjes weer in haar bureaula duwt.

'Conner is onze gedragsdeskundige met betrekking tot dieren,' zegt Pearce met een koninklijk gebaar in zijn richting.

'Leuk je te ontmoeten,' zegt hij, terwijl hij zijn hand uitsteekt en stevig in de mijne knijpt.

'Hebben de dames een kopje thee gedronken?' zegt hij. Hij weet kennelijk precies wat dat inhoudt als hij me even blijft aankijken en dan zijn blik op het sollicitatieformulier richt.

'Universiteit van Michigan,' leest hij hardop en ik verstar. 'O, ik zie dat je ook in het Wildlife Center in Topanga hebt gewerkt, dat ken ik van horen zeggen. Wanneer was dat precies?'

Ik wil net antwoord geven als iemand op zwoele toon 'klop klop' zegt. Ik kijk op en zie in de deuropening een lange, superslanke blondine staan, met een in elkaar gestrengelde zwarte parelketting in haar ene en een sigaret in haar andere hand. Ze draagt een mouwloos cocktailjurkje met een diepe hals en haar sleutelbeenderen zijn zo rond en stevig dat ze op een fietsstuur lijken.

'Ik stoor toch niet?' vraagt ze glimlachend als ze naar binnen stapt.

'Nee hoor, we zaten al op je te wachten,' antwoordt Conner beleefd. Ze loopt naar hem toe en geeft hem de parelketting. Zonder iets te zeggen pakt hij het snoer aan, loopt om haar heen, tilt haar haar op en legt het om haar hals. Als hij het dicht heeft gedaan, slaat ze haar arm om zijn schouder en kust hem snel op zijn mond.

Later moet ik steeds aan die kus denken. Het is een gebaar dat niets intiems heeft, integendeel. Het is de achteloze manier waarop je iemand bijvoorbeeld op een bruiloft begroet... of op een begrafenis. De papegaaienkusjes van Sam zijn een stuk hartelijker. Conner stelt ons aan elkaar voor en ze glimlacht beleefd tegen me, zonder het te menen.

Ik kan mijn ogen niet van haar afhouden, maar Conner kijkt strak naar haar lange, slanke vingers die de sigaret plagend ronddraaien.

'Het is wel mijn laatste,' zegt ze nog, als ze hem in zijn zak stopt. 'Wat ik toch allemaal voor jou overheb!' Ze lacht. Een vrolijk lachje dat me doet denken aan het soort mensen dat in Engelse films een huis in Italië huurt om de zomer door te brengen en die daar dan alleen maar wijn zitten te drinken en Russische romans lezen.

'Heb je lekker gespeeld?' vraagt hij terwijl hij zijn dikke map oppakt en haar zonder veel belangstelling zijn rug toedraait.

'Niet echt. Stacey bleef maar zeuren dat ik niet steeds om mijn backhand heen moet lopen en daarna zijn we samen op de club gaan lunchen. Nu ben ik kapot,' zegt ze luchtig voordat ze blijft staan om te luisteren. 'O! Dat is de tweede van Smetana!'

'Dat klopt als een bus,' zegt Pearce.

'Samantha hoeft een muziekstuk maar een paar keer te horen om het te herkennen,' zegt Conner tegen mij. Samantha doet net alsof ze zich geneert.

'Je laat me blozen, Conner,' zegt ze koket. 'Maar het klopt wel. Dat soort dingen onthoud ik gewoon. Vroeger op school stond iedereen ervan te kijken dat de muziekleraar maar een paar noten hoefde te spelen en ik al wist om welk stuk het ging. Het is gewoon een gave.'

'Ja, die heeft mijn papegaai ook,' zeg ik kalm.

'Wat?' Samantha kijkt me met samengeknepen ogen aan.

'Mijn papegaai kan precies hetzelfde,' zeg ik nog een keer.

'Echt waar?' zegt Conner die kennelijk moeite heeft om zijn lachen in te houden.

'Ja. Als hij een liedje een paar keer heeft gehoord, weet Sam – zo heet hij, toevallig hè? – precies hoe het heet en door wie het wordt gezongen.' Conner barst in lachen uit.

'Wat bijzonder,' zegt Pearce, die nauwelijks moeite doet om haar lach te onderdrukken terwijl ze haar handtas opendoet en een borstel door haar grijze pluishaar haalt zonder dat het resultaat oplevert. Dan staat ze resoluut op.

'Goed, Cassie, je zult hier prima op je plaats zijn. We moeten nu naar een receptie, maar zullen we afspreken dat je hier morgen zo rond een uur of negen bent? Zal dat gaan?'

'Dank u,' zeg ik, met een stem die bijna overslaat.

Ik heb de baan. Mijn hart bonst alsof ik nog een school-meisje ben. Als ik me omdraai, zie ik dat Conner en Samantha al de gang in zijn gelopen. Een aansteker vlamt op, gevolgd door een rookwolk die wordt uitgeblazen.

'We hebben hier rookalarms, maar daar trekt ze zich geen bal van aan,' mompelt Pearce binnensmonds, maar wel zo luid dat ik haar kan verstaan.

'Die pleister helpt dus ook al niets,' vervolgt ze, terwijl ze een rond koperen wekkertje oppakt en in haar tas gooit. Ik kijk met grote ogen toe.

'Ik heb nooit aan een horloge kunnen wennen,' zegt Pearce opgewekt. 'Denk erom dat je gemakkelijke schoenen aantrekt.'

DRIE

Het eerste dat ik zie als ik thuiskom, is het briefje op de deur van de koelkast. *Grote rat in de keuken! Geen fruit neerzetten, dat vindt hij lekker. Leg het brood en de cornflakes ook in de koelkast.*

Onder aan het briefje staat een treurig smoeltje. Mijn moeder vindt het vreselijk om ratten te doden. In het Wildlife Center krijgen ze namen als Monterey Jack (oftewel Monty) en Brie, een 'snoezig' wit vrouwtje met een crèmekleurige vacht en witte krabbelpootjes. Maar ik krijg kippenvel van die lange kronkelstaarten en die kale oren. Bovendien kunnen ze zichzelf als een soort wollige platte pannenkoek onder deuren en ramen door persen. Mijn moeder houdt er allerlei halfbakken middeltjes op na om van die krengen af te komen, maar die werken voor geen meter. Meestal gebruikt ze zo'n diervriendelijke rattenval, die je weer open moet doen om de rat te laten ontsnappen. Dat heb ik ook een keer gedaan en toen sprong het woedende beest me midden in het gezicht. Dat doe ik dus nooit meer. Nu wacht ik meestal tot ze naar haar werk is en dan zet ik een gewone val neer, met een stuk kaas, om dat ziekte verwekkende stuk ongedierte vervolgens naar de andere wereld te helpen. Eet smakelijk. Ik hou van dieren, maar dit zijn akelige, slechte wezens en allesbehalve natuurlijk.

Het is nu eenmaal zo dat iedereen in Topanga ratten heeft en daar allerlei verhalen over kan vertellen. Dat is hier doodgewoon, net als kakkerlakken in New York en leugenaars in L.A. En over leugenaars gesproken: als ze het nou eens wéten wanneer ik morgen op het werk kom? Alison zou dat vast geweldig vinden, terwijl professor Pearce me vol medelijden aan zou kijken en me bij wijze van afscheid nog een kopje sherry aan zou bieden. Wat heeft me bezield? De aanvankelijke blijdschap is behoorlijk bekoeld.

'Wat denk jij ervan, Sam?'

'Je bent een lekker stuk.' Sam is in een beste bui, zoals altijd wanneer ik thuis kom. Bovendien heb ik na mijn sollicitatie-gesprek een nieuw speeltje voor hem gekocht. Het is een pluchen papegaai met een spiegeltje dat onder zijn vleugels verstopt zit. Over een paar dagen zal hij het helemaal aan flarden hebben gescheurd.

Ik doe alle ramen en deuren dicht en maak Sams kooi open. Hij wipt naar buiten en hopt als een hongerig hondje achter me aan, tot ik zijn eten heb klaargemaakt: zaden, stukjes appel, sla, worteltjes en iets wat wij zelf gisteravond hebben gegeten, pudding, pasta of zoete aardappeltjes. Hij is met name gek op cakebeslag. Als hij daar een hapje van heeft genomen roept hij altijd: 'Wat is dat? Ik ook.'

Na het eten wandelt Sam naar de bank en gaat op zijn favoriete uitkijkpost zitten. Frank liet het raam altijd expres openstaan in de hoop dat een van de katten uit de buurt hem te pakken zou nemen, maar daar is Sam veel te gehaaid voor. Ik wil hem net zijn toetje geven als de telefoon gaat.

Dat is Tiff. Die belt altijd om deze tijd. Ze werkt momenteel als juridisch secretaresse voor twee jonge kerels, Seigelman en Stein. Het zijn advocaten die algemene zaken behandelen, ongelukjes, echtscheidingen, testamenten, rijden onder invloed, lichte overtredingen en alles wat ze verder in handen krijgen.

'Zal ik je eens iets vertellen?' zeg ik. 'Ik heb een baan.'

'Je hebt me niet eens verteld dat je een baan op het oog had.'

'Het is allemaal ook heel snel gegaan.' Ik pieker er niet over om haar te vertellen dat ik heb gejokt.

'Bedoel je dat je gewoon ergens binnenliep en toen te horen kreeg dat je aangenomen was? Wat is het voor baan?'

'Assistente aan de Stanfield Universiteit. Ik begin morgen om negen uur.'

'Wat trek je aan?'

'Ze zeiden dat ik gemakkelijke schoenen moest dragen.'

'Zorg er in ieder geval voor dat je er leuk uitziet. Je kleedt je altijd alsof je tien jaar ouder bent. En dan die lange rokken! Je hebt juist zulke mooie benen, die moet je laten zien. Je mag wel iets van mij lenen.'

'Nee, dank je wel,' zeg ik, want ze heeft niets zonder tierelantijnen in haar klerenkast. Ze trekt alleen maar dingen aan die iets theatraals hebben. Dat is waarschijnlijk een overblijfsel uit de tijd dat ze nog aan kunstrijden deed en ervan droomde een grote ster te worden. Zolang ik me kan herinneren, is ze om vier uur 's ochtends opgestaan, zodat ze om vijf uur op het ijs kon staan. Jarenlang heeft haar familie elke cent die er verdiend werd uitgegeven aan trainers, schaatsen, contributies en van die leuke fluwelen, met lovertjes bezette wedstrijdpakjes. Maar helaas heeft Tiff de top nooit bereikt. Ineens begint Sam in mijn oor te krijsen. Hij wordt altijd jaloers als ik aan de telefoon zit, alsof hij een driejarige kleuter is.

'Kun je niet zorgen dat hij zijn bek houdt?' Tiff is niet zo dol op dieren als ik wel zou willen. 'Ik vind het zo'n rot geluid! Heel irritant.'

Inmiddels is Sam op volle toeren geraakt. Ronduit oorverdovend.

'Waar ben je?' vraag ik.

'Bijna thuis. Kom gezellig bij me eten. Maar laat Sam thuis.'

Tiff en ik zijn hartsvriendinnen, maar we lijken totaal niet op elkaar. Dat dateert al uit de tijd dat we nog klein waren en samen allerlei geïllustreerde dierenverhaaltjes lazen. Zij voelde zich altijd verwant met de stadsmuis, terwijl ik meer ophad met de veldmuis. Wat haar betreft, vindt het leven niet plaats in de openlucht, maar in afgesloten ruimtes met muren en een plafond, vol muziek en mensen. Iedere keer dat ik probeerde haar kennis te laten maken met het buitenleven liep dat op een ramp uit.

Toen we een paar jaar geleden samen naar de Malibu Lagoon gingen, was ik verrukt bij de aanblik van een zeldzame witte reiger, terwijl zij haar ogen niet af kon houden van een stel kanjers die bij een strandje aan het surfen waren. Af en toe kan ik haar nog wel eens overhalen om in het weekend met me te gaan wandelen, maar aan het eind van de dag heb ik meestal het gevoel dat het niet de moeite waard is geweest. De zon doet pijn aan haar ogen. Het bos is vergeven van muggen en teken. Het zand schuurt en irriteert haar huid. En het moerassige weideland is nat en vies, vol giftige planten, slangen en de ziekte van Lyme.

Tiff bekijkt ons dilemma van de andere kant. Volgens haar ben ik alleen maar alleen omdat ik overdreven veel van de natuur hou en mannen dat doorgaans geen aantrekkelijke eigenschap vinden. Tiff is er zelfs van overtuigd dat mannen vrouwen zoals ik maar 'raar, onaantrekkelijk en zelfs bedreigend' vinden.

'Als ik je de volgende keer weer een afspraakje bezorg,' drukte ze me dan op mijn hart, 'moet je niet alleen maar over het Wildlife Center praten. Want heus, Cassie, niemand heeft zin in die verhalen over aangereden dieren die jij "patiënten" noemt. En ze willen zeker niet horen hoe jij ingevroren ratten aan stukjes hakt om als voedsel te dienen. En al die lange, gedetailleerde beschrijvingen van jouw *Wilde Koninkrijk* zijn ongelooflijk saai. Op die manier prijs je jezelf uit de markt.'

Of: 'Weet je, Cassie, als jij weer die truc uithaalt door iets te eten in je mond te nemen dat je papegaai vervolgens tussen je tanden uit moet pikken – je weet wel wat ik bedoel – dan kun jij wel denken dat mensen dat heel schattig vinden, maar dat is echt niet zo. Het is doodeng.'

'Dat is niet waar, Tiff. Mensen die een papegaai hebben, doen dat allemaal,' protesteerde ik.

'Mij best, als je het maar laat wanneer er een vent in de buurt is,' zegt ze. 'Beloof me dat dan maar, Cassie. Daar kunnen ze altijd later nog achter komen, als ze hebben ontdekt dat je best leuk bent.'

Ach, ze kan best gelijk hebben. Maar toevallig vind ik troost bij de kleur groen, bij de aanblik van de glimmende, hartvormige bladeren van een uitbundig groeiende philodendron, een handvol munt, de gelobde eikenbladeren met hun zijdeglans en de lange rijen venushaarvarens, die staan te deinen in de wind en het licht weerkaatsen. Ik praat niet vaak over dit soort gevoelens, zeker niet met Tiff die niets opheeft met het rijke buitenleven. Zij heeft nooit de behoefte om er even tussenuit te breken om helemaal op te gaan in het landschap, als een rups op een stukje boomschors.

'Het spijt me, Cassie,' zegt ze dan vol sympathie, 'maar is het je wel eens opgevallen dat jij en je moeder geen enkel gevoel voor humor hebben als het om de natuur gaat? Dan duikt telkens weer dat sombere ondertoontje op, alsof het broeikaseffect er uiteindelijk toe zal leiden dat de hele mensheid uitsterft. Daar kan ik gewoon niet tegen, ook niet als je uiteindelijk gelijk krijgt. Waarom kun je het niet gewoon negeren, zoals alle andere mensen?'

Het is iedere keer weer een klap in mijn gezicht. Maar toch hou ik van haar. Net zoals ik van Sam hou, hoewel ze allebei eigenlijk hopeloos zijn als het om het buitenleven gaat. Eigenlijk is het wel mal dat ik zoveel van een vogel hou die in het wild absoluut niet zou kunnen overleven. Sam voelt zich, zoals de meeste tamme papegaaien, alleen thuis op zijn gemak, en als ik hem los zou laten vliegen, al was het maar in de achtertuin, dan zou hij verdwalen en nooit meer terugkomen. Triest maar waar.

Maar toch is groen het belangrijkste deel van mijn aard, net zozeer een deel van me als mijn huid. Als ik een hol gevoel vanbinnen krijg, hoef ik echt alleen maar naar buiten te lopen en de frisse aardegeuren op te snuiven om te weten dat ik deel uitmaak van iets heiligs. Meestal voel ik me heel anders. Een buitenbeentje.

Maar dat verdwijnt allemaal als ik in het violette licht van de namiddag door de bossen loop, of toekijk hoe de dag op een heroïsche manier een aanvang neemt. Dan voel ik me ongeremd en onsterfelijk, alsof ik ieder moment een wonder kan verrichten.

VIER

Ik ga door het donker wordende bos op weg naar het huis van Tiff. Het gras is platgetrapt en ik ruik de frisse geur van aarde en bloemen die net water hebben gehad. Het briesje flirt met de bladeren aan de bomen, die fladderen en huppelen en ik hoor de takken onder mijn voeten kraken als ik stevig doorloop. Meestal heb ik wel een zaklantaarn in mijn parka, maar op de een of andere manier is die verdwenen. Het enige wat ik vind, is een verfrommeld papieren zakdoekje en een paar kwartjes.

Mijn moeder en ik maken nog steeds af en toe samen lange wandelingen en als kind luisterde ik altijd verrukt naar de wonderlijke verhalen die ze met een dromerige stem uit haar fantasie plukte. Dan sperde ze als een soort sfinx haar felblauwe ogen wijd open en begon aan haar verzameling sprookjes, waarin ik steeds weer nieuwe figuren leerde kennen. De verhalen konden alle kanten op gaan, van de Groene Man van het woud via opstandige, dronken feeën en geflipte bosnimfen tot Herne de Jager. Ze verzon werelden als Euphoria, het Hol der Dromen, Elfenland en, mijn favoriet, de Wisselkindzee. Dat was een plek waar je in kon duiken om te verdwijnen als je een nieuw begin wilde maken, een aanpak die me altijd aangesproken heeft.

Vlak bij deze plek, boven op een enorme rottende boomstam, heb ik vorig jaar voor het eerst de ivoorsnavelspechten

45

ontdekt. Dat gebeurde puur bij toeval, zoals mensen wel vaker dingen ontdekken waarnaar ze helemaal niet op zoek zijn. Ineens trap je toevallig een steen opzij en hupsakee, daar ligt een kaart waarop een verborgen schat staat aangegeven, een verstopte zak met geld, of een diamanten ring die iemand heeft verloren. En de weg naar een nieuwe toekomst waar je geen moment op hebt gerekend ligt open. Ik wil trouwens wel graag even benadrukken dat ik absoluut niet in bovennatuurlijke verschijnselen geloof, helemaal niet zelfs, maar toch had ik het gevoel dat ik naar een stel geestverschijningen stond te kijken. De grootste, meest ongrijpbare vogels van Noord-Amerika waren uit de dood herrezen en stonden daar recht voor mijn neus alsof het de normaalste zaak ter wereld was. Ik had nooit durven dromen dat ik er in mijn tijd van leven één te zien zou krijgen, laat staan twee. Wat een wonderlijke en schitterende wezens, dacht ik, en helemaal niet op hun plaats.

De vogel heeft diverse benamingen, van ivoorsnavelspecht tot de onzelieveheersvogel en de graalvogel. Sommige mensen zijn er hun leven lang naar op zoek, in de hoop er een glimp van op te mogen vangen, alsof het om het Gulden Vlies gaat. Ze staan nog steeds niet op de lijst met uitgestorven dieren die in het Wildlife Center op elk bureau geplakt zit, maar de laatste keer dat er een exemplaar gefilmd is, was in de jaren veertig in Florida. De vogels verdwenen uit het ene bos en moeras na het andere. Zoals bij de meeste uitgestorven soorten bleef er geen leefgebied voor ze over. Sinds die tijd zijn er heel wat mensen geweest die beweerden dat ze een exemplaar hebben gezien, maar dat konden ze nooit bewijzen. Het dier wordt nu eens hier en dan weer daar gezien, maar het blijft bij geruchten. En verhalen, een eindeloze stroom verhalen. De speurtocht heeft inmiddels mythische vormen aangenomen, waarbij recentelijk de meeste ophef werd gemaakt over een waarneming uit 2004, toen de vogel ogenschijnlijk in een moeras in Arkansas op video is vastgelegd. De hoop op een enorme ontdekking rees de pan uit, maar resulteerde uiteindelijk toch opnieuw in een controverse. Het was weer de aloude vraag of de waarneming wel legitiem was. Gezichtsbedrog, een speling van het licht. De wens die de vader van de gedachte is. Een luchtbel.

Ik bleef naar het stel kijken, kennelijk een mannetje en een vrouwtje. Hij leek met zijn glanzende zwarte en witte veren en zijn piekerige rode hanenkam sprekend op een punkrocker. God, wat was hij mooi. Ik hield mijn adem in en bleef als een zoutpilaar staan, hoewel ik het liefst onder het roepen van 'eureka' een paar salto's had willen maken. Hij had een belachelijk grote, glanzend witte snavel – sprookjesachtig wit – en ik weet nog goed dat hij me deed denken aan de flamboyante acrobaten die tijdens de jaarlijkse kermisoptocht in hun glitterpakken midden op straat radslagen maken. Voor een engel was hij ook veel te opzichtig.

Ik had het gevoel dat ik daar een eeuwigheid naar ze heb staan kijken terwijl zij gewoon rustig hun gang gingen en met hun enorme snavels gaten in de rottende boomschors hakten, waarbij de splinters door de lucht vlogen. Op zoek naar voedsel. Je kon bijna horen hoe de insecten zich in paniek uit de voeten maakten. De vogels produceerden een vreemd, blatend geluid terwijl ze daar als gekken op die boomstam inhakten en elkaar over en weer op dikke larven trakteerden alsof het bonbons waren. Meneer en mevrouw Larveneter, die daar in hun sprookjespakken en met hun gouden ogen als een getrouwd stelletje zaten te kissebissen. Ik weet niet hoe lang ik daar al stond toen het mannetje over de stam omlaag hipte en mij in het oog kreeg. Als blikken konden doden... Ik was zijn terrein binnengedrongen en onuitgenodigd op het gekostumeerde bal verschenen. Dat zou hij me inpeperen.

Terwijl hij zijn een meter brede vleugels openvouwde, vuurde hij een kakelende monoloog op me af, waardoor het vrouwtje meteen verstarde. Ze zat zo stil dat ze letterlijk opgezet leek, net als die vogels met hun starre glazen ogen en verschoten verenpak in het Natuurhistorisch Museum. Verloren, uitgestorven en zo ontzettend eenzaam. Mijn moeder en ik zijn nooit teruggegaan naar die tentoonstelling. Die nagemaakte natuurscènes vol dode vogels werkten op onze zenuwen. Het leken net gebalsemde lijken in met satijn beklede doodskisten. Waarschijnlijk heb ik toen mijn voet verzet, want er knapte een takje en dat was voldoende. De vogel schoot als een furie de lucht in, recht omhoog, gevolgd door zijn vrouwtje.

Dit zijn wezens die thuishoren in dichte bossen, in duistere moerassen en op het land langs grote rivieren. Waarom zitten ze dan hier? Ik heb nooit gelezen dat ze in Californië gesignaleerd zijn. Maar ze worden ook beschreven als krachtige, gevleugelde nomaden, die niet opkijken tegen een vlucht van een paar duizend kilometer. En in deze bergen bevinden zich tientallen soorten leefgebieden. Dus onmogelijk is het niet.

Ik ben zo lang blijven zitten dat ik kramp in mijn benen had toen ik uiteindelijk overeind krabbelde. Daarna heb ik nog een tijdje gewacht, maar de vogels waren echt niet van plan om zich weer te laten zien. Toen ben ik snel het pad af gelopen zonder het meteen op een rennen te zetten, alsof ik een misdadiger was die zich uit de voeten maakte. Ik moest onder lage takken door en struikelde over ontwortelde slingerplanten. Bosbeheer doet zijn best om al die obscure paden te onderhouden, maar ze zijn honderden kilometers lang en vaak al jaren overwoekerd. Het komt wel voor dat wandelaars spoorloos verdwijnen. Deze paden zijn in feite onbegaanbaar, vooral als het regent, en die gedachte schonk me troost. Dit berggebied is het grootste natuurgebied ter wereld dat zo dicht bij een stad ligt, maar het is ook een terrein dat een geheim jarenlang kan bewaren en waar deze vogels zich ongezien schuil kunnen houden.

Die dag ben ik het pad helemaal af gelopen, om de waterplassen en het moerasgebied heen, voordat ik in een wat rustiger tempo overging. Ondertussen liep ik te piekeren over wat ik de volgende ochtend allemaal mee moest nemen: een verrekijker, warmere kleren, een opschrijfboekje en een pen. En ik ben de volgende dag inderdaad teruggegaan, net als de dagen daarna.

Het was 's ochtends ijskoud als ik daar in mijn dikke parka en met een deken om mijn schouders urenlang op de soppige grond zat te wachten tot de mist boven de kille Stille Oceaan was opgetrokken. Alles om me heen rook naar het bos, boven het pad hing een geur van dennen en de lucht van rottend hout die als een vochtige zware deken onder het bladerdak zweefde. Herfst in Californië is geen kleurrijk schouwspel, maar al het groen wordt donkerder en in het gras steken felgekleurde paddenstoelen hun kopjes op.

Onder een met schuimende wolken bedekte hemel sloeg ik de ivoorsnavels gade bij hun dagelijkse bezigheden. Af en toe viel er een zachte miezerregen, soms waren het striemende stortbuien. Maar dat kon me niets schelen. Ik legde mijn gedachten vast en maakte aantekeningen van alles wat ze deden, ook al waren hun prachtige en toch wat verontrustende gestalten nauwelijks zichtbaar in de boomtoppen.

Toen ik nog klein was, kwam ik hier vaak en dan deed ik net alsof ik de eerste mens op aarde was. Ik kon net zoveel leren van het luisteren naar de bossen en het geluid van de schoonheid om me heen als van het lezen van boeken. Al dat leven onder de oppervlakte, dat ring na ring in die enorme boomstammen vormt. En nu is er nog veel meer. Het ene geheim na het andere.

Als ik bij het huis van Tiff ben aangekomen hoor ik in de verte het gerommel van de donder. Als ik bijgelovig was, zou ik dat als een voorteken beschouwen. Misschien ben ik wel te ver gegaan in mijn pogingen om die baan te krijgen. Stel je voor dat ze erachter komen? Dingen die je verborgen probeert te houden bezorgen je een schuldgevoel. En dat overschaduwt alles.

VIJF

Thuis bij Tiff zie ik dat ze allemaal naast elkaar op de bank naar CNN zitten te kijken. Hun satellietschotel, die waarschijnlijk hun hele bedrijfsvermogen heeft gekost, is tijdens de laatste modderlawine weggespoeld en nu hebben ze zwart een kabelversterker op de kop getikt die Tiffs broer, Guy jr., vlak voordat hij in dienst ging voor ze heeft aangesloten. Tiff noemt hem nog steeds haar 'kleine broertje' hoewel hij inmiddels tweeëntwintig is. Maar volgens haar is dat 'godsonmogelijk'. Zolang ik me kan herinneren heeft hij zich in de nesten gewerkt. Hij was ook degene die het kindeke Jezus uit de kribbe op het dorpsplein heeft gestolen en het is zijn schuld dat ze daar nu geen stalletje meer neerzetten. Hij kon niet echt goed leren, maar uiteindelijk heeft hij er toch zijn schouders onder gezet en kwam bij de mariniers terecht. Iedereen vond het prachtig, tot hij naar Irak werd gezonden.

Ik ben dol op hun huis. Het staat te midden van een stel enorme eucalyptusbomen, waarvan steeds bladeren gejat worden door hippies die ze in hun hot tubs gooien. Het is een typisch Topanga-huis, in Spaanse stijl met een rood pannendak, hoge houten deuren en balken langs de plafonds. Tiffs familie woonde daar al voordat zij en Guy junior geboren werden. De afdrukken van hun babyhandjes staan nog steeds in de betonnen oprit, met hun namen erboven.

Tiff heeft een tijdje samengewoond met een advocaat die ze via haar werk ontmoet had, maar ze zijn vorig jaar uit elkaar gegaan en nu woont ze weer bij haar ouders, die door iedereen in de buurt tante Ethel en oom Guy worden genoemd. Zo heet trouwens ook hun bowlingbaan vlak bij Ocean Avenue: 'Het Bowlingcentrum van oom Guy en tante Ethel'. Oom Guy beheert de banen en tante Ethel zorgt voor de koffiebar achter in de hal. Ze kan ontzettend goed koken en hun bowlingcentrum is dan ook het enige in het land waar verse groente en geitenkaas op het menu staan.

Dit is al hun zesde centrum sinds ik ze ken. Ze staan altijd op het randje van een faillissement en als ze moeten sluiten openen ze meteen een andere zaak. Toen ze een keer echt geen kant meer op konden, heeft Frank hun een auto gegeven. Dat is het enige aardige gebaar dat hij ooit heeft gemaakt, ook al was de auto eigenlijk van een illegale immigrant die te bang was om de auto bij het sleepbedrijf op te halen omdat hij dacht dat hij dan gedeporteerd zou worden.

Ik bied aan om te helpen bij het klaarmaken van het eten, maar tante Ethel loodst Tiff en mij met een zoet lijntje naar buiten. We gaan op de veranda aan de achterkant zitten en kijken hoe de zon achter de bomen zakt. Heel even lijkt alles in brand te staan en dan is het donker. Tiff heeft haar nette werkkleren verwisseld voor een spijkerbroek en een sweatshirt. Haar platinablonde haar zit in een simpele paardenstaart. Er zijn niet veel meisjes die zich dat kunnen veroorloven, maar Tiff is een poppetje met een glanzend, porseleinen huidje, een ondermaats neusje en ogen die qua kleur op de eitjes van een roodborstje lijken. Verkoopsters van make-upproducten bieden altijd aan om haar gratis op te maken. Meestal vindt ze dat goed en het eind van het liedje is vaak dat ze al die troep koopt die ze op haar gezicht hebben gesmeerd. De helft daarvan komt vervolgens bij mij terecht. De waarheid is dat Tiff helemaal geen make-up nodig heeft, ze is mooi genoeg van zichzelf.

Ze geeft me een Corona, knijpt een citroen uit boven het flesje en zegt: 'Hoeveel ga je verdienen?'

'Ik wil er helemaal niet over praten.'

'Is het echt zo erg?'

'Ik had niet veel keus.'

'Maar toch.'

'Misschien ga ik wel een miljoen verdienen.'

Tiff is even stil en begint dan te lachen.

'Oké,' zegt ze. 'Ik zie het helemaal voor me. Een man belt bij je aan. Hij is van de postcodeloterij. Bent u mevrouw Cassie Shaw? Ja? Nou, dan is dit echt uw geluksdag! U hebt net één miljoen dollar gewonnen! Iedereen barst in tranen uit. Dolle pret! Goeie genade nog aan toe! Wat moet je met al dat geld beginnen? Aan de armen geven? De walvis redden? Dat zou je moeder vast prachtig vinden. De mogelijkheden zijn legio.'

Ik kijk toe hoe Tiff opgewonden over haar wangen wrijft. Ik vind het prachtig als ze zo doet, dat wordt altijd lachen.

'Maar ik weet best wat ík zou doen,' gaat ze verder. 'Ik ging meteen winkelen. Ik zou een echte Prada-tas kopen, geen imitatie, en een enorme diamant. Daarna schafte ik een gloednieuwe auto aan. Een BMW of een Mercedes, met zo'n heerlijk zachte leren bekleding. En iedere keer dat ik ging tanken, zou ik hem gewoon volgooien, in plaats van voor twintig dollar benzine te kopen. En vervolgens zou ik een week naar een beautyfarm gaan, compleet met manicures, pedicures, schoonheidsspecialistes, masseuses en Belgische bonbons. Misschien koop ik ook wel een flatscreen-tv voor mijn moeder. En zo'n enorm gasfornuis waar ze al zo lang haar zinnen op heeft gezet.'

'Wat zou je ervan zeggen als we eens twee flatjes in de stad kochten?' val ik haar in de rede. Ze heeft me zover dat ik het spelletje meespeel.

'Dan hoeven we niet meer bij onze ouders te wonen!' roept ze vrolijk uit.

'Met douches waarvan het warme water nooit opraakt!' ga ik verder.

'En een jacuzzi voor mij en een tuin van twee hectare voor jou, met al die schattige labeltjes waar je moeder zo dol op is:

dragon, rozemarijn, lavendel.' Nu zitten we allebei te giechelen, opgewonden bij het idee.

Op het moment dat tante Ethel roept dat het eten op tafel staat, zie ik een bliksemschicht door de lucht flitsen. Het lijkt alsof er een gloeilamp springt. Grauwe wolken kijken zwijgend en boos toe. Dat zijn de voorbodes van slecht weer en ze beloven niets goeds. We hebben dit seizoen al twee aardverschuivingen gehad en ze zijn nog steeds bezig met het verstevigen van hellingen om te voorkomen dat de modder op de wegen sijpelt.

De tv blijft onder het eten aanstaan. Vroeger keken ze naar spelprogramma's, maar tegenwoordig is het altijd CNN, dat alleen maar oorlogsnieuws uitzendt. Een en al slecht nieuws. Tante Ethel zet het toestel uit.

'Zo is het wel weer mooi geweest,' zegt ze met een gedwongen glimlach.

'Wanneer komt hij thuis?' fluister ik.

'Misschien met de kerst,' fluistert Tiff terug. 'Maar niet tegen mam zeggen, want dan is het geen verrassing meer.'

Omdat het inmiddels is gaan regenen, met van die windvlagen die erop duiden dat het voorlopig niet zal ophouden, rijdt Tiff me naar huis. De gedachte schiet door mijn hoofd dat ik er twee keer zo lang over zal doen als het morgen nog steeds slecht weer is. Ik kan maar beter om zes uur opstaan, om ervoor te zorgen dat ik genoeg tijd heb. En ik hoop van harte dat ik niet meteen gedwongen zal worden om stapels papieren door te lezen, want dan kan ik het vergeten. Ik hoop dat ze wel een computer voor me hebben, maar voor alle zekerheid neem ik toch maar mijn eigen laptop mee. Als het echt alleen om archiefwerk, telefoon aannemen en dingen catalogiseren gaat, kan me niets gebeuren. Ik durf eigenlijk wel te wedden dat het daarom gaat. Iets anders laten ze iemand zoals ik toch niet doen. Maar wacht even, ik ben niet zo iemand. Ik heb een studie psychologie afgerond. O shit.

ZES

Waar ik woon, heeft een stormachtige ochtend iets drei-gends. Het ene moment is alles normaal en even later stort ineens een huis van de rotsen op de snelweg of raakt er ergens een gigantisch rotsblok los dat iemand die op weg is naar zijn werk verplettert.

Zeker twintig minuten voordat de wekker afloopt, word ik wakker onder een loodgrijze hemel. De regen tikt op het dak en de donder rommelt voortdurend in de verte. Het is een sombere ochtend, de lucht heeft een lijkenkleur en de mist doemt achter mijn slaapkamerraam op als een geest die probeert binnen te dringen. Ineens besef ik dat ik niet alleen ben. Naast me op het bed ligt een grote, kletsnatte zwarte hond die zich als een bal heeft opgerold. Hij stinkt een uur in de wind en snurkt als een oude kerel. Zijn snuit is grijs en op de een of andere manier is het hem gelukt om onder mijn lievelingsdekbed te kruipen.

'Ken ik jou?' vraag ik. Hij tilt zijn kop op en gaapt. Een paar van zijn tanden zijn afgebrokkeld en zijn tandvlees is zwart. Geweldig, denk ik, weer een schooier in mijn bed.

Mijn moeder laat 's nachts de achterdeur meestal op een kier staan. Dat is heel gewoon in de canyon en ik denk dat deze ouwe gabber, waarschijnlijk geschrokken van het slechte weer, naar binnen is geglipt. Hij heeft geen halsband om, al wil dat hier niet veel zeggen. Maar ik herken hem ook niet. Als ik naar de keuken loop om Sam te voeren, springt de hond van het bed en rent naar de deur. Maar als ik die open doe en hij ziet dat het regent, gaat hij zitten en kijkt naar me op. Hij is niet van plan om weg te gaan.

Ineens klinkt er een oorverdovende donderklap, wat voor Sam aanleiding is om met zijn poten te gaan stampen en te schreeuwen: 'Help! Help! Laat me eruit! Laat me eruit!'

Zo gaat hij bij onweer altijd tekeer. Opnieuw een klap en hij verstijft van angst en blijft stokstijf staan, met één poot in de lucht en de andere in zijn speeltje vastgeklauwd. Ik sleep zijn kooi mee naar de kamer en leg er een doek overheen, waarbij al het zaad en het smerige water op mijn nachtpon terechtkomen. Daarna zet ik de radio aan en zoek het easy-listening-station op. Hij wordt altijd kalm als hij Barry Manilow hoort. Ik moet eerst een ander probleem oplossen, want ik ben gister-avond vergeten het brood en het fruit op te bergen en dat ligt nu als confetti verstrooid over het aanrecht en de vloer. Om de feestvreugde te verhogen liggen er overal rattenkeutels tussen-door en stukjes appel met de afdrukken van kleine tandjes. Verdomme.

Ik voel het zweet tussen mijn borsten lopen als ik rondren om alles op te ruimen en vervolgens Sam zijn ontbijt van corn-flakes en stukjes banaan voorzet. Meestal gaan we dan aan tafel zitten, want Sam houdt er niet van om alleen te eten. Maar vandaag zit er niets anders op. Er staat vast een file van jewelste en ik moet zo gauw mogelijk weg. Ik ren naar mijn kamer om me aan te kleden en bel ondertussen mijn moeder op mijn mobieltje. Zij heeft al een paar weken nachtdienst in het Wildlife Center.

'Mam?'

'Ben je nog niet weg?'

'Nee. Ik sta op het punt om te vertrekken, maar er zit een hond binnen en die wil niet meer naar buiten. Ondertussen gaat Sam als een gek tekeer en ik ben gisteravond ook vergeten om alles in de koelkast te leggen en nu liggen hier overal rat-tenkeutels.'

'Rustig nou maar, Cassie. Ga jij maar gauw weg, ik ben zo thuis.'

Ik heb er een hekel aan als mensen tegen me zeggen dat ik rustig moet doen. Dan word ik nog zenuwachtiger. Ik zou niet weten hoe ik mezelf moet kalmeren. Ik kan toch niet naar kantoor bellen en zeggen: 'Sorry jongens, maar ik kom een beetje later.' Per slot van rekening is dit mijn eerste dag. Ik had om vijf uur op moeten staan. Ik wist toch dat het slecht weer zou worden. En hoe kon ik nou vergeten om dat eten weg te zetten? Waarom heb ik de deur niet op slot gedaan? Mijn moeder zegt altijd dat het geen enkele zin heeft om 'had-ik-nou-maar' te roepen. 'Zet het nou maar van je af.' Maar ik ben helemaal doorgedraaid.

Ik sta twee minuten onder de douche en hijs me in de kleren die ik gisteravond heb klaargelegd: een geblokte plooirok, een witte blouse, een vest en een paar zwarte instapschoenen. Plus een leren tas die ik van mijn moeder heb geleend. Een blik in de spiegel leert me dat ik eruitzie alsof ik bij Harry Potter in de klas zit. Maar daar kan ik nu niets meer aan doen.

Ik grijp een paraplu en ren naar de auto. Mijn hele voorruit zit onder de natte bladeren, takjes en modder. Ik veeg de smurrie haastig weg met de krant van gisteren en stap in. Alle ruiten beslaan en de blower is kapot, dus ik moet met mijn hoofd uit het raampje van de canyon wegrijden.

Als ik eindelijk bij de Pacific Coast Highway ben, staat er een file van hier tot sint-juttemis en volgens de radio is er ergens in de stad een elektriciteitsstoring. Nu weet ik zeker dat ik het nooit haal. Uiteindelijk arriveer ik toch maar een kwartiertje te laat, maar dan moet ik nog op zoek naar een parkeerplaats in een straat zonder meters, want als ik vergeefs in mijn tas heb zitten grabbelen en uiteindelijk de hele inhoud op de stoelzitting heb gedeponeerd, dringt het tot me door dat ik mijn geld in mijn rugzak heb laten zitten en die ligt thuis. Ik heb geen cent bij me.

Alison zit achter haar balie, met een dampend bekertje koffie op een onderzettertje naast de telefoon, smetteloos en bits. Uit haar opgestoken haar bungelen ondeugend een paar strategische sprietjes. Ze draagt gouden oorringen bij een zwarte coltrui en zwarte leren laarzen met hoge hakken. Prachtig. Ze zit te frunniken met haar BlackBerry.

'O, Cassie, ze zitten boven op je te wachten. Je zou toch om negen uur beginnen?' zegt ze, op die achteloze manier waarop mensen je volkomen voor schut kunnen zetten. Als ik iets wil zeggen, valt ze me in de rede.

'Laat maar. Ik wou alleen maar zeggen dat we hier wel op tijd beginnen.'

Als ik langs haar heen draaf, zegt ze snuivend: 'Zou je alsjeblieft wel je voeten willen vegen? De vloer glibbert als hij nat wordt.' Ik zie ineens dat er lange zwarte hondenharen op mijn vest zitten.

Terwijl ik ze weg probeer te vegen draaf ik naar boven en klop op de deur van professor Pearce.

'Binnen.'

Ik sta even te prutsen met de deurkruk en herinner me dan ineens dat ik de deur een flinke zet moet geven. Hij vliegt open en slaat met een harde knal tegen de muur. De plotselinge stilte is oorverdovend. Het is net alsof ik ineens in een achttiende-eeuwse zitkamer sta, of in de privébibliotheek van Lord Buckingham. De open haard is precies zoals het moet, de porseleinen buldogs zien er tevreden uit en Pearce zit in een tuigleren oorfauteuil met een kopje thee de *London Times* te lezen.

'Lieve kind, je bent drijfnat!'

'Het spijt me dat ik te laat ben,' zeg ik verontschuldigend.

'Zit daar maar niet over in. Er was vanmorgen in de stad geen doorkomen aan. Tenzij je hier twee straten vandaan woont, zoals Alison. Iedereen was te laat.' Wat een mazzelkont, die Alison.

'Ga maar gauw zitten, kind.'

Ik ga op het randje van een met rood fluweel beklede bank zitten terwijl zij me vertelt dat ze naast haar gebruikelijke college sociale psychologie voor eerstejaars dit semester ook twee colleges geeft voor ouderejaars, 'Kennis en vrije wil' en 'Verborgen verleiders'. Ik word haar persoonlijke assistente en moet daarnaast professor Conner helpen, die het prettig zou vinden als ik vanmiddag al zou kunnen beginnen met het reorganiseren van zijn boekenkasten.

'Je lunchpauze is om twaalf uur en die van Alison om één uur. Als zij er niet is, moet je haar vervangen. Dat moeten jullie onderling regelen.' Dat lijkt me geen probleem.

De volgende paar uur ben ik bezig met het sorteren van de post, het tikken van een paar brieven en het bezet houden van het kantoor. De meeste professoren geven college of schitteren gewoon door afwezigheid.

Rond twaalf uur neem ik mijn lunchpauze. Het regent niet meer en er drijven wollige witte wolken door de blauwe lucht die zo uit een tekenfilm kunnen komen. Als het geregend heeft, straalt deze stad je gewoon tegemoet, dan is het net alsof iemand de waas van een lens heeft weggeveegd. Ik rammel van de honger, maar ik heb helaas geen geld. Mijn pinpas heb ik wel bij me, dus ik besluit om even snel naar de bank aan de overkant te gaan.

Het blijft altijd de vraag of de pas iets oplevert. Ik weet nooit wat er op mijn rekening staat en de helft van de tijd krijg ik 'uw saldo is niet toereikend, wacht op teruggave van uw pas' op het scherm te zien.

Dat is heel vernederend, maar ik vind het nog veel erger als ik van een kelner of een verkoopster te horen krijg dat mijn pas het niet doet en dat ik op een andere manier moet betalen.

Oké, dat lukt dus niet. Maar soms werkt het wel als ik het nog een keer probeer. Ik duw de pas opnieuw in de automaat. Nu staat er iemand achter me. Dat vind ik helemaal een ramp. Als ze me op mijn vingers staan te kijken, word ik alleen maar nog langzamer. Geen saldo. Ik probeer het nog één keer. Verdomme, wat is dat nou? Waar is mijn pas?

'Neem contact op met uw bank' knippert het scherm geïrriteerd. Ik druk op de knop om mijn pas weer terug te krijgen. Er gebeurt niets, dus geef ik een klap op de automaat.

'Verdomme nog aan toe!' fluister ik. 'Geef me mijn pas terug!'

'Vergeet het maar,' hoor ik een stem achter me zeggen. 'Als de automaat de pas heeft ingeslikt, kun je die alleen via je eigen bank terugkrijgen.' Waar bemoeit hij zich verdorie mee? Ik draai me met een ruk om.

'Daar weet ik niks van,' zeg ik tegen een student in een overhemd met een alligatorprint en een slobberige joggingbroek. Hij draagt een rugzak over zijn schouder en heeft saffierblauwe ogen omringd door dikke zwarte wimpers die als fluwelen franjes over zijn gezicht fladderen. Een rechte neus en een wat pruilende onderlip. Hij is hooguit twintig, met het open, onschuldige gezicht van iemand die eruitziet alsof hij nooit zorgen heeft gekend.

'Het is mij in Praag ook een keer overkomen.'

O. Nou, ik had datzelfde probleem toevallig in Parijs. Ha ha. Val toch dood. Ik draai me weer om.

'Ik heb het nog nooit meegemaakt,' mompel ik, terwijl ik mijn tas dichtdoe en wegloop.

'Hé!' brult hij me na. 'Moet je wat geld hebben?'

'Wat?'

'Ik kan je wel iets lenen.' Wat een aardige knul. Ik moet me schamen.

'Nee, het is wel goed. Ik heb geld in de auto,' jok ik. 'Maar toch bedankt.'

'Graag gedaan.' Hij schenkt me een engelachtige glimlach.

Ik loop naar mijn auto om te zien of ik toevallig wat los geld in de deurvakken of het dashboardkastje heb liggen. Vastgeplakt op de natte voorruit onder de ruitenwisser zit een kletsnatte bekeuring. Aan deze kant van de straat wordt vandaag de goot schoongemaakt. Wat kan me nog meer overkomen? In de kofferbak vind ik drie kwartjes. Die hoef ik in ieder geval niet in een parkeermeter te stoppen.

Ik herinner me dat er een paar automaten in de buurt van de

postkamer stonden, dus als ik terug ben op kantoor loop ik daarnaartoe. Ik heb de keus uit diverse repen, chips, koeken, KitKats en in folie gewikkelde sandwiches. Alles kost meer dan een dollar, behalve de kauwgom, maar dat zal je toch een rotzorg zijn als je sterft van de honger.

Als ik terug ben bij de receptie zit Alison met haar mobiel aan haar oor.

'Laten we maar naar dat nieuwe Italiaanse tentje gaan. Ik heb zin in pasta. Ça va?' Ça va, aan m'n hoela. 'O. Ze is terug. Tot over tien minuten.'

'Hoi. Moet je horen, alles staat op de juiste plek, dus maak alsjeblieft geen rommel.' Ze pakt haar Burberry-jas, haar bijpassende paraplu en haar tas, die bedolven is onder de G's. Tiff heeft er precies zo een, een kopie die van een vrachtwagen is gevallen, maar haar G's zijn in werkelijkheid C's, ook al valt dat nauwelijks op.

Voordat ze weggaat, kijkt ze me nog even strak aan. 'O, en die kauwgom. Dat wordt hier niet op prijs gesteld.'

Terwijl ze wegloopt, blaas ik de grootste bel die ik voor elkaar kan krijgen en laat hem knappen. Ik weet dat ze het hoort, maar ze loopt gewoon door.

Nu ben ik dus in mijn eentje en de baas over de hele faculteit psychologie. Competent, professioneel, betrouwbaar. Wachtend op studenten die om raad komen vragen. Op bezoekers die een afspraak hebben. Ik ben de portier. Maar in tegenstelling tot Alison zal ik vriendelijk, behulpzaam en sympathiek zijn. Ineens vang ik in het raam een glimp op van mijn spiegelbeeld. Mijn haar pluist alle kanten op en ik heb een rode neus. Ik lijk net een clown.

In het halfuur daarna gaat de telefoon maar één keer over en dat is iemand die wil weten waar we precies zitten. Vervolgens belt professor Conner om te zeggen dat hij me om twee uur in zijn kantoor verwacht. Als Alison terug is, spuug ik mijn kauwgom uit, kam mijn haar en zeg nonchalant dat ik een afspraak heb met professor Conner en dat ik niet weet tot hoe laat dat duurt. Ik loop weg zonder haar verder een blik waardig te gunnen.

Conners kantoor lijkt op dat van Pearce waar een tornado doorheen is geraasd. Wandvullende boekenkasten en dure leren meubels die half schuilgaan onder een enorme hoeveelheid rotzooi. Opgestapelde boeken, lege verpakkingen van tennisballen en een slordige stapel papier, uitgespuugd door de printer en die als een slingerplant over de vloer kronkelt. Gebruikte koffiebekertjes. Proppen papier die kennelijk naast de prullenbak terecht zijn gekomen. Aan de muur hangen foto's van dansende ijsberen, grizzlyberen die een bloederige zalm verslinden en een enorme elandstier met een kroon van klimop. Traditionele rommel. In een hoek staat ook een open weekendtas met gekreukte, in een bal opgerolde kleren met daar bovenop een verrekijker. Ik geef hem zijn post.

'Sorry voor de troep. Ik noem het altijd een georganiseerde chaos.' Met een sceptische blik loop ik om de rommel heen naar zijn bureau.

'Echt waar,' zegt hij grinnikend. 'Je zou mijn huis moeten zien. Daar staat bijna niets in. Onder invloed van Thoreau. Hou het simpel. Hou het simpel.'

'Ik heb zelf vorig jaar schoon schip gemaakt,' zeg ik, en denk aan al die troep van Frank die ik heb weggegooid.

'Een lekker gevoel, hè?' Hij moest eens weten.

Hij vertelt me dat hij bezig is met een studie voor een of ander instituut en dat hij al het relevante materiaal logisch gerangschikt wil hebben. De resterende boeken moeten op onderwerp en auteur opgeborgen worden. Ik zie tegen de achterwand een ladder staan met daarnaast op de grond een stapel boeken.

'Je kunt toch wel op een ladder klimmen, hè?' zegt hij plagend.

'Ja hoor. Gewoon de ene voet voor de andere en dan... omhoog.'

'Je bent nog te jong om die film te hebben gezien.'

'Het is een klassieker.'

Hij kijkt me net iets te lang aan en ik prent mezelf in dat ik in dit kantoor nooit meer een rok moet dragen.

ZEVEN

Ik ben inmiddels al een paar weken aan de slag in Conners kantoor en ik zit nog steeds bij de A: Aristoteles, Aristofanes, Auden, Audubon. Af en toe google ik thuis bepaalde auteurs en wetenschappers op. En vorige week mocht ik van Conner een van zijn beduimelde exemplaren van Audubons *Vogels van Amerika* mee naar huis nemen. Ik kijk voornamelijk naar de plaatjes.

Af en toe word ik moe en dan ga ik gewoon op de ladder met Tiff zitten kletsen en vertel haar dat ik midden tussen een massa in leer gebonden boeken zit. Eigenlijk best grappig, hè? Maar ik zit ook wel eens gewoon om me heen te kijken naar die stapels reisverslagen en fotoreportages over afgelegen gebieden in de hele wereld: het Amazonegebied, de Galápagos-eilanden, de Sahara. Boeken over wetenschap, filosofie en geschiedenis. Biografieën. En dan vraag ik me altijd af wat voor soort man dit is. Wat heeft hij voor leven achter de rug? Hij kan toch niet al die boeken gelezen hebben?

Meestal is Conner er niet bij, maar af en toe laat hij gele plakbriefjes achter met malle opmerkingen zoals: 'Deze twee klootzakken moet je niet naast elkaar zetten. Ze hadden een pesthekel aan elkaar.' Dat sloeg natuurlijk op de auteurs. Of op een boek met de liefdesgedichten van Auden: 'Bladzijde 234 is eruit gehaald en aan stukken gescheurd. Vraag maar niet waarom.' Of het briefje dat ik het leukst vind, een sticker van een lachebekje met de opmerking 'Goed zo!' die eigenlijk meer geschikt is voor een vijfjarig kind.

Toen ik vandaag binnenkwam, zat hij te werken aan het programmaboekje voor de tentoonstelling over vlinders.

'Ben je nog steeds bezig met de A?' vraagt hij als hij me aankijkt met dat irritant knappe gezicht.

'Ja. Maar ik ben bijna klaar,' jok ik.

Hij gooit me een boek toe. 'Hier heb je nog een A. Een herziene beschrijving van Attila de Hun. Kennelijk was hij niet zo slecht als zijn reputatie doet geloven.'

'Maar hij was toch de man die alles wat los en vast zat plunderde en verkrachtte?'

'Ja, dat wel, maar kennelijk heeft hij zijn volk toch een goede dienst bewezen.'

Daar moet ik even over nadenken. 'Komt het je beter uit als ik straks terugkom?'

'Nee. In feite kom je net op het juiste moment.'

Hij vertelt me dat de vlindertentoonstelling in de serre van de wetenschappelijke faculteit wordt gehouden en vraagt of ik even met hem mee wil lopen om wat van zijn onderzoeksmateriaal mee terug te nemen. Het is een wandeling van een minuut of vijf en het valt me op dat hij ontspannen loopt, met lange passen, en onderweg links en rechts studenten groet alsof hij een echte beroemdheid is. Iedereen lijkt hem te kennen.

We komen aan bij de glazen koepel die op een reusachtige kas lijkt en lopen door een hermetisch afgesloten gang met aan weerskanten glazen vitrines en een paar bordjes die bezoekers waarschuwen: 'Pas op waar u loopt!' De lucht wordt drukkend en vochtig als we een kronkelpad volgen en een bocht omslaan, waarna we ineens in een andere wereld terechtkomen: een weelderig, vochtig warm tropisch regenwoud, compleet met twaalf meter hoge bamboestruiken, orchideeën, bougainville, bromelia's en nog een heel legertje andere planten met donkergroene, glanzende bladeren die zo dienst zouden kunnen doen als paraplu.

Ik sta net met samengeknepen ogen in het schemerige licht te turen als alles om me heen begint te bewegen en ik een zoemend geluid hoor. Een zwerm van duizenden vlinders vliegt door de lucht, ze fladderen tussen de bladeren en zweven en dansen als elfjes. Ze vliegen laag, op ooghoogte, met opengeslagen vleugels die op waaiers lijken. Flarden felrood en felgeel, brede zwarte banden en stralende paarstinten.

'Als je stil blijft staan, komt er wel eens eentje op je zitten,' fluistert hij.

'Dat weet ik,' zeg ik. 'Dat deed ik al toen ik klein was. Ons huis ligt op hun trekroute. Heb je een banaan?'

'Hoezo, heb je honger?' Hij lacht.

'Vroeger voerde ik ze altijd,' zeg ik, terwijl een schuchter wezentje met trillende vleugels naar me toe komt, om dan ineens van gedachten te veranderen en op een boom vlakbij te landen.

'Wacht even,' zegt Conner en loopt naar een van de studentes die de nectarbakjes staat schoon te maken. Ze kijkt hem verbaasd aan, haalt haar schouders op en loopt weg.

We blijven zwijgend en roerloos staan kijken naar de luchtacrobaten om ons heen. Dan komt de studente terug met een verfomfaaide banaan. 'Die had iemand in zijn lunchpakket,' verklaart ze. Ik pel de banaan en geef hem aan Conner.

'Hou hem nu rechtop in de lucht,' zeg ik tegen hem. De vlinders, die zich zo schuw gedroegen, beginnen nu rond de vrucht te fladderen. Een distelvlinder wipt vlakbij op een takje op en neer en fladdert met haar vleugels. Conner tilt zijn hand nog hoger op. In een vreemde, felgekleurde flits kruipt de distelvlinder dichterbij en draait plagend en uitdagend om hem heen.

'Verleidstertjes,' mompelt Conner. Op dat moment geeft de vlinder zich eindelijk gewonnen, steekt haar snuitje in de banaan en begint te drinken.

'Sloeries,' zeg ik. Conner barst in lachen uit en de distelvlinder verdwijnt in de wirwar van glanzende vleugels als een wolk in de mist.

We lopen zwijgend de rest van de tentoonstelling door, alsof we net een gewijd moment hebben meegemaakt. Als we bij de uitgang komen, blijft Conner staan om even met een stel studenten te kletsen. Ik draai me om naar het betoverende spektakel. Terwijl ik omhoogkijk, valt me op dat alle anderen naar de grond kijken. Aan de zool van mijn zware zwarte schoen zit een verpletterde vlinder met een oranje randje langs de vleugels, zo dood als een pier.

ACHT

Ik liep een paar dagen lang te piekeren over de vraag welk zeldzaam en exotisch exemplaar van lepidoptera ik had platgetrapt. Was het misschien een flard van een distelvlinder geweest, een stukje van een monarch of misschien wel een vermorzeld groot geaderd witje zonder haar voelsprieten? Ik geneerde me zo ontzettend dat ik op het moment van de waarheid niet goed durfde te kijken, maar later kon ik aan niets anders denken dan aan die zwarte veegjes en vlekjes op mijn schoenzool. Uiteindelijk heb ik het toch van me af gezet: hou nou toch eens op, mens, je hebt alleen maar een insect platgetrapt.

Gelukkig begint Conner er niet over als hij een paar dagen later voor mijn bureau opduikt en tegen het fotokopieerapparaat leunt terwijl hij me een cassetterecordertje geeft.

'Zou je het heel vervelend vinden om een verslag te maken van mijn eerste college?' vraagt hij met een blik op mijn lege bureau dat omgeven is door allerlei apparaten.

'Het heeft helemaal niets om het lijf,' vervolgt hij. 'Je hoeft echt niet alles vast te leggen wat ik zeg, alleen de essentiële dingen. Ze zeggen dat ik vaak afdwaal, dus dat moet je zelf maar beoordelen.'

'Dat moet ik zelf beoordelen,' hoor ik mezelf herhalen terwijl ik naar de recorder kijk alsof het een leugendetector is.

'Ik weet zeker dat je het meteen door zult hebben als ik wartaal begin uit te slaan. Je moet gewoon alleen de... relevante dingen die ik zeg opnemen. Doe maar net alsof je weer college loopt en aantekeningen zit te maken. En zorg dat je niet in slaap valt,' besluit hij met een grapje als hij de gang weer in loopt.

'Nou, dat zal wel lukken,' zeg ik met een gedwongen lachje.

Op de dag van het college ben ik veel te vroeg aanwezig en ga ergens vooraan zitten. Ik heb het gevoel dat ik in de kerk zit. Deze aula is een van de oudste op het universiteitsterrein en er hangt een soort gewijde stilte terwijl het gefilterde daglicht door de hoge ramen naar binnen valt. Mijn eerste college. Ze moesten eens weten.

Ik kijk om me heen als de studenten binnenkomen. Scherpe smoeltjes die wel iets van fretten hebben, keurige korte koppies, een paar poloshirts over elkaar, haar waar lukraak plukken uit geknipt zijn en vliegeniersbrillen. Een meisje in een kleurig bloesje met afgebladderde zwarte nagellak en donkere plekken onder haar ogen zit uit het raam te staren alsof ze voor het eerst van haar leven de lucht ziet. Een ander, dat veel te jong lijkt, met piercings in haar wenkbrauwen en zware motorlaarzen aan, klost luidruchtig naar de bovenste rij. Een stel moslim hoofddoekjes, een Indiase sari.

Het geluid van mensen die een plaatsje zoeken, weergalmt door de ruimte. De studenten kletsen met elkaar als ze door de gangpaden lopen. Een paar slaan hun laptop open en gaan films zitten kijken. Ik zie een meisje dat online vliegtickets bestelt en een ander gooit een strandbal in de lucht die door de rest van de aanwezigen als een volleybal hoog wordt gehouden. Op het moment dat Conner binnenkomt, belandt de bal op het podium. Hij loopt met grote stappen naar zijn plaats, gevolgd door een grote, langharige hond. Geen spoor van een halsband of een riem. Het beest lijkt op een labrador met lange witte krullen.

'Af, Ahab,' beveelt hij terwijl hij de microfoon pakt en net doet alsof hij de bal niet ziet.

De hond ploft op de grond en lijkt op een ruig vloerkleedje als hij zijn kop op de rand van het podium legt. Het is een van de leukste honden die ik ooit heb gezien. Alsof de meisjes al niet verrukt over Conner waren.

'Welkom bij Diergedrag 230,' zegt Conner terwijl hij naar de aanwezigen kijkt en probeert iedereen in zich op te nemen. 'Ik neem aan dat jullie allemaal het boek hebben gelezen dat ik voor dit openingscollege heb opgegeven.'

Stilte. De studenten kijken elkaar verbaasd aan, bladeren door hun notitieblokken, zakken onderuit op hun stoel of kijken naar hun lessenaar.

'En jullie hebben ook de vereiste colleges gevolgd, met inbegrip van organische scheikunde.' Ik hoor een paar mensen naar adem snakken. Hij laat zijn woorden even goed inzinken met behulp van een bestudeerde pauze. Daarna schiet hij in een aanstekelijke lach, gooit de bal terug en zegt: 'Geintje!'

De aanwezigen halen opgelucht adem, lachen mee en Conner begint meteen. Ik zet de taperecorder aan.

'Goed, daar zit ik dus aan de oever van de Okavanga en kijk uit over de Kalahari. Ik heb net twee jaar in Botswana achter de rug, waar ik in een dorpje kapotte landbouwmachines heb gerepareerd. De dichtstbijzijnde benzinepomp is honderddertig kilometer verderop. Op de hellingen zie ik de silhouetten van impala's en giraffen en overal om me heen klinkt het gekrijs van meerkatten. De zon stond op dat ideale plekje vlak boven de horizon en ik zat gigantisch in de knoop. Ik had het gevoel dat ik alles had gedaan en alles had meegemaakt. Ik had alles opgebruikt. Het leven is kort, nietwaar? Ik bedoel maar. Ik had drie studies afgerond, in de zakenwereld rondgesnuffeld, mijn maatschappelijke plicht vervuld en mijn leven was één grote puinhoop.'

Ik kijk hem ongelovig aan en zet dan de recorder uit. Je hoeft echt niet gestudeerd te hebben om te weten dat hij afdwaalt. Hij blijft doorpraten, steeds sneller en met een eerlijkheid die ronduit schokkend is. We krijgen alles te horen over zijn puberale woedeaanvallen, zijn uitspattingen en ja, zelfs zijn vrouwen. De vrouwen die zijn visie deelden en de vrouwen voor wie dat niet gold. Zijn leven wordt gefileerd en samengevat. De woorden spuiten naar buiten als het water uit een kapotte brandkraan. Je kunt een speld horen vallen. Ik zet de recorder weer aan.

'En toen had ik ineens een... ach verdorie, laten we er maar niet omheen draaien, het was gewoon een openbaring! Ik sloeg *Moby Dick* van Melville open en las de eerste regel: "Noem me Ishmael." En toen werd alles duidelijk. Oké, ik was een tikje stoned.' Ik zet de recorder uit. 'Maar ik besloot om terug naar huis te gaan en mijn leven anders aan te pakken. Of, zoals Boeddha zei: "Degenen die niet hebben geprobeerd de waarheid te achterhalen hebben de zin van het leven gemist."'

Het meisje naast me buigt zich over naar haar vriendin en zegt op gedempte toon: 'Professor Hartenbreker... Ik geloof mijn oren niet!'

'Ik heb gehoord dat hij misschien geen vaste aanstelling krijgt,' fluistert haar vriendin terug. 'Hij is nogal wild.'

'Cool,' zegt ze, diep onder de indruk.

Conner vervolgt met de opmerking dat hij zich bij zijn college zal concentreren op 'waarheid in de natuur'. Ik zet de recorder voor de derde keer aan, maar mijn vinger blijft boven het uitknopje hangen. Hij citeert Walt Whitman, Thoreau en Emerson, 'verplicht leesvoer voor eerstejaars', en tovert ons allerlei beelden voor. Dan stelt hij een vraag. 'Zijn dieren gelukkig? Zijn ze gelukkiger dan mensen? Zijn ze dapperder, kuiser, nobeler en heldhaftiger? De Griekse filosoof Plutarchus zei dat de mens zonder de steun van de goden een natuurlijk nadeel ten opzichte van de dieren zou hebben.' Conners woorden pakken me helemaal in. Die vent zou nog interessant klinken als hij een telefoonboek voorlas.

Nu begint hij over 'de nacht dat de pygmeeën uit het kamp wegglipten, zich met behulp van fosforescerende planten beschilderden en weer opdoken om de bosgeesten te vereren. Plotseling verschijnt er een mannetjesolifant, boos, bijziend en veel gevaarlijker dan een tijger... Ik wist dat het eenmotorige vliegtuigje neer zou storten, want de motor haperde en stopte...'

Hij grijpt de microfoon, springt van het podium en schrijdt op en neer door het middenpad alsof hij iemand van koninklijken bloede is.

'Dieren en mensen leven in een parallelle wereld. Doe je ogen dicht en luister naar de zoete klanken van de meest complexe muziek uit die andere wereld.'

Alle ogen zijn op hem gevestigd als hij een gebaar maakt naar een student die bij een versterker staat, waarop een paar maten vogelgezang door de luidsprekers te horen zijn, geluiden die over en door elkaar tuimelen, dwarrelende noten die uitlopen in een orkaan van geluid.

Hij draagt verschillende kleren over elkaar – een jasje, een geblokt flanellen overhemd met rafels aan de randen en een grijs T-shirt dat om zijn schouders is geslagen – alles even wijd en slobberig. Als hij langs de arm van een meisje strijkt dat aan het pad zit, pakt hij even haar schouder vast en mompelt: 'Sorry.' Het lijkt een hartelijk en galant gebaar.

Inmiddels hebben alle studenten hun pennen allang neergelegd en hun laptops dichtgeklapt en luisteren geboeid toe. Hij is wat langzamer gaan praten, met elegante korte tussenpauzes. God, wat is die vent goed!

'Wat ik dus eigenlijk wil zeggen is dat je, zelfs als je een vreselijke desillusie hebt gehad en een overdaad aan pech, toch altijd met behulp van de natuur de waarheid kunt achterhalen.' Er klatert een applaus op terwijl de hond opspringt en begint te blaffen, genietend van het enthousiasme om hem heen. Iedereen zit te praten en te lachen alsof ze net een fantastische theatervoorstelling hebben gezien. Uit alles blijkt hoe populair hij is.

Ik sta op en glip weg door de achterdeur. Ik denk dat ik het wel aardig heb gedaan met de cassetterecorder. Ik heb geen problemen gehad. Helemaal niet.

Dan denk ik aan de laatste keer dat ik me druk heb gemaakt over wetenschap. Toen ik in groep zeven zat, besloten Tiff en ik samen deel te nemen aan de jaarlijkse wetenschapswedstrijd van school. Als we wonnen, zouden we gratis kaartjes voor Magic Mountain krijgen. Vandaar dat we behoorlijk gemotiveerd waren. We deden niet zoiets saais als uitbarstingen van gipsvulkanen of de uitwerking van zonnestralen op de huid, waarvoor kinderen gewoon buiten gingen zitten om meer of minder verbrand te raken. Tiff en ik besloten een echte voorstelling te geven. We zouden het zonnestelsel uitbeelden. Daarvoor hadden we zwarte gympakjes aangetrokken, versierd met sterren van aluminiumfolie. Tiff beeldde Saturnus uit door tegelijkertijd twee hoelahoeps te laten draaien. Dat sloeg in als een bom. Ik was Mars, de koude, eenzame planeet. We eindigden samen met Billy McCarthy op de eerste plaats en die had alleen maar een stomme maquette van de San Andreas-breuk gemaakt. En ik weet zeker dat zijn vader, een succesvolle aannemer, dat hele ding voor hem in elkaar heeft gezet. Ik word nog kwaad als ik eraan terugdenk.

Het middaglicht is verblindend, net als wanneer je overdag naar de bioscoop bent geweest. Te midden van verkeersgeluiden en lachende en schreeuwende studenten loop ik over de campus terug naar mijn kantoor. Ik voel me energiek en blij, net alsof ik spijbel. Raar hoor. Nu krijg ik na het volgen van een les dus hetzelfde gevoel als toen ik me daar vroeger voor uit de voeten maakte.

NEGEN

Wat een gevoel om hem voor mezelf te hebben. Zijn stem is warm, wijnrood en vol oerdriften. Zelfs als hij in de ruimte staat te kletsen. Hij praat, ik tik. Dat ritme. Die wisselwerking. Ik zit Conners college uit te werken en het is net alsof een denkbeeldige vriend mijn eenzame avond verlicht. Kalm en troostend. Hij klinkt hypnotiserend als hij Emerson, Thoreau en Whitman citeert en beschrijft hoe verlokkelijk de natuur is met haar betoverende schoonheid en aantrekkelijkheid. Hij praat tegen me over de kosmische verbanden in het universum. Nou ja, niet echt tegen mij, maar zo voelt het wel.

Ondertussen staat die oude spelkwelgeest weer achter mijn rug stiekem alle letters om te draaien. Toen ik nog op school zat, kon ik helemaal niet spellen en dus ook nooit iets terugvinden in een woordenboek. Godzijdank heb ik nu een spellingscontrole. Kalomiteit, kalamiteit, calamiteit... dat lijkt me niet goed, maar het zal wel kloppen.

'Emerson schrijft dat "we in de bossen ons gezond verstand en vertrouwen terugvinden. Daar heb ik het gevoel dat me in dit leven niets kan overkomen, geen schande, geen calamiteiten, wat de natuur zelf niet kan herstellen."'

'Dat klopt als een bus!' zeg ik tegen de cassetterecorder. Zijn woorden vloeien in elkaar over, vleiend en instructief. Nu begint hij aan die verhalen over groepen vliegende taoïstische

73

priesters. Ik schrik op van het schrille gerinkel van de telefoon. Shit! Wie zou dat zijn? Ik doe mijn oordopjes uit en stop de recorder.

'Hoi.'

'Tiff. Je belt een beetje laat. Ik ben nog aan het werk.'

'Krijg je dan overuren uitbetaald?'

'Nee.'

'Je bent iets vergeten.'

'Wat dan?'

'Weet je nog dat ik je vorige week heb verteld dat ik een afspraakje voor je had geregeld met die vent die ik op mijn werk had leren kennen? En dat we vanavond met ons vieren uit zouden gaan?'

'Ja. Maar weet jij dan niet meer dat ik tegen je heb gezegd dat ik daar geen zin in had?'

'Je moet gewoon komen. Hij is echt heel aardig... maar niet zo aardig dat je geen afspraakje met hem wilt maken. Haha.'

'Nee, Tiff.'

'Dit is nou precies waar we het laatst over hebben gehad... de reden waarom jouw leven zo saai is. En kom me nou niet aan met de mededeling dat je voor Sam thuis moet blijven, want dat is echt te gek voor woorden. Echt.'

'Ik moet werken, en trouwens, ik zie er niet uit.'

'Je komt gewoon. Hij is een goeie vangst, een marketingmedewerker of zoiets,' zegt Tiff zonder naar me te luisteren. 'Trek iets nonchalants aan, waarin je er jong uitziet. Blijf in ieder geval van de kleren van je moeder af, dat zou een regelrechte ramp zijn.'

'Ik meen het, Tiff. Er wordt van me verwacht dat ik deze aantekeningen op z'n laatst morgen uitgewerkt heb.'

'Sta dan maar wat vroeger op om ze klaar te krijgen.'

'En mijn haar is vies.'

'Schiet nou maar op. Ga je aankleden. Doe gewoon iets aan je pony, zodat die niet zo plat op je hoofd ligt.'

'Ik weet het niet.'

'Ga nou alleen maar je pony uitwassen, goed? Dan zul je er fantastisch uitzien. Het wordt vast hartstikke leuk.'

Volgens mij is dit een grote vergissing. Ik haat blind dates, vooral die korte tergende stiltes die vallen als je geen van beiden ook maar het flauwste benul hebt waar je over moet praten. Dan zeg ik alles wat me voor de mond komt, maar het klinkt nooit zo glad en grappig als wat die lui op de radio zeggen. Die bewonder ik echt. Ze kunnen urenlang doorkleppen over totaal niets en toch interessant klinken. Ik wou dat ik dat kon. En Tiff is gewoon geweldig. Die kan stralend een kamer binnenkomen en meteen met iedereen een gesprek aanknopen. Ze is echt een wereldwonder. Echt waar.

Tiff staat om negen uur voor de deur om me op te pikken. Ze heeft een zijden hemdje aan waaronder nog net een randje van een kanten beha te zien is, een zwarte spijkerbroek en cowboylaarzen. Haar witblonde filmsterrenhaar valt als een waterval over haar blote schouders, maar ook al zijn haar kleren een tikje opvallend, ze doet je toch altijd aan een gezond en ongecompliceerd meisje van de middelbare school denken.

'Joehoe, Cassie. Ben je klaar?'

Ik kan zien dat ze niet bepaald verrukt is van mijn kleren. Ik wilde niet de indruk wekken dat ik om een vent zit te springen, maar aan de andere kant wil ik ook weer niet dat ze gaan denken dat ik de moed al heb opgegeven. Ik heb een camelkleurig vestje aan en een camelkleurige broek waar niets mis mee is. Tiff bekijkt me van top tot teen.

'Veel te netjes en je had ook best wat make-up kunnen gebruiken,' zegt ze misprijzend.

'Dat heb ik gedaan.'

'Maar kennelijk niet genoeg.' Ze pakt haar make-uptasje en trekt me mee naar de badkamer. 'Hallo, Sam.'

'Doe die verrekte deur dicht,' krijst Sam.

Tiff schiet in de lach. 'Wat is hij toch onbeschoft. Als je je mond maar houdt over de taal die die vent van vanavond uitslaat. Moet je zien waar jij mee samenwoont.'

75

Tiff smeert een lichte, glanzende blush die 'Orgasm' heet op mijn jukbeenderen en werkt mijn ogen bij met wat vloeibare bruine eyeliner.

'Je hebt beeldige ogen, alleen valt dat nooit op.' Met een kwastje wordt er nog wat koperkleurige oogschaduw op mijn oogleden aangebracht. 'Zie je wel hoe groen ze nu lijken? Net grote winegums. En heb je geen push-upbeha?' Ik kijk haar aan. Nee, natuurlijk niet.

'Als je wilt, rijden we nog even bij mij langs zodat je er eentje van mij kunt lenen. Het maakt echt een enorm verschil.'

'Wat maakt dat nou uit als niemand hem te zien krijgt?'

'Je weet maar nooit wat de avond brengt. Ondergoed is ontzettend belangrijk. Rijke vrouwen geven er handenvol geld aan uit. Maar goed, ik wed om tien dollar dat je het vanavond heel gezellig zult vinden.'

'Oké,' zeg ik. 'Als jij wint, krijg je tien dollar van me. Als ik win, ga ik naar de hemel.'

'Trek in ieder geval een ander truitje aan.'

Ik ruil het camelkleurige vest om voor een blauw truitje met een v-hals en kijk naar ons tweeën in de spiegel. Tiff is een snoezig blondje met een brutaal neusje, een poezelig Bardotmondje en een verblindend witte lach. Ik ben lang en mager, maar mijn gezicht is niet zo gemakkelijk te beschrijven. Ik ben wel tevreden over mijn neus, want die is lang en recht, maar ik heb een scheef lachje en mijn haar is gewoon saai bruin. We lijken sprekend op een stel van die 'voor-en-na-de-behandeling-foto's' die je soms in tijdschriften ziet. Ik werp nog een blik in de spiegel en steek mijn tong uit. Soms wou ik dat ik een vampier was. Dan heb je geen spiegelbeeld.

'Hou daarmee op. Je ziet er fantastisch uit,' zegt ze glimlachend, om me een hart onder de riem te steken.

Als we naar de keukendeur lopen, pak ik haar bij haar arm en fluister geheimzinnig: 'Wacht even, we moeten aan de andere kant naar buiten. Ik wil niet dat Sam me weg ziet gaan. Hij was juist zo blij dat ik vanavond bij hem zou blijven en als hij weet dat ik wegga, krijst hij de hele boel bij elkaar.'

'Doe even normaal, zeg.'

'Je weet niet half hoe overstuur hij dan raakt. Dit soort beesten heeft echt last van verlatingsangst.'

'Dat zal wel. Probeer alsjeblieft een beetje normaal te doen, Cassie.'

Ongeveer een halfuur later komen we bij Shorty's aan. Denderende rapmuziek die doet denken aan krakende remmen in een station van de ondergrondse. In één oogopslag ziet Tiff de kerels met wie we hebben afgesproken aan het eind van de bar zitten, vastgekleefd aan de flatscreen-tv die staat afgesteld op een voetbalwedstrijd. Voor hen staan twee lege bierglazen. Tiffs vriendje, Tom, draait zich om, grijnst ons een beetje dom toe en wenkt. Ik zweer dat hij sprekend op een sater lijkt, half-geit-halfmens, met spitse oren en een haakneus. Zijn menselijke helft is precies zoals ik me die altijd voorstelde: dik behaard over zijn hele lijf, zijn armen en zijn gezicht. Het enige wat eraan ontbreekt, zijn die hoorntjes op zijn voorhoofd. Ik prent mezelf in dat ik Tiff echt eens moet vertellen dat die wezens altijd in een hinderlaag lagen te wachten op onschuldige bosnimfjes om ze te bespringen.

Die van mij lijkt best leuk. Een beetje studentikoos in zijn kaki broek en zijn poloshirt. Een prettig gezicht. Hij werpt me een koele blik toe als Tiff ons aan elkaar voorstelt.

'Hallo, ik ben Phil,' zegt hij ongeïnteresseerd als hij stijfjes opstaat om me een hand te geven. Zijn gezicht spreekt boekdelen. Hij is duidelijk teleurgesteld.

Tiff wurmt zich op de barkruk naast Tom en schenkt hem een koket lachje. De blik van mijn afspraakje dwaalt door het café en hij trommelt met zijn vingers op de bar.

'Breng nog maar een paar glazen bier,' zegt Tom tegen de barkeeper als hij voor ons uit naar een houten zitje in de hoek loopt. Phil verontschuldigt zich en gaat even naar buiten om te bellen. Waarschijnlijk probeert hij nog gauw iemand anders te versieren.

'Tom handelt in matrassen,' zegt Tiff in een poging het gesprek op gang te brengen. Mijn afspraakje is weer terug en heeft een van de serveersters achter de bar in een hoek gedreven. Ze zouden hem zo'n leren kap op moeten zetten die ze voor jachtvalken gebruiken.

'Ja, en weet je wat ik dan altijd zeg? Iedereen moet naar bed.' Tom lacht en stoot Tiff aan die net doet alsof ze moet giechelen.

'En hoe loopt de matrassenhandel?' vraag ik, ook al laat me dat ijskoud. Ondertussen kijk ik toe hoe Phil iets opschrijft en het papiertje in zijn kontzak stopt. De serveerster lacht als hij terugwandelt naar ons zitje.

'Nou, ik vraag bijvoorbeeld altijd aan mensen wanneer ze voor het laatst lekker hebben geslapen,' zegt Tom. 'En als je dat niet meer weet, heb je een nieuw matras nodig. Mensen zullen altijd matrassen nodig hebben. Net als doodskisten. Je moet toch slapen, hè?'

Tiff slaat haar pilsje achterover, buigt zich voorover en fluistert: 'Wisten jullie trouwens dat Cassie weduwe is?' Het wordt ineens stil aan ons tafeltje. Dat is echt de manier om het ijs te breken. Ik kan haar wel vermoorden.

'Wat akelig voor je. Waaraan is hij doodgegaan?' vraagt Tom, die kennelijk nergens mee zit.

'Daar praat ze liever niet over,' valt Tiff hem in de rede.

'O, sorry,' zegt Tom vol sympathie.

'Maak je over haar maar geen zorgen. Ze had een hekel aan die schoft,' zegt Tiff met een onschuldig glimlachje.

Nu zitten ze me allemaal aan te kijken. Ik heb het gevoel dat ik eigenlijk moet zeggen dat ik hem niet om zeep heb geholpen. Mijn afspraak, die nog geen woord tegen me heeft gezegd sinds hij weer terug is, vraagt: 'Hoe lang is dat geleden?'

'Bijna drie jaar,' zeg ik kortaf. Ik vind het walgelijk om over dat gedonder te praten, al moet ik eerlijk toegeven dat er een periode is geweest, vlak na de dood van Frank, dat ik de neiging had om er steeds over te beginnen. Zelfs tegenover volslagen vreemden. Tegen de knul in de koffieshop: 'Ik nam nooit een cappuccino toen mijn man, Frank, nog leefde. Veel te duur. Heb je ook chocolastrooisel?' Of tegen de mevrouw op de cosmetica-afdeling in het warenhuis: 'Ik ben nu drie weken weduwe en ik kan wel een verzetje gebruiken. Vindt u dit een lekker luchtje?' Of bij de benzinepomp: 'Mijn man is net overleden. Zo dood als een pier. Slechte remmen. Mag ik even van het toilet gebruikmaken?'

Maar nu wil ik er helemaal niet meer over praten. Dat houdt deze oen echter niet tegen.

'Wat heb je met de matrassen gedaan?' vraagt Tom. 'Er zijn namelijk ook mensen die oude matrassen vol schimmel opkopen, er een nieuwe tijk omheen doen en ze vervolgens als nieuw van de hand doen. Heb jij nooit een matras gehad dat stinkt?'

'Nee. Nadat mijn man was overleden, heb ik gewoon mijn huis in de Stille Oceaan gedonderd en alles weggegooid.' Het blijft weer even stil.

'Het was een verkeersongeluk,' zegt Tiff dan, al heb ik geen flauw idee wat dat ermee te maken heeft.

'Ik heb gehoord dat weduwen net maagden zijn, dat het net is alsof het voor hen weer de eerste keer is,' merkt Tom op en knipoogt even tegen zijn vriendje Phil, die totaal geen interesse toont. Nu kijkt iedereen mij aan, alsof ze op antwoord zitten te wachten. Dit is echt te lomp voor worden. Ik wil weg en werp Tiff een smekende blik toe.

'Weet je,' zegt ze abrupt. 'We kunnen niet langer blijven. Cassie moet weer naar huis om haar werk af te maken.'

'O, maar jullie zijn er nog maar net...' zegt Tom een tikje uit het veld geslagen.

'Tot de volgende keer. Het was reuze gezellig,' zeggen we tegelijk als we van het bankje schuiven.

Tiff en ik proberen ons in te houden tot we in haar auto zitten, maar dat redden we niet. We brullen allebei al van het lachen voor we in haar rode Mazda vallen. Ze maakt haar pushupbeha los en zucht van opluchting.

'Op kantoor leek die Phil veel leuker, hoor. En dan te bedenken dat ik hem zo geholpen heb met die aanklacht wegens rijden onder invloed. Wat een klojo,' zegt Tiff verontschuldigend. 'Goh, het spijt me echt, Cassie.'

'Moest hij voorkomen voor rijden onder invloed?'

'Had ik je dat niet verteld?'

Ik kijk mijn vriendin aan. Af en toe is ze zo onnozel dat ik er knettergek van word, maar ik weet ook dat we vanaf de allereerste keer dat we elkaar ontmoetten aan elkaar bleven klitten en vriendinnen voor het leven werden. Op de lagere school zaten we uren met elkaar te kletsen over van alles en nog wat. Later rookten we stiekem de sigaretten die we van haar broer hadden gejat en begonnen te drinken, waarbij we steeds weer nieuwe mixdrankjes verzonnen. We bleven veel te lang op en glipten in onze identieke satijnen jasjes stiekem de bowlingbaan op. Als ik bij Tiff was, had ik altijd het gevoel dat ik met een sneltreinvaart ergens naartoe reed, met zo'n harde wind in het gezicht dat je ogen ervan gingen tranen. Ik kon haar alles vertellen. Ze was de enige die wist dat ik dolgraag wilde gaan studeren. Maar ik had zulke slechte cijfers dat ik dat nooit aan andere mensen durfde te vertellen. Dan hadden ze me vast uitgelachen.

Raar maar waar, ik ben niet echt overstuur door wat er vanavond is gebeurd. Ik voel me eigenlijk prima. Ik heb een fijne dag gehad en ik vond het heerlijk te horen hoe Conner college gaf, vooral dat stuk over Emerson die spiritueel begrip in de wildernis vond en dat 'onsterflijke schoonheid' noemde. Ik denk er precies zo over. Emerson omschreef zichzelf als een eindeloze zoeker die geen verleden met zich meetorste. Hij torste geen verleden met zich mee. In zekere zin put ik daar hoop uit. Het lijkt een soort optimisme dat nergens op is gebaseerd. En zelfs iemand die me helemaal niet zag zitten, kan mijn humeur niet bederven.

TIEN

Als ik thuiskom, heeft mam al een doek over Sams kooi gehangen en ligt de zwarte hond opgerold in een lekkere mand vol kussens. Ze heeft hem gewassen en geborsteld en zijn vacht glanst prachtig. Hij heeft ook mooie ogen, lief, vochtig en bruin. Hij draagt een fraaie, gevlochten leren halsband en lijkt een totaal andere hond. Een chique hond. En lang niet zo oud als ik dacht. Hij ziet dat ik naar hem sta te kijken en kwispelt als ik naar hem toe loop en over zijn kop aai. Ik hoop dat Sam hier niet volkomen overstuur van raakt.

The New York Times ligt op het aanrecht. Halverwege zijn college zei Conner dat er in de *Times* een artikel over vogelgezang had gestaan. Toen ik aan het eind van de dag nog een keer naar zijn kantoor ging om post te brengen, zag ik dat hij de krant in zijn prullenbak had gegooid, dus heb ik die eruit gepakt en mee naar huis genomen. In feite was dat gewoon een kwestie van burgerplicht. Recyclen. Toen ik de krant opensloeg, zaten er wat reclamefoldertjes in. Mobiele telefoons, reclame voor creditcards en een uitnodiging voor de opening van een galerie met een mooie natuurfoto op de voorkant. Die heb ik op mijn toilettafel gelegd.

Daarna begin ik dat artikel over vogelgezang te lezen. In het wetenschapskatern van de *Times* staat dat sommige vogels fluiten, dat andere slaan en dat weer andere ritmische geluiden voortbrengen. De schrijver denkt dat vogels met hun gezang

81

menselijke emoties vertolken. Goh, daar kijk ik van op. Ik zal hem eens uitnodigen voor een etentje met Sam en mij. O, en hier staat een artikel over homoseksuele schapen. Wat interessant. Acht procent van de rammen heeft uitsluitend gemeenschap met andere rammen in plaats van met ooien. Dat klopt vast niet. Volgens mij is dat aantal veel groter. Ooien zijn walgelijke beesten. Daar moet ik het maar eens over hebben als mijn moeder die kasjmier trui weer aan heeft.

Dan pak ik het modekatern. Daar staat in dat de 'hotste' tas vijfentwintighonderd dollar kost en dat er een wachtlijst voor is. Over schapen gesproken. Ik blader door naar de society-rubriek. Mevrouw Zus-en-Zo heeft drie miljard dollar opgehaald voor de Stichting voor Dierenrechten. Ik schrijf haar naam op, om aan mijn moeder door te geven als ze weer eens geld probeert in te zamelen. Deze krant is een stuk interessanter dan het lokale sufferdje. Ik zoek de prijs voor een jaarabonnement op. Laat maar zitten. Ik pak hem voortaan wel uit Conners prullenbak.

Mijn moeder heeft vorig jaar de *LA Times* opgezegd, toen ze het op haar werk steeds drukker kreeg en de kranten zich ongelezen in de keuken opstapelden. Ze zei dat ze een schuldig gevoel kreeg omdat ze het nieuws niet bijhield en dat ze de voorkeur gaf aan de *Topanga Times,* een gratis krant met regionieuws over de riolering, wateroverlast, het ophalen van groenafval en allerlei hippieachtige bijeenkomsten die nog steeds troepen hardnekkige blowers met weke hersens aantrekken.

Als ik naar mijn slaapkamer loop, hoor ik mijn moeders stem boven het geluid van haar tv uit. 'Heb je een fijne avond gehad, lieverd?'

'Geweldig, mam. Hartstikke leuk.' Ik praat niet graag met mijn moeder over vervelende ervaringen. Dan raakt ze alleen maar overstuur.

'Wat fijn voor je, kind.'

Mijn moeder ligt in bed geboeid naar een of andere oude film te kijken. Op haar nachtkastje staat een heel stel lege koffiebekers en waterflesjes en er liggen ook twee 'algemene' af-standsbedieningen die al jaren niet meer werken. Maar daar schijnt zij zich niets van aan te trekken, hoewel ik er zelf knet-tergek van zou worden. Ze staat gewoon zonder na te denken op om van zender te wisselen. Op haar gezicht zit een laag nachtcrème, Aloe Vera Flowing Velvet. Die kost $9,95 in de supermarkt in Topanga en zolang ik me kan herinneren heeft ze die gemengd met petroleum en uierzalf. Walgelijk, maar haar huid is nog steeds glad en jeugdig. Met de kerst doet ze het aan al haar vriendinnen cadeau. Op dit moment heeft ze over haar pyjama een oud T-shirt aan. Nu staat er toevallig 'ik rem voor dieren' op, maar ze heeft een hele verzameling in de kast liggen, allemaal met lollige uitspraken die zo'n beetje het hele terrein beslaan tussen het redden van de aarde en foto's van jonge zeehondjes die doodgeknuppeld worden door pels-jagers. Ze draagt ze altijd naar haar werk in het Wildlife Cen-ter, maar als we samen uit eten gaan moet ze van mij iets an-ders aantrekken.

Ik kijk nooit meer tv, maar na de dood van Frank deed ik niets anders. Iedereen vond dat het de spuigaten uitliep, maar daar maakte ik me niet druk over. Als Tiff belde, zei ik meteen: 'Ik zit midden in een programma, kun je straks terugbellen?' Tiff heeft dat een tijdje geslikt, maar daarna zei ze dat wanneer ze me ook belde, ik altijd net 'midden in een programma' zat. Het was niet normaal meer. Alsof ik dat zelf niet wist.

Het begon 's ochtends al, meteen na het ontbijt. Mijn lieve-lingsprogramma was *Star Kitchen Makeovers* en meteen daar-na kwamen al die kookprogramma's, zoals *Extreme Pastry* met die kerels die met behulp van spuitzakken allemaal onge-looflijke taartjes maakten, vol krullerige bloempjes en zo. En na de lunch volgden al die zielige tranentrekkende 'vertel ons maar eens hoeveel ellende je achter de rug hebt'-programma's, zoals *Cancer Survivor* en al die talkshows waarin vrouwen hun hart uitstorten voor een studiopubliek dat altijd applau-disseert als er iets gezegd wordt in de trant van 'maar nu zal hij me nooit meer verdriet kunnen doen'. Er was bijvoorbeeld een vent die al het geld van een van die vrouwen had gepikt door haar bankrekeningen leeg te halen. En ze dacht nota bene dat hij van haar hield, terwijl hij in werkelijkheid rotzooide met de dochter van haar beste vriendin. De ene puinhoop na de andere. Die vrouwen waren nog stommer dan ik. Enfin, gedeelde smart is halve smart zeg ik altijd maar.

Mijn moeder gaat ook vrijwel nooit uit. Zo moeder, zo dochter. Mijn vader is gestorven toen ik zes was. Hij stond zich te scheren voordat hij naar het werk ging en zakte zomaar in elkaar. Mijn moeder zei dat ze alleen maar een bons hoorde en vervolgens bleef alles stil. Hij was een lange vent met een harde stem, maar ik denk wel eens dat ik me zijn gezicht alleen herinner dankzij de foto's in de zitkamer. Mam is nooit hertrouwd, al is er wel een keer een vent geweest met wie ze naar de bioscoop en uit eten ging. Daarvoor tutte ze zich altijd op, terwijl ik in haar kast zat te spelen, maar ineens kwam hij niet meer. Ik heb nooit gehoord wat er is gebeurd.

Ze klopt op de rand van het bed en zegt dat ik bij haar moet komen zitten.

'Ik ga volgende week naar Joshua Tree om te zien of we Bigfoot kunnen vinden. Heb je zin om mee te gaan?'

'Dat zal niet gaan, mam,' zeg ik zonder er dieper op in te gaan.

Nu begint ze voorzichtig mijn nek en mijn schouders te masseren. Dat ritueel is vaste prik voor ons. Vroeger las ze me voor het slapengaan altijd voor, maar nu we allebei weduwe zijn wrijft ze me over mijn rug en vraagt of ik een fijne dag heb gehad.

Toen ik nog klein was, maakten we van de zondag altijd een grote feestdag. Om negen uur gingen we eerst naar de kerk in Malibu en dan door naar het Wildlife Center. Bij de vroege dienst werden alleen akoestische gitaren gebruikt en de sfeer had iets folkachtigs, terwijl om elf uur een hele rockband kwam opdagen en 'veel te veel herrie' produceerde.

Ik vond het altijd fijn om naast haar in de kerk te zitten, haar hand vast te houden en te luisteren hoe ze zong en de gebeden opzei, maar ik vond het nog fijner om met haar door het bos te lopen terwijl zij achteloos de namen noemde van alles wat daar groeide en hele verhandelingen afstak over het reilen en zeilen in de ongerepte natuur. Samen met haar had dat meer weg van een godsdienstoefening.

Mijn moeder is altijd anders geweest dan de moeders van andere kinderen, maar dat kan me niets schelen. Zij voelt zich prettig bij haar eigen interpretatie van de werkelijkheid, bij al die sprookjes over wat zich werkelijk in het bos, in de schaduw, of onder de zeespiegel afspeelt.

Ik herinner me bijvoorbeeld een zomerdag, toen mijn moeder me voor het eerst meenam naar een kleine getijdenpoel in een inham vlak bij Ventura, waar zij is opgegroeid. Ik was zes en had veel meer belangstelling voor de ijscoman die we op weg ernaartoe tegenkwamen. Nadat we op de ruwe rotsblokken waren gaan zitten zakten onze voeten diep weg in het koele, modderige zand. Ik kan me de zilte geur van de warme zeelucht die als parfum in mijn neus drong nog goed herinneren.

Ze liet me kennismaken met de wereld vol golvend leven in het ondiepe water. De helderblauwe banden om de poten van de heremietkreeften die zich onder de stenen probeerden te verstoppen. De roze, zwarte en groene zeeoren die destijds nog zo talrijk waren, de zeesterren en de gladde witte zeeegels. Mijn moeder zag de wereld door de ogen van die beesten en vertelde me dat ze hun gedachten kon lezen en precies wist wat ze voelden. Op een gegeven moment stak ze haar hand in het water terwijl er een kwal overheen zwom waardoor haar vingers oplichtten alsof het een doorzichtige engelenvleugel was.

Later vertelde ze me allerlei verhalen over Atlantis, Poseidon, paarden en aardbevingen. De zee, de lucht, het bos en de onderwereld weerklonken in haar stem bij haar verhalen over de goden die zich ophielden op de plaatsen die ze zelf hadden geschapen. Oceanus, de oeroude god van het water, met zijn haren van zeewier, dolfijnen die uit zijn baard sprongen en de zee die als een waterval uit zijn mond stroomde. Haar verbeelding balanceerde op het smalle randje tussen fantastisch en bespottelijk. En als ik me tegenwoordig weer eens opwind over haar belachelijke theorieën probeer ik altijd terug te denken aan hoe mijn moeder daar als een glanzende manestraal bij die getijdenpoel zat.

Op dit moment ligt mijn moeder voor de honderdste keer naar *Vertigo* te kijken, die oude film. Ik heb nooit begrepen wat Jimmy Stewart in Kim Novak zag. Ze doet niet anders dan hem bedriegen en hij blijft geobsedeerd door haar. Ik kan het niet meer aanzien.

Ik zeg welterusten, trek mijn kleren uit en stap onder de douche, een kant-en-klaar gekochte cabine van gegolfd plexiglas die tegen de buitenmuur van mijn slaapkamer geplakt zit. Toen ik weer thuis kwam wonen, heeft mijn moeder die door een vriend laten installeren. Het is een vrij hoog en rechthoekig geval waarvan ik af en toe het gevoel krijg dat ik mezelf in een kast opsluit, of in de kofferbak van een auto. Bovendien maakt het water dat in de douchebak klettert evenveel herrie als een pneumatische hamer. Meestal heb ik net genoeg warm water voor vijf minuten.

Ik val in bed en zie dat de hond een paar keer ronddraait voordat hij met een zucht naast me op de grond gaat liggen. Vanuit de andere kamer dringt het geluid van *Vertigo* door en ik vraag me af hoe het zou zijn als een man zo verliefd op je is dat hij letterlijk álles voor je over heeft. Tiff en ik hebben een lakmoesproef om erachter te komen hoeveel een vent van je houdt. Wij noemen het onze 'kogeltest'. Is hij bereid om een kogel voor je op te vangen? Niemand heeft die proef ooit met succes afgelegd.

Ik begin net weg te doezelen als het bed schokt en Zwartmans met zijn volle negentig pond op mijn buik landt.

'Ga terug in je mand,' zeg ik bestraffend. Als hij weer op de grond springt, laat hij een ondiepe, verkreukelde deuk achter en kijkt me treurig aan. Maar dat kan hij vergeten, ik voel me absoluut niet schuldig. Ik draai me om in mijn lege bed en denk aan de twee kerels die Tiff en ik vanavond hebben laten zitten. In ieder geval stinkt mijn matras niet.

ELF

Wanneer ik de volgende dag op kantoor kom, zit Alison te telefoneren. Ze ziet eruit als een boos kind en heeft kennelijk een van die 'welles-nietes'-gesprekken. Dan slaat ze met een diepe zucht haar telefoon dicht alsof het een Venusvliegenvanger is. Vandaag draagt ze een vestje van zwart kunstbont over een witte coltrui en lijkt sprekend op een stinkdier. Op haar neus en haar jukbeenderen is haar huid nog steeds een beetje rozig van het weekend, maar haar ogen staan kil en somber. 'Hoi.' Ik glimlach beleefd. Het heeft geen zin om de hekel die we aan elkaar hebben de vrije loop te laten.

'O, hallo,' zegt ze kortaf en gunt me nauwelijks een blik waardig. Leuk hoor. 'Wil jij alles even naar de postkamer brengen? Professor Pearce wil dat ik hier blijf om de telefoon aan te nemen.' Oftewel: laat de knappe maar aan de telefoon zitten en de gebochelde in de kelder rondhangen. Het kan heel lastig zijn om fantasie te hebben.

Ik sjouw de kantoren langs om de post rond te brengen. Als ik bij dat van professor Conner kom, hoor ik geanimeerde stemmen. Ik vraag me af of ik kan storen of beter later terug kan komen.

'Ik weet niet waarom ze me niet zien zitten,' klaagt iemand tegen Conner.

'Ach, kom,' zegt Conner troostend, 'zo belangrijk is het rapport van de studiecommissie nou ook weer niet. Het zet alleen de mening van de studenten op een rijtje. En jongeren liegen altijd. Heb je dat onderzoek van Josephon niet gezien? Zestig procent van de studenten zei dat ze vorig jaar bij een tentamen gespiekt hadden en hetzelfde aantal had tegen een docent gelogen. Meer dan vijftig procent zei dat ze wel eens tegen hun ouders logen en dat percentage is veel te laag, dus de conclusie was dat ze zelfs liegen over liegen.'

'Maar dit is iets anders. Dit gaat om een anoniem onderzoek en ik heb het gevoel dat de percentages vrij betrouwbaar zijn. Tien procent vindt mij boeiend.'

'Dat is mooi.'

'Vijftien procent zegt dat ik interessant ben.'

'Zie je nou wel? Zo erg is het dus niet.'

'En negentig procent noemt me saai.'

'Dat kan helemaal niet. Dat is meer dan honderd procent!' zegt Conner grinnikend.

'En vijfentachtig procent raadt zijn jaargenoten af om mijn college te volgen. En moet je dit horen: ze vinden ook dat ik geen gevoel voor humor heb. Terwijl ik wel veel gevoel voor humor heb, dat weet jij ook. Ik ben toch geestig?'

'Niet echt, Hank. Maar ik moet toegeven dat je best knappe limericks schrijft.'

Ik klop zacht op de deur. Conner wenkt dat ik binnen kan komen en stelt me voor aan een gedrongen mannetje van middelbare leeftijd met een vlinderdasje en een kale plek die op de tonsuur van een monnik lijkt. Het is typisch zo'n man zonder een greintje sexappeal. Hij heeft zijn broek veel te hoog opgehesen boven zijn vrouwelijk aandoende heupen en hij heeft zo'n ronde, zachte kont die je bij dit type bijna altijd aantreft. Hij beweert ook dat hij allergisch is voor 'iets in deze kamer' (waarschijnlijk de hond) en zijn tranende ogen zijn rood. Hij heeft niet alleen het rapport van de studiecommissie in zijn hand, maar ook een verfrommeld papieren zakdoekje en het valt me op dat hij lange zwarte haren op zijn vingers heeft. En dan zit hij zich nog af te vragen waarom de studenten hem niet aantrekkelijk vinden.

'Aangenaam kennis te maken, Cassie. Maar wees nou eens eerlijk, Conner. Hoe kom jij aan die astronomisch hoge percentages?'

'Geen idee. Ik probeer alleen om de stof begrijpelijker te maken. Je kunt alles op een aantrekkelijke manier opdienen. Stuur mij iemand zonder achtergrond of opleiding en ik kan ze toch interesse bijbrengen voor de wetenschap.'

Ik leg snel zijn post op het bureau en heb me net omgedraaid als hij ineens zegt: 'Dat is toch zo, Cassie?'

'Ik denk het wel.'

'Jij hebt mijn college bijgewoond. Vertel Hank eens wat je ervan vond.'

Ze kijken me allebei afwachtend aan.

'Je zet het arme kind voor het blok, Conner.'

'Helemaal niet. Ze mag zeggen wat ze wil. We leven in een vrij land.' Ze praten over me alsof ik er niet bij ben.

'Vooruit met de geit, Cassie. Wees maar eerlijk.' Conner glimlacht vol vertrouwen.

'Nou, ik vond het een fantastisch college.'

'Omdat...'

'Nou, eh, omdat...' Ik voel dat mijn gezicht rood wordt. 'Omdat ik het gevoel kreeg alsof alles bij elkaar hoort.'

'Kijk aan, ze lijkt verdomme John Muir wel!' straalt Conner trots. Hij is verrukt over mijn antwoord. Maar wie is John Muir? Hij loopt naar zijn boekenkast en gooit me twee verfomfaaide boekjes toe.

'Heb je die gelezen? Deze vind ik het best, de meditaties van rond 1890 over Yosemite.' Ik blader een van de boekjes door, terwijl hij verder praat.

'Wat ik maar wil zeggen, is dat je ervoor moet zorgen dat je college raakpunten vertoont met het leven van alledag. "Men moet de wereld in een korrel zand zien en de hemel in een wilde bloem." Zo is het toch, Cassie?'

'Absoluut,' zeg ik automatisch. Zijn ogen twinkelen.

'Volgens mij maakt het niets uit wat ik doe,' zegt Hank mokkend. 'De studenten zitten toch gewoon uit het raam te kijken. De helft van de tijd heb ik zin om het hele zootje weg te sturen. En trouwens, je kunt van mij niet verlangen dat ik tijdens een college geologie Blake ga citeren. Dan zou ik een modderfiguur slaan.' Hij snuift.

'Maar dat zou je nou juist wel moeten doen. Sleep er alle vakken met de haren bij, net als poëzie en kunst, en citeer Whitman en Emerson. "Het is een grote stap van graniet naar de oester en de weg naar Plato is nog langer." Draai Händel en Bach. Maak wandeltochten met ze. Maak een studiereis naar Joshua Tree en blijf een nacht over.'

'Ik pieker er niet over om een studiereis met ze te gaan maken! En ik heb de pest aan kamperen, behalve die keer toen ik problemen had en jij me meegesleept hebt naar Yosemite.'

'O ja, dat was ik even vergeten. Jij hebt niets met de natuur, net als Woody Allen. Joshua Tree is geweldig.'

'Nou, dat zou ik niet durven zeggen,' zeg ik aarzelend.

'Ben je daar wel eens geweest, Cassie?'

'O ja, vaak genoeg. Met mijn moeder. Het is net Death Valley, vol giftige stekelige dingen en spookachtige dode bomen met kronkelige takken. Zelfs als het waait, beweegt er niets. Geroosterde tarantula's en salamanders aan een stokje, alsof het saté is...'

'Wat een leuk idee, Conner.'

'Nou ja, 's nachts is het lang niet zo erg,' krabbel ik haastig terug. 'Dan komen de sterren met duizenden tegelijk tevoorschijn. Mijn moeder kampeerde daar altijd op zoek naar het Silhouet. Ze beweert zelfs dat ze hem een keer 's nachts gezien heeft.'

'Het Silhouet?' vraagt Hank.

'Ja. Ze vertelde me dat ze samen met haar vriendinnen in het bos was toen ze ineens een krakend geluid hoorden en het geritsel van grote voeten op droge bladeren. Toen zag ze hem ronddansen en ze kon zijn boomstambenen duidelijk zien. Ze gaat over een paar weken terug met een heel stel om te proberen of ze hem weer kunnen vinden.'

'Heb je het over Bigfoot?' vraagt Conner ongelovig.

'Ja!' Uiteraard. Over wie zou ik het anders hebben?

'Ze zei dat ze het gevoel kreeg dat ze in het gezelschap was van een oeroud levend wezen en dat zijn adem rook naar dennennaalden, vochtige aarde en...' Ik kijk op. Ze zitten me allebei zwijgend en verbijsterd aan te staren.

'Geloof je daar echt in, lieve kind?' vraagt Hank op een stuitend beleefde toon.

'Ik had het over mijn moeder...' zeg ik een beetje gegeneerd.

'Wist je,' zegt Conner vriendelijk, 'dat de god Dionysus wordt beschouwd als een voorloper van Bigfoot, het Silhouet, de Yeti, of hoe je hem ook wilt noemen? De legende wil dat hij de Heer van de Wildernis was, de god van de wijn en de waanzin. Er zijn nog steeds mensen die geloven in zijn bestaan... Ze zien hem als het symbool van alles wat spiritueel is aan de natuur.'

Die man zou eigenlijk eens kennis moeten maken met mijn moeder. Ik pak de post op en probeer weg te glippen.

'Hé, Cassie,' roept Conner me met een glimlach na, 'je hebt me op een geweldig idee gebracht. Ik ga een college wijden aan de Groene Man.'

'Ik zal mijn moeder waarschuwen,' zeg ik. 'Zij heeft foto's van hem.'

TWAALF

Als ik klaar ben met het rondbrengen van de post ga ik buiten de deur lunchen. Het is vrijdag, dus druk op de campus en ik voel me nog steeds niet op mijn gemak tussen al die studenten. Ik kan er niets aan doen, maar ik benijd ze echt. Ze staan op de drempel van het leven, op het punt te beslissen wat ze zullen gaan doen. Geen verleden. Geen spijt over foute beslissingen. Onbeschadigd.

Na de lunch ben ik diep in gedachten als ik een van die vervelende parkeerwachters zie stoppen bij de chique zilverkleurige Jaguar waar ik naast sta. Waarschijnlijk is dat hetzelfde kreng dat mij op mijn eerste werkdag een bekeuring heeft gegeven. O nee. Ze komt hier echt niet aan haar tax. Geen denken aan. Ik steek mijn hand in mijn tas, pak twee kwartjes en stop die snel in de meter. Die zit! Ze werpt me een valse blik toe, stapt weer in haar karretje en rijdt weg.

De ballen met dat mens. Als ik op weg ga naar kantoor hoor ik iemand naar me roepen.

'Wacht even. Een momentje, alsjeblieft!'

Ik draai me om en zie een lange man van mijn eigen leeftijd, die er verzorgd en chic uitziet in een schitterend pak met een krijtstreepje en een wit overhemd met monogrammen en manchetknopen. Zijn haar is keurig met gel achterovergekamd en hij heeft een BlackBerry aan zijn oor.

'Heb jij net geld in mijn meter gestopt?' vraagt hij.

'Ja. Ik kan die parkeerwachters niet uitstaan. Ze blijven maar als een stel gieren rondcirkelen.'

'Wat ontzettend aardig van je.' Hij schenkt me een oprechte glimlach. 'Mag ik je een kopje koffie of zoiets aanbieden?'

'Dat hoeft niet, hoor. Maar toch bedankt.'

'Nee, ik moet jóú bedanken,' zegt hij.

En weet je wat nou zo raar is? Als ik naar het toilet ben geweest en terugkom in de receptie staat dezelfde man met Alison te praten.

'Hé,' zegt hij. 'Daar ben je weer.'

'Kennen jullie elkaar?' vraagt Alison. Misschien is hij haar vriendje wel.

'Niet officieel. Hallo! Ik ben Freddy, de broer van Alison.'

Over tegenpolen gesproken. Freddy vertelt Alison hoe we elkaar ontmoet hebben en daar reageert ze charmant op met: 'Cassie werkt in de kopieerkamer.'

Dan gaan ze er samen vandoor. Naar een of andere familiebijeenkomst. Ik ben altijd blij als ze weg is. Ik krijg het benauwd van haar.

Later op de avond, als ik zit te wachten tot de wasmachine zijn krankzinnige cyclus heeft afgewerkt, schiet me door het hoofd dat Alison pas echt overstuur zou zijn geweest als ik met haar geliefde broertje een kop koffie was gaan drinken. Ik had eigenlijk moeten gaan. Ik zet de gedachte uit mijn hoofd en google de universiteit van Michigan. Aangezien ik daar heb gestudeerd, kan ik er maar beter iets over te weten komen. Ik weet niet eens in welke stad de universiteit staat. Ik zoek mijn faculteit op, mijn studentenhuis (een met klimop begroeid gebouw van rode baksteen), zoek uit welke colleges ik gevolgd heb, welke professors ik goed vond en hoe de voetbalploeg heet. Hup Wolverines! Ik bestel wat fanspulletjes voor mijn bureau, onder andere een knalgele koffiemok met een grote M en een geelblauw lijstje waar 'Wolverines' op staat. Als iemand ooit over Michigan begint, weet ik tenminste waar ze het over hebben. Dat hoop ik dan maar.

Ik heb Sam alles over mijn 'alma mater' verteld. Nu zegt hij: 'Hup met de Blauwen!' en zet zijn veren op, waardoor hij twee keer zo groot lijkt. Hij is mijn eigen Pino. Als ik hem aai, zet hij zijn staart uit en ik krauw voorzichtig tussen de veren in zijn nek. Zijn velletje voelt aan als de huid van een pasgeboren baby. Zo zacht en warm.

Hij pakt zijn balletje op, duwt het met zijn snavel naar me toe en zegt: 'Spelen.'

'Oké. Een paar minuutjes dan. Ik hou van je. Kusje.' Sam duwt voorzichtig zijn snavel tegen mijn lippen.

'Kusje,' zegt hij en knabbelt aan mijn oor.

Na Conners college ben ik naar de bibliotheek gegaan om een paar boeken van Whitman, Thoreau en Emerson te lenen, aangezien zij kennelijk 'verplicht leesvoer voor eerstejaars' zijn. Ik ben met de boeken achter mijn bureau gaan zitten en ben gaan lezen, wat me nog steeds de grootste moeite kost. Ik moet bijvoorbeeld nog steeds mijn vinger langs de regels laten glijden. En het lukt me ook een stuk beter als ik hardop kan lezen, wat op het werk niet gemakkelijk is. Als er iemand langskomt, moet ik net doen alsof ik zit te telefoneren. Ik ben blij dat ik verstopt zit in de kopieerkamer, waar ik me zonder herrie om me heen op de tekst kan concentreren. Maar het is veel te moeilijk om in stukjes en beetjes te lezen, dus besluit ik te wachten tot ik thuis ben.

Ik begin met Thoreau. Dat valt niet mee, maar er moet toch iets interessants in staan. Conner beschouwt hem als een halve heilige.

Ineens hoor ik iemand Zwartmans roepen. Met mijn stem. 'Hier jongen. Hier!' O shit. Wat kan Sam toch vervelend zijn. Hij is een mini-buikspreker met evenveel persoonlijkheden als Sally Fields in *Sybil*. Dit is zijn nieuwste spelletje: net doen alsof ik het ben die Zwartmans roept om zich vervolgens op hem te storten en op zijn kop te pikken als hij binnenkomt. Ik gooi het boek neer en hol naar de keuken waar Sam Zwartmans in een hoek gedreven heeft. Het is me de waakhond wel.

'Stoute vogel!' zeg ik tegen Sam. De pupillen van zijn ogen vernauwen en worden weer wijder als hij iets hoort wat hij niet leuk vindt. Hij begint te krijsen en met zijn zaad te smijten. Als hij dat doet, moet ik uit zijn buurt blijven. Dat is nooit tot Frank doorgedrongen. Hij zat hem altijd vloekend en tierend achter de vodden. En dan wachtte Sam rustig tot hij zo dichtbij was dat hij een stuk van zijn vingers kon bijten. Destijds stond ik altijd aan de kant van Sam.

Zwartmans loopt hijgend achter me aan de slaapkamer in en ploft met een diepe zucht op de grond, terwijl mijn oog op de uitnodiging voor de galerieopening op mijn toilettafel valt. Er staat een mooie zwart-witfoto van een stel berken op, met daarnaast de details voor de receptie en de fototentoonstelling. Ik heb gevraagd of Tiff mee wilde. Wat kan het me ook bommen, het lijkt best interessant.

Ze heeft me niet gevraagd hoe ik aan een uitnodiging kom en al had ik haar wel verteld dat we niet echt uitgenodigd waren, dan had ze zich daar toch niets van aangetrokken. Maar als ik had gezegd dat ik die uitnodiging uit de prullenbak had gevist, zou ze gedacht hebben dat het niets kon zijn. De fotograaf is toevallig een van de populairste professoren van de universiteit. Tiff vond het aanvankelijk maar een saaie bedoening, tot ik haar vertelde dat op de uitnodiging stond dat er ook een margaritabar en een salsaband zouden zijn. Nu zegt ze dat het een 'chique, nachtclubachtige' bedoening moet zijn. En dat ze zich daarop zal kleden. Het is morgenavond en ik weet nog niet wat ik aan moet trekken. Maar goed, ik weet nooit wat ik aan moet trekken en ik ben altijd bang dat ik de verkeerde keus maak. Vandaar dat ik nooit iets draag wat ook maar een beetje gewaagd of opvallend is. Tiff zegt altijd dat ik het opzettelijk doe. Ik kleed me in de veronderstelling dat niemand naar me zal omkijken en dat lukt me dan ook prima.

DERTIEN

De Case Gallery is op Robertson Blvd, een dure winkelwijk tussen Beverly Hills en West Hollywood. Ik ben er een keer eerder geweest, toen een van de winkels een magazijnuitverkoop hield. De prijzen waren bijna vier keer zo hoog als bij Macy's en dat voor zulke oude troep, alleen maar verschoten T-shirts en bewerkte riemen waaraan de helft van de steentjes ontbrak. De galerie is even fel verlicht als een benzinestation en er is geen parkeerplaats te bekennen. Als we de auto laten parkeren, zal ons dat zeven dollar kosten, zegt de parkeerbediende. Tiff trekt een gezicht, maar als we een keer of drie rond het blok zijn gereden geven we de moed op en rijden terug naar de bediende die veelbetekenend naar ons grijnst. Hij wist dat Tiff er niet over zou piekeren om een eind te gaan lopen op haar tien centimeter hoge hakken.

Ze is helemaal opgetut, in een fluwelen jurkje dat strak om haar lijf sluit en met ingewikkeld opgestoken haar. Ik vind het een beetje te snoezepoezerig. Tiff heeft me een zwarte heupspijkerbroek geleend die veel te strak zit en een roze angora truitje dat mijn schouders bloot laat. Ik vind wel dat het me leuk staat, maar het kriebelt en het is veel korter dan de topjes die ik meestal draag. In de auto zat ik er steeds aan te trekken, maar Tiff zei dat ik het uit zou rekken, dus daar ben ik mee gestopt.

Ik kan alleen maar zeggen dat we bij binnenkomst het gevoel

krijgen dat we op de maan terecht zijn gekomen. De muren zijn leeg en helderwit, als de glanzende romp van een raket. De vloer is van zwarte kalksteen vol gaten en scheuren en de air-conditioning staat zo hoog dat je hier rauw vlees zou kunnen bewaren. Er klinkt keiharde salsamuziek en de vrouwen, die veel groter in aantal zijn dan de mannen, zien er allemaal koudbloedig en zelfs gevaarlijk uit. Ze hebben designertassen bij zich en zwarte jurken of pakjes aan die hen als een harnas omvatten. Hun haar is losjes geföhnd en ze dragen vrijwel geen sieraden. Ik voel de neiging opkomen om al mijn kleren te verbranden. En die van Tiff.

De meisjes staren ons aan als we langs hen lopen. Ze hebben stuk voor stuk een perfecte houding en een aantal is zo mager dat hun schouderbladen uitsteken. Hun voeten staan allemaal in de juiste positie, alsof ze jarenlang op ballet hebben gezeten, en ze hebben een margarita in de ene hand en een blinkend, dun mobieltje in de andere. Enkelen van hen hebben een Slavisch accent en ik zweer dat ze allemaal rond de een meter tachtig lang lijken. Hoe komt het dat ze zonder uitzondering precies weten wat ze moeten zeggen, wat ze moeten dragen en hoe ze zich moeten bewegen?

'Wat een saaie bedoening. Er is geen kerel te zien. Laten we maar weer gaan,' zegt Tiff, die al binnen twee minuten weet waar ze aan toe is en op weg gaat naar de deur.

'Laten we dan in ieder geval even naar de tentoonstelling kijken.'

'Naar de tentoonstelling? Ben je nou helemaal belazerd? We kwamen hier toch niet voor een tentoonstelling? Ik dacht dat het om een feestje ging.'

'Dat heb ik nooit tegen je gezegd.'

'Hè nee. Jij hebt gezegd dat het ging om een verrekt snobistisch legertje amazones dat aan margarita's staat te nippen en toen zei ik meteen dat ik meeging. Meestal probeer ik heus wel de goede kanten van rijke mensen te zien, hoor, maar soms lukt dat gewoon niet.'

'Iets te drinken, dames?' zegt een knappe kelner met een blad vol margarita's. Hij is lang en gebruind, met een licht zuidelijk accent. Tiff kikkert meteen op.

'Mag ik alsjeblieft iets meer zout langs de rand, lieverd?' Ze kijkt hem met wijd opengesperde ogen aan, op een overduidelijk flirterige manier.

'Leuk,' antwoordt hij met een brede grijns. Ze kijken elkaar strak aan terwijl hij aan zijn wijsvinger likt die hij vervolgens in de zoutpot steekt en langs de rand van haar glas laat glijden.

'Waar komen jullie vandaan?' vraagt hij.

'Raad eens,' zegt ze met dat koket opgetrokken neusje dat ze krijgt als ze in een vent geïnteresseerd is. Dat is voor mij het teken dat ik de plaat moet poetsen. Waar is die tentoonstelling, trouwens? Niet aan de muur.

Misschien in de aangrenzende ruimte. Ik wurm me door de meute, waarbij me ineens allerlei subtiele tatoeages opvallen, op plekken als polsen, enkels, wijsvingers en onderruggen. En er is ook een meisje met de grootste diamanten oorbellen die ik ooit gezien heb. Ik vraag me af of het zirkonen zijn.

Nu loop ik een ruimte binnen vol prachtige, bijna glanzende zwart-witfoto's met eenvoudige natuuropnamen. Ik zie een met sneeuw bedekte eik, een waterval, een uil op de kale tak van een afgebrande boom en een eenzame meloen. Geen prijzen, alleen rode plakkertjes op de muren.

'Hij doet me een beetje denken aan een gedeconstrueerde Adams, vind je ook niet? Zo proteïsch.' Ik draai me om naar een broos uitziende, ontzettend magere man in een zwarte coltrui en een zwarte broek. Zijn kale hoofd is glad en glanzend als een biljartbal. Hij wacht op mijn antwoord. Mijn moeder zegt altijd dat je, als je met je mond vol tanden staat, het best over het weer of over je gezondheid kunt beginnen. Maar dat zou nu bespottelijk zijn. Hij kijkt me vol verwachting aan.

'Dat weet ik niet,' zeg ik. 'Maar ik krijg de indruk dat de kunstenaar precies weet waar hij op moet houden. Alles wat hij ziet, is van belang.'

De man kijkt me even strak aan, met priemende zwarte ogen die aan een kraai doen denken. 'Interessant. Dat is een goede manier om ernaar te kijken. Ik ben Alfred Case.'

'O, je bent de galeriehouder.' Hij steekt zijn hand uit, zacht en mollig als van een vrouw en met nagels die al net zo glanzen als zijn hoofd.

'Ik ben Cassie. Aangenaam. Wat een mooie tentoonstelling.'

'Nou, bedankt dat je bent gekomen. Sta je op onze mailinglist?'

'Dat denk ik niet. Een vriendin heeft me meegenomen.'

'Teken dan even het register, dan kunnen we je ook voor de volgende tentoonstelling een uitnodiging sturen.'

Zo werkt dat dus. Nu sta ik op de lijst. Geen kunst aan.

Ik bedank hem en slenter naar de volgende foto, die 'Het Barre Land' heet. Zware klemtangen, kapot gesneden banden, stalen balken en een verroeste carburateur. Ik hoor opmerkingen als 'een rijke perceptuele gewaarwording'. Wat mij betreft, is het gewoon een hoop rotzooi.

'Hé, kijk eens wie we daar hebben. Ik sta nog bij je in het krijt.' Als ik me met een ruk omdraai, zie ik Freddy. Zijn knappe gezicht is open, vriendelijk en vol zelfvertrouwen en voorspoed en om zijn mond krult een plagend lachje. Hij heeft nog steeds zijn BlackBerry aan zijn oor.

'Gezien het feit dat jij me gered hebt van een gluiperige parkeerwacht mag ik je vast wel een drankje aanbieden, hè?' Hij geeft me een knipoogje terwijl hij zijn BlackBerry in zijn zak stopt en twee margarita's van het blad van een kelner plukt.

'Bedankt,' zeg ik en zie Alison naar ons toe komen.

'God, Cassie, ik had nooit verwacht dat ik jou hier zou tegenkomen,' zegt ze, even cru als altijd. Haar hemelsblauwe ogen zijn kil en achterdochtig. Uiteraard is ze helemaal in het zwart. Haar haar zit in een smetteloze Franse wrong.

'Wie heeft je eigenlijk uitgenodigd?' vraagt ze abrupt. Ik wist het... betrapt. Freddy komt tussenbeide.

'Moet je dan worden uitgenodigd? Volgens mij slepen ze

mensen van de straat naar binnen.' Hij glimlacht verontschuldigend en werpt zijn zuster een 'hou op'-blik toe.

'Ik vind de foto's echt mooi,' zeg ik. Ik voel me zo onbehaaglijk dat ik het liefst naar buiten zou willen kruipen.

'Ik ook. De fotograaf is een vriend van me. Kom op, dan stel ik je aan hem voor.' Hij pakt me bij mijn arm en neemt me mee naar de andere ruimte. Alison blijft alleen achter.

'Let maar niet op mijn zus,' zegt hij. 'Ze denkt nooit na voordat ze iets zegt.' Maar soms wel.

'Blijf niet te lang weg,' snauwt Alison.

We lopen de foyer in, waar we de fotograaf zien staan, omringd door een stel vrienden en besluiten om even bij de bar te wachten tot het wat minder druk is.

'Vertel eens, Cassie. Ben je met iemand meegekomen?'

Ik denk aan Tiff die op dit moment op een schandalige manier met een van de kelners staat te flirten en daarna waarschijnlijk alle hapjes in een plastic zak in haar tas zal laten verdwijnen.

'Gewoon met een vriendin,' zeg ik. 'Ken je de fotograaf al lang?'

'Ik heb in de loop der jaren een paar dingen van hem gekocht. Nu ben ik vooral geïnteresseerd in vooroorlogse Duitse impressionisten.'

'Ben je kunsthandelaar?'

'Nee, het is gewoon een hobby. Ik ben effectenmakelaar. Maar ik weet niets waaraan ik mijn geld liever zou besteden dan aan mooie kunst.'

Dus hij heeft kennelijk al een eigen huis en een warme jas.

'Mijn vrienden vinden dat ik overdrijf. Ik loop constant veilingen af en ik heb twee kunsthandelaars die me een tip geven als er iets goeds aankomt.'

'Welke kunstenaars verzamel je dan?'

'Ik heb net een klein Oostenrijks naakt gekocht. Van een vent die de volgende Klimt zal worden.'

'Hangt hier ook iets dat je zou willen kopen?' vraag ik, terwijl ik probeer om net te doen alsof ik diep onder de indruk ben en dol op Klimt, wie dat ook mag zijn.

'Niet echt.' Hij haalt zijn schouders op en kijkt nonchalant om zich heen. 'Ik heb vier verzamelniveaus. "Prachtig!", "Dat moet ik hebben!", "Ik kan niet zonder leven!" en "Jezus, ik dacht dat dit in een museum hing!"' Ik weet niet precies hoe ik daarop moet reageren. Ik vraag me af of dat ook voor zijn vrouwen geldt, maar dan gaat gelukkig zijn BlackBerry over.

'Ik laat me niet het vel over de neus halen,' zegt hij kortaf. 'Zeg maar tegen hem dat dit mijn laatste bod is.'

'Sorry.' Hij stopt zijn telefoon weer weg en kijkt me onderzoekend aan. 'Hoe lang werk je al samen met Alison?'

'Een paar weken.'

'En bevalt het?'

'Ja hoor, dat gaat wel. Maar ik zit er toch over te denken om weer te gaan studeren,' zeg ik op een toon waarvan ik hoop dat die luchtig klinkt, alsof ik alleen maar een praatje sta te maken. Overtuigend.

'Echt waar?' zegt hij geïnteresseerd. 'Wat dan?'

'Dierengedrag,' zeg ik zonder te aarzelen. 'Ik heb heel lang met dieren gewerkt.'

'O ja?' zegt hij. Ik neem nog een slokje van mijn margarita terwijl hij langzaam een piekje haar weg strijkt dat voor mijn oog hangt. Ik voel mijn wangen gloeien. Juist. Zo'n soort man is hij dus.

'Nou,' zegt hij terwijl hij me op een intieme manier aankijkt, 'dan heb ik een vraag… Zijn wasberen geschikt als huisdier?'

Ik schiet in de lach.

'Is dat een grapje?'

'Nee, hoor,' zegt hij met ondeugend sprankelende ogen. 'Bij mijn ouders loopt een wasbeer die iedere avond in hun achtertuin op de vuilnisbakken zit te trommelen.' Hij maakt een vuist en slaat daarmee op de bar. Geen trouwring. 'Ze zetten eten voor hem klaar.'

'Maar dat moeten ze nooit doen! Die beesten hebben weliswaar schattige babyhandjes, maar ze zijn ontzettend agressief en ze hebben eenentachtig grote, vlijmscherpe tanden.'

'Eenentachtig, echt waar?'

'Ze verspreiden ook hondsdolheid en een onuitroeibare soort draadwormen waar je niet eens aan wilt denken. Wat ik bedoel, is dat de vogelgriep een wissewasje is vergeleken bij wat je van die parasieten kunt krijgen. Toen ik nog in het Wildlife Center werkte, was er één regel waar we ons strikt aan hielden. Geen wasberen. Het was een volslagen nachtmerrie als we er met een opgescheept werden.'

Hij moet grinniken. Het valt me op dat hij allemaal rimpeltjes om zijn ogen krijgt als hij lacht.

'Ik meen het echt, hoor. Het is geen grapje,' zeg ik.

'O, ik weet best dat je me niet voor de gek houdt. Ik was nooit goed in de bètavakken. En jij wilt nota bene een aanvullende studie gaan doen. Ik ben diep onder de indruk.'

'Dank je,' zeg ik. Ik ben niet goed wijs.

'Ik loop je overal te zoeken. Ik wil naar huis.' Alison is terug en ze heeft een pestbui. Voor de verandering ben ik blij om haar te zien.

Freddy geeft haar het kaartje voor de parkeerdienst.

'Als jij nu eens de auto gaat halen, dan kom ik zo naar buiten.'

'Ik heb geen geld bij me,' zegt ze ongeduldig. Hij plukt een briefje van twintig van de dikke stapel die hij in zijn zak heeft.

'Ik zie je wel weer op kantoor,' zegt Alison met een niet-gemeende glimlach. Ze kijkt me aan alsof ik net haar hond doodgereden heb. Af en toe zouden mensen gewoon moeten zeggen wat ze denken. Bijvoorbeeld: 'Ik vind het maar niks dat jij met mijn broer staat te praten en ik wou dat je doodviel.'

'Oké,' glimlach ik op mijn beurt. 'Tot ziens.'

Freddy wacht tot Alison ons niet meer kan horen en buigt zich dan naar me over.

'Ik vond het echt leuk om je te ontmoeten.' Hij ziet eruit alsof hij op het punt staat me iets te vragen, maar dan bedenkt hij zich en houdt zijn mond. Hij borstelt wat van mijn angorapluisjes weg die als hardnekkige roos aan zijn colbert kleven, geeft me een kneepje in mijn schouder en vertrekt. Hij heeft me niet om mijn telefoonnummer gevraagd, maar hij weet natuurlijk waar ik werk. Hij belt toch niet.

Ik loop naar de binnenplaats en hoor Tiffs giechellachje opklateren. Ze staat vol enthousiasme met de barkeeper te kletsen. Ik hoop alleen maar dat ze niet met hem naar huis gaat. Ze wenkt dat ik naar hen toe moet komen. Ze zitten inmiddels aan de tequila en ik volg hun voorbeeld. Ik geloof niet dat ik het ooit puur heb gedronken. Het brandt in je neus en je slapen en het smaakt verrukkelijk. Zodra je het ingeslikt hebt, voel je meteen een roes. Ik neem nog een paar slokjes. Dit spul is wel erg sterk.

Dan moet ik ineens aan Freddy denken. Soms zou ik willen dat ik gewoon mijn oude leven door het toilet kan spoelen en worden zoals Freddy denkt dat ik ben. Een intelligente wetenschapper die opgaat voor haar doctoraal. Iemand over wie hij tegen zijn vrienden kan opscheppen. 'Raad eens wie ik in de galerie ontmoet heb... Ze is dit jaar genomineerd voor de Nobelprijs... ze weet ontzettend veel van wasberen... en is nog erg aantrekkelijk op de koop toe.'

Om de een of andere reden springen me ineens de tranen in de ogen en ik schuifel naar Tiff toe.

'Psst. Heb je die vent en die blonde Mien gezien met wie ik stond te praten?'

Tiff slaat haar arm om me heen en trakteert me op een dronken knuffel.

'Dat was dat valse kreng van mijn werk.'

'Maar die vent was wel een stuk.'

'Hij mag me niet,' zeg ik met een dramatische glimlach. 'Niemand houdt van me.'

'Cassie, zullen we het daar later over hebben?' Tiff knikt even naar haar laatste verovering.

'Ja, natuurlijk,' zeg ik. Shit. Ik struikel ergens over en kijk omlaag. Niets te zien.

O, daar is die aardige galeriehouder weer.

'Hoi.' Ik glimlach breed en leun tegen de muur.

'Heb je de Barre Land-tentoonstelling in de achterste zaal ook gezien?' Eindelijk iemand die vriendelijk doet.

'Ja, inderdaad. Dank je wel voor je interesse.'

'Die deed mij denken aan de Graham-installaties van vorig jaar. Echt vol rusteloze energie, vind je ook niet? Cassie was het toch?' zegt hij met de blik strak op mijn pluizige boezem. God, wat een klootzak.

'Ik zal je precies vertellen wat ik vind.' Mijn tong voelt raar droog aan. 'Volgens mij lijkt het precies op de autosloop van mijn ex. Nou ja, het was eigenlijk geen sloop, meer een sleepbedrijf, maar hij heeft wel een paar auto's gesloopt om aan het verzekeringsgeld te komen.' Ik giechel en er schiet een beetje tequila in mijn neus.

'Wat?' zegt hij. Wacht maar tot ik verderga.

'Ja, en het bleef ook niet bij het verzekeringsgeld, want dat lukte alleen als het om illegalen ging. Hij jatte altijd alles wat er in de auto was achtergebleven en deed dan heel beledigd als ernaar gevraagd werd. Ik zweer je, het was pure zwendel.' Ik ben zo grappig. Waarom lacht hij dan niet?

'Hebben jullie echt die arme mensen opgelicht van wie jullie de auto weggesleept hadden?'

'Ik niet, hoor. Echt niet. Die klootzak met wie ik getrouwd was, deed dat. Maar hij is er behoorlijk voor gestraft. Hij is in een ravijn gereden. Stom dat ik daar zelf niet aan heb gedacht.' Ha. Ha. Ha.

'Excuseer me,' zegt hij als hij zich behoedzaam uit de voeten maakt. Nou, als hij geen gevoel voor humor heeft, kan hij de klere krijgen. Ik neem nog een paar slokjes van die zalige tequila. Dan zie ik dat hij naar me staat te kijken en iets tegen zijn assistente fluistert. Ze loopt naar me toe en zegt: 'Zal ik u even naar uw auto brengen?'

Hij is kennelijk van gedachten veranderd. Ze liggen aan mijn voeten.

'Wat aardig van je,' zeg ik enthousiast. 'En betaal je die zeven dollar dan ook even? Grapje.' Het dringt ineens tot me door dat ik draaierig word. Ik ga op de ijskoude betonnen vloer zitten en zie nog vaag Tiff naar me toe komen, die snauwend tegen de mensen die om me heen staan zegt: 'Wat valt er te zien?'

Meer kan ik me niet herinneren. Dat is alles.

VEERTIEN

Ik word wakker op een grauwe zondagmorgen. Het is nog donker en het getik van de regen klinkt als blikjes die in mijn hoofd over een betonnen helling kletteren. Ik probeer de aanval van misselijkheid te negeren terwijl ik in mijn bed begin te piekeren over de puinhoop van de avond ervoor. Het leek wel de ineenstorting van het Romeinse Rijk, of een gigantische kettingbotsing op de snelweg. Ik herinner me alles weer in golven van schaamte die als dikke zwarte rook onder de deur naar binnen sijpelen. *White trash*. Blanke vullis. Zo. Dat is eruit. Meer ben ik niet.

Ik word opnieuw misselijk. Nadat ik het verfomfaaide en uitgerekte pathetische roze angora truitje heb uitgetrokken loop ik naar de badkamer om over te geven. Ik heb altijd het idee gehad dat mensen die overgeven, klinken alsof ze ter plekke doodvallen. Ik word te oud voor dit soort geintjes. Wanneer heb ik voor het laatst zo'n gigantische kater gehad? Waarschijnlijk na de dood van Frank. Maar dat voelde veel feestelijker aan. Zelfs zonder dat ik alles op een rijtje heb gezet, was dit alleen maar een flop.

Ik zet een kopje thee en drink het langzaam op, nadat ik er een schepje bij heb gedaan van de organische honing die mam voor medische doeleinden gebruikt. Ze zweert dat het overal goed voor is. Momenteel gaat ze helemaal voor paardenbloemblaadjes. Ze is altijd op zoek naar dingen die veel vezels bevatten. En dit is volgens haar heel goed tegen kanker of zo. Maar goed dat mam er niet bij was toen Tiff me van de grond raapte en mee naar huis sleepte.

'Sjonge, wat was jij gisteren lazarus!' zegt Tiff lachend, als ik haar bel. 'Je had moeten zien hoe ze ons de deur probeerden uit te werken!'

'O, god, Tiff, het spijt me echt ontzettend. En ik heb niet eens zoveel gedronken.'

'Dat zeggen zuipschuiten altijd.'

'Ik schaam me dood.'

'Je moet het gewoon vergeten. Wie maakt zich daar nou druk over?' Ik, schiet me door mijn hoofd.

Ik loop naar buiten, waar ik op de oude, roestige tuinstoelen neerval en luister naar de rustgevende hese stem van de wind die door de heuvels waait. Het regent niet meer en de lucht is loodkleurig en een beetje somber. Je kunt het chlorofyl bijna ruiken als de saaie dag voorbijglijdt. Onze oprit is bedekt met een laagje leerachtige bruine bladeren en ergens hoor ik een merel slaan. Op de telefoonkabel zit een kwiek eekhoorntje dat op zijn teentjes een voorstelling koorddansen weggeeft voordat hij op ons vogelhuisje springt, een paar zaadjes gapt en met een salto achterover verdwijnt.

Er is gisteravond een moment geweest dat ik het klaar had kunnen spelen. Dat ik het al voor elkaar hád. Dat chique, intelligente mensen me als een van hen beschouwden. Toen ik nog wat jonger was, gaf ik meestal al op voordat ik het echt had geprobeerd. Dan was het ook niet zo erg als het niet lukte. Ik kon er gewoon om lachen. Ha ha ha. Cassie is lui. Cassie is een rare. Cassie geeft nergens om. Maar als je het echt probeert en je verknalt het, dan ben je alleen maar een stomme mislukkeling.

Ik heb altijd het gevoel gehad dat mij nooit iets bijzonders zal overkomen. Dat ik geen knip voor de neus waard ben. Echt een hopeloos geval. Ik heb geprobeerd mezelf wijs te maken dat daar door mijn nieuwe baan verandering in zou komen.

Maar nu zit ik hier weer, nog steeds dezelfde waardeloze slome duikelaar, altijd met de mond vol tanden en zonder eigen mening.

'Goedemorgen, lieve schat. Hoe was die galerieopening?' vraagt mijn moeder opgewekt als ze naar buiten komt. Ze heeft haar oude versleten badjas aan en een kop gloeiendwarme thee in haar hand. Ik probeer het braaksel van mijn mouw te vegen.

'Heel interessant,' zeg ik met gespeeld enthousiasme. Vanbinnen borrelt alles, maar uiterlijk ben ik een toonbeeld van rust.

'Kun je me vandaag in het Center een handje helpen? Sylvia heeft vrij om naar de condors te gaan kijken. Leuk, hè?'

'Nee. Ik haat condors,' mopper ik. 'Gewoon grote gieren met een kale kop, die zich voeden met dooie ratten en aangereden dieren.'

'Zullen we zeggen om een uur of twaalf?' zegt ze. Zoals gewoonlijk doet ze net alsof ze mijn gemopper niet heeft gehoord.

'Oké. Goed. Dat zal wel lukken,' geef ik toe.

Ik kan me nog herinneren dat we, toen Frank nog leefde, een keer uit eten gingen met mijn moeder en haar vriendin Sylvia. Midden onder de rosbief kregen Frank en ik ineens slaande ruzie. Waarover weet ik niet eens meer, maar op een gegeven moment schreeuwde hij zelfs: 'We kunnen net zo goed gaan scheiden! Ik word doodziek van dat gezeik.' Je zult het niet willen geloven, maar tussen al die heisa door zat mijn moeder rustig aan Sylvia te vertellen dat ze zo'n mooi ballet op tv had gezien... prachtige kostuums... de pas de deux... de muziek.

'Schitterend gewoon,' hoorde ik haar tussen al dat geschreeuw door zeggen. Mijn leven lang is ze al in staat om pijnlijke voorvallen heel gewoon te negeren. Wat een gave. Ze wil het niet horen, dus hoort ze niets.

Het is nog vroeg. Ik kan hier natuurlijk blijven zitten treuren, maar ik kan ook naar de open plek gaan. De ivoorsnavels schijnen die in beslag te hebben genomen, ook al is het nog te vroeg voor ze om te gaan nestelen. Ik verman mezelf en besluit te gaan. Om de een of andere reden kikker ik altijd vanzelf op als ik daar ben. Ik trek mijn spijkerbroek aan, wurm me in mijn rubberlaarzen en bedek mezelf van top tot teen met groen, zodat er geen centimeter huid te zien is. Niet om niet op te vallen, maar om zelf een struik te worden.

Het is stil als ik het pad op loop. Alles is zwaar, vochtig, doorweekt. Ik stap over een wirwar van gebroken takken en zwaar verrotte bomen, wemelend van insecten en termieten. Het is hier zo dicht begroeid dat ik me door gras moet ploegen dat tot mijn ellebogen komt.

Ik steek de kreek over waarvan de oevers vol staan met fluweelhoorn en sponsachtige paddenstoelen en loop het bos door. De lucht is alleen nog zichtbaar door een filter van wazig licht doorkruist met bedauwde spinnenwebben. In het begin hoor ik alleen het gekwetter van eksters en roodborstjes en het gekwaak van brulkikkers. Allerlei geluiden, behalve dat wat ik wil horen.

Ik loop door. Mijn verrekijker bungelt om mijn nek en ik gebruik mijn zaklantaarn als een soort machete om me een weg te banen naar de open plek. Ik volg een pad door het dichte struikgewas dat alleen ik ken en dat me het gevoel geeft dat ik terug ben in de oertijd. Dan blijf ik roerloos staan wachten. Zelfs de geringste beweging in een straal van vijfenveertig kilometer klinkt voor de vogels als een geweerschot. Ze hebben ongelooflijke zintuigen. Ik probeer zelfs mijn adem in te houden.

Dan hoor ik ze. Luid en nasaal getoeter. Gevolgd door die kenmerkende dubbele dreun die door het hele bos weergalmt. *Donk donk... donk donk... donk donk.* Het lijkt afkomstig van een buitenaards wezen, dat als een pijl door zijn ondersteboven gekeerde hemel schiet.

Ik richt mijn verrekijker naar boven en zie het mannetje. Zijn onmiskenbare profiel, de lange witte veren, het gladde glanzende lijf. Hij hipt van tak naar tak en roept naar zijn vrouwtje met een geluid als een misthoorn. Ze geeft antwoord en ik herinner me dat ik heb gelezen dat deze dieren dertig jaar kunnen worden en een leven lang bij elkaar blijven.

Terwijl ik ze daar in een toverachtig waas door de boom zie hippen trekt mijn hoofdpijn weg. De tijd staat stil. Hoe kan iets dat zo mooi is op het punt van uitsterven staan? Maar ja, het was juist de uitzonderlijke schoonheid van de vogels die ze noodlottig werd. Indianen dachten dat ze over magische krachten beschikten en droegen hoofdtooien die gemaakt waren van de witte snavels. Of ze verpulverden de snavels en aten ze op, in de hoop zich daardoor de macht en de kracht van de vogel eigen te maken. Je wordt doodziek als je leest wat dat dier allemaal is overkomen. Iedereen was op jacht naar hun koppen en hun snavels. Eén verzamelaar doodde vierenveertig stuks in één week. Hij verkocht ze voor wetenschappelijk onderzoek en voor dameshoeden.

In het Wildlife Center kende iedereen de ivoorsnavelspecht en de nationale obsessie om zo'n vogel te vinden was vaak onderwerp van gesprek. In de herfst kwamen er wel eens van die extreme vogelaars naar het Center en dan kregen we alles over hun speurtocht te horen. Dat ze net terug waren uit Louisiana en dachten dat ze een boom met een nest hadden gevonden, of een stukje van een eierschaal, of veren. Ze kamden de oude bossen en de moerassen uit en ondervroegen elkaar over het exemplaar dat net ontsnapt was. Het leek wel een stel hyperconcurrerende alfamannetjes die oorlogservaringen uitwisselden. Jagers vermomd als natuurliefhebbers, meer waren ze niet.

Als ik zou vertellen dat de vogels hier zaten, zou niemand me geloven. Het is zo ver van hun habitat, dat ze me voor gek zouden verklaren. Maar als ik ze uiteindelijk toch had overtuigd, zou er geen houden meer aan zijn. Net als die keer dat iemand dacht er een gezien te hebben op een vuilcontainer achter een ijszaak even buiten Denver. Binnen vierentwintig uur waren honderden amateurvogelaars overal ter wereld op een vliegtuig gestapt en streken in de omgeving neer. Bosbouwdeskundigen, milieuactivisten, wetenschappers, ornithologen van allerlei universiteiten, ambtenaren van de Amerikaanse Vis- en Wildstanddienst en de pers. Ongetwijfeld zouden ze ook allemaal hiernaartoe komen rennen met hun telescopen, hun krachtige verrekijkers, hun nachtkijkers, hun telelenzen, hun thermosflessen vol koffie en hun rotzooi. Ze zouden de vogels verjagen of ze vangen en 'herplaatsen'. Eerlijk gezegd maakt het idee alleen al me doodsbang.

Ik zou dolgraag iemand willen vinden aan wie ik dit zou durven toevertrouwen, iemand die precies zou weten wat er gedaan moet worden. Maar iedere keer als ik dat overweeg, kom ik weer op mijn besluit terug. Toen ik een paar maanden geleden tegen mam zei dat ik dacht dat ik de ivoorsnavelspecht had gezien, zei ze: 'Ja, wie niet. Maar als je er echt een gezien hebt, vertel dat dan in godsnaam niet verder. Die vogel heeft behoefte aan vrijheid, niet aan wetenschappelijk onderzoek.'

VIJFTIEN

Het afgelopen weekend was zo'n fiasco dat ik bijna blij ben als ik Alison maandagochtend zie, ook al is ze nog meer uit de hoogte dan anders. Ik doe mijn werk zonder verder veel woorden aan haar vuil te maken, terwijl zij als de koningin van Sheba achter haar bureau verschanst zit.

De dag kruipt voorbij en hoewel ik 's middags kapot ben, moet ik toch in Conners kantoor aan de D beginnen. Ik klim op de ladder naar de bovenste planken. Darwin, Debussy, Descartes, Durrell. Ik overweeg net om er wat vroeger tussenuit te knijpen als ik hoor dat Conner door de gang naar me toe slentert. Stik. Nu moet ik wel tot vijf uur blijven.

'Hé, Cassie, hoe is het weer daarboven?' vraagt hij opgewekt.

'Goed, hoor. Ik ben bezig met de D.'

'Pas met de D?'

'Dat komt omdat ik een paar dingen voor professor Pearce heb moeten doen.'

'Die begint anders met een P.' Hij lacht. 'Hoe vond je Muir?'

'Daar ben ik nog niet aan begonnen. Ik ben momenteel Thoreau aan het herlezen.' En daar is geen woord van gelogen. Ik moet steeds opnieuw beginnen.

'Vind je hem ook zo inspirerend?'

'Nou, zijn buren dachten daar heel anders over. Ze hadden allemaal een hekel aan hem. Wist u dat hij in Walden vlak nadat hij daar was aangekomen een bosbrand heeft veroorzaakt en dat er toen tweehonderd hectare bos is verbrand?'

'Maar dat heeft toch niets met zijn kwaliteiten als schrijver te maken,' zegt hij glimlachend.

'Natuurlijk wel. En bovendien was hij volgens mij zo hypocriet als ik weet niet wat. Hij zei tegen iedereen dat ze eenvoudiger moesten gaan leven, maar hij woonde voor niets in de blokhut van Emerson op het land van Emerson. Hij hoefde niet te werken om de huur te betalen. Eenvoudiger leven. Ja hoor. En dat van een rijke vent die gewoon op vakantie was.'

'Vertel eens, Cassie, heeft hij dan helemaal niets geschreven waarmee je het eens bent?' vraagt hij om me uit mijn tent te lokken.

'Nou ja, hij heeft een paar heel voor de hand liggende dingen gezegd. Dat al je problemen verdwijnen als je de bossen in gaat...'

'Volgens mij vinden de meeste mensen dat helemaal niet zo voor de hand liggend,' zegt hij terwijl hij met zijn hand boven zijn ogen omhoogtuurt alsof ik op het topje van Mount Everest sta. 'Hé, waarom hou je niet even op? Kom eens naar beneden.'

Ik klauter de ladder af en nestel me voor een korte onderbreking op de bank.

'Misschien kun je beter Emerson proberen, die zal je wel beter bevallen. Hij verloor zijn vader toen hij acht was, hij was bijna blind aan zijn rechteroog, hij leed aan tuberculose en astma en als hij een baan had, werd hij bijna altijd ontslagen.'

'Is dat een hint?' vraag ik.

'Als we daarover beginnen, krijg jij waarschijnlijk eerder een vaste aanstelling aangeboden dan ik.' Een vaste aanstelling. Hij moest eens weten dat ik niet eens de middelbare school heb afgemaakt. Thoreau was dan misschien een hypocriet stuk vreten, maar ik ben een bedrieger.

'Ik ben namelijk een hopeloos geval als het op vriendjespolitiek aankomt,' gaat Conner verder. 'In dat opzicht heb ik wel wat weg van Emerson. Als hij het over iemand had dan kwam daar altijd het woordje "verdomd" aan te pas. Die verdomde

Thoreau, die verdomde Hawthorne, die verdomde Alcott...'

Hij zit net te grinniken als zijn mobiele telefoon overgaat. Hij vist het toestel uit zijn zak en draait me zijn rug toe.

'Hallo... Ja, ik weet het...' zegt hij terwijl hij naar zijn bureau loopt. 'Het spijt me... Ik ben het volkomen vergeten... Ja, je hebt gelijk... Sorry...'

Je hoort het meteen als een man een boze vrouw aan de lijn heeft. Bovendien herken ik die markante stem zelfs nog aan de andere kant van de kamer. Het is Samantha. Ik besluit om even pauze te nemen en glip de kamer uit.

Als ik 's avonds naar huis ga, zie ik Conners John Muir-boek nog in mijn auto liggen. Misschien begin ik daar vanavond wel aan. Om daarna over te stappen op Emerson.

ZESTIEN

Ik heb afgesproken om vanavond met Tiff uit eten te gaan, dus ik rijd naar de stomerij in Topanga Center om de restanten van de roze angora trui op te halen. Ze zeiden dat ze hun best zouden doen, maar ik weet zeker dat er weer zo'n briefje aan zal hangen met: *Het spijt ons ontzettend, maar...* En dan zal ik natuurlijk een nieuwe voor haar kopen.

Ik stop voor Al's 24 Hour Cleaners. Meestal staat Flora, de dochter van Al, achter de toonbank, maar vandaag is het meneer zelf. Wat een pietluttig baantje voor een ex-marinier.

'Hallo, schoonheid,' zegt hij schor. 'Hoe bevalt de nieuwe baan?' Hij lacht zijn hele ongelijke fietsenrek bloot.

'O, geweldig!' En in zekere zin is dat ook zo.

We laten onze kleren al sinds mijn jeugd bij Al stomen en zelfs toen had hij al die roodomrande bloedhondenogen en die neus met die gesprongen adertjes. Ik weet nog steeds niet hoe hij het hier uithoudt, met al die akelige chemische luchtjes en de stapels vuile kleren van andere mensen die als lijken in netzakken om ons heen liggen. Maar hij is altijd vrolijk, zoals het merendeel van de mensen in mijn omgeving.

'Vertel me het slechte nieuws maar.'

Hij geeft me de trui die zo vervilt en gekrompen is dat hij op een verzopen kat lijkt. Een roze verzopen kat.

'Er is niet veel van over,' zegt hij vol medeleven. 'Maar je hoeft er niet voor te betalen. Wat heb je ermee gedaan, onder een vrachtwagen gelegen?'

'Bedankt, Al.'

Ik stap weer in mijn auto en bel Tiff.

'Tiff, ik sta hier bij Al's, de stomerij. Je trui is reddeloos verloren. Maar ik koop wel een nieuwe voor je.'

'Dat hoeft niet. Het is wel goed. Echt waar. Ook al was het mijn allerliefste lievelingstrui die ik ook nog eens cadeau heb gekregen van...'

'Hou je bek.'

We spreken om zes uur af in het eethuisje bij ons in de buurt, dat tussen een kleine delicatessenwinkel en een souvenirzaak compleet met tarotkaartlezer ingeklemd staat.

Omdat ik een halfuur te vroeg ben, prop ik Conners boek onder mijn arm en strijk neer op de vettige roodplastic bank in mijn favoriete zitje. Als ik erop ga zitten sist de bank als een ballon die leegloopt. Ik sla het boek open en begin te lezen tot er in het zitje achter me plotseling herrie uitbreekt. Er zit een gezinnetje, vader, moeder en een klein meisje, dat oorverdovend zit te krijsen en dan een paars plastic drinkbekertje in mijn zitje gooit.

'Argg, argg, argg,' schreeuwt de baby vol paniek. Vervolgens wordt ze kwaad en smijt ook haar konijntje naar me toe.

'Rustig nou maar, lieverdje, schattebout, engeltje van me,' zingt de moeder zacht en automatisch tegen het kind. 'Mammie gaat je bekertje wel halen.'

Ik pak het bekertje op, draai me om en wil het net teruggeven als ik ineens het stel herken van de middelbare school.

'O, hoi,' zegt Stacy. 'Jim, je kent, eh...' en pijnigt haar hersens om op mijn naam te komen. Het licht hier is meedogenloos, maar ze ziet er nog steeds goed uit.

'Cassie,' zeg ik met een gedwongen glimlach.

'O, hoi, ja natuurlijk.' Jim heeft geen flauw idee wie ik ben, maar steekt toch even zijn hand naar me op. Hij ziet er nog precies hetzelfde uit, alleen is zijn gezicht wat boller en zijn nek wat dikker geworden.

'Hoi,' zeg ik terwijl ik haar het bekertje teruggeef.

'O, dank je wel,' zegt ze terwijl ze een vochtig doekje met een ontsmettingsmiddel uit haar tas pakt en de plek waar ik het bekertje heb vastgepakt zorgvuldig afveegt.

'Leuk om je weer te zien. Echt waar,' jokt ze, voordat ze zich weer omdraait naar haar gezin. Dan wordt er een koffiemok met een klap op mijn tafeltje gezet.

'Hallo, meid. Hoe is het?' zegt Muriel terwijl ze naar mijn tafeltje schuifelt en een kop koffie voor me inschenkt. Ze werkt hier al zolang ik me kan herinneren. Een verlopen gezicht, slonzige haren en reumatische vingers die zo opgezet en vergroeid zijn dat ik er nauwelijks naar kan kijken. Ze heeft chronische rugpijn en ploft regelmatig met een vermoeid gekreun even neer op een lege bank. Haar man heeft een paar jaar geleden de benen genomen en ze zegt vaak gekscherend dat niemand de moeite heeft genomen om naar hem op zoek te gaan. Het gerucht gaat dat hij een eersteklas klootzak was, net als Frank.

Muriel overhandigt me het menu dat geen wijzigingen meer heeft ondergaan sinds ik het op mijn achtste met veel moeite in mijn hoofd gestampt heb. Iedere keer dat ik hier met mijn moeder kwam, leerde ik een paar nieuwe voor- en hoofdgerechten uit mijn hoofd en dan deed ik net alsof ik haar de kaart voorlas, terwijl zij op haar beurt zogenaamd diep onder de indruk was. Het hoorde allemaal bij het spelletje dat we speelden.

'Hoe is het met Lucky?' vraag ik.

'Die scharrelt een beetje rond en zit de hele dag voor de tv.'

'Laat hem maar. Hij heeft wel een fijne oude dag verdiend.'

'Dat hoef je mij niet te vertellen. Lucky is de enige vent die me ooit trouw is gebleven.' Ze schudt haar hoofd en buldert van het lachen.

Waarom noemen mensen zwerfhonden die ze in huis hebben genomen toch altijd Lucky? Waarom niet Velveeta, een mengeling van de hemel mag weten wat? Maar goed, dit is een dove en kalende bastaarddwergpoedel die mijn moeder een paar jaar geleden aan Muriel heeft gegeven. Toen iemand hem bij het Wildlife Center binnenbracht, was hij een zielig hoopje klitten met een verminkt krulstaartje. Hij had god mag weten hoe lang over de snelweg rondgezworven en zat onder de vlooien en de teken. Wat brengt iemand ertoe om na één blik op dat hoopje hond te zeggen: 'Ik noem hem Lucky'?

Het zal wel iets te maken hebben met het feit dat ellende van het ene moment op het andere kan omslaan in verrukking. Nu zit dat oude kereltje lekker de godganse dag op een fluwelen kussen naar natuuruitzendingen te kijken. We horen een scherp 'kling kling' en Muriel loopt haastig weg om haar bestelling op te halen.

Ik warm mijn handen aan de gloeiendhete kop koffie. Ik heb een lange dag achter de rug. Ik blijf een tijdje afwezig voor me uit staren en wacht tot de cafeïne begint te werken. Dan sla ik het boek van Conner open en bekijk de foto van John Muir. Hij zit op een rotsblok bij een beekje. Met zijn krullende baard van een centimeter of vijftien lang lijkt hij sprekend op de dakloze man verderop in de straat waar ik woon. Mijn moeder geeft hem altijd gebruikte gympen, oude dekens en gedroogde abrikozen. Ik blader het eerste hoofdstuk door en zie dat Conner allerlei opmerkingen in de kantlijn heeft geschreven. Hij zal wel ergens vol verrukking in een bos hebben gezeten, want er staan dingen als 'o ja!' en 'klopt als een bus!' En bepaalde zinnen zijn onderstreept, zoals 'zorg dat u uw vrijheid niet verliest' of 'pas op voor dodelijke verveling'.

Wat is dit? Tussen bladzijde vijf en zes zit een keurig gevouwen, met de hand geschreven brief verstopt, geadresseerd aan een vrouw die Pamela heet. Ik stop hem snel in mijn jaszak en probeer verder te lezen. Maar ik kan de brief niet uit mijn hoofd zetten. Is het immoreel om post te lezen die aan iemand anders is gericht? Ja, natuurlijk. Toch brandt de brief me in de zak. Ach verdorie, daar kan niemand toch weerstand aan bieden. Ik haal de brief tevoorschijn en vouw hem open.

Lieve Pamela, het kost me ontzettend veel moeite om toe te geven...

O jee, dat klinkt niet best.

... maar als we samen zijn onderga ik alle geneugten van de hemel en alle ellende van de hel...

O nee, dit kan ik niet lezen! Het is verdorie een liefdesbrief! *'Het wonder van je rug, je armen en je prachtige lange benen staat in mijn hart gegrift...*

Oké, nou is het mooi geweest.

... maar als we samen zijn onderga ik alle geneugten van de hemel en alle ellende van de hel...

... onuitsprekelijke hartstochtelijke liefde...

Ik kan mijn lachen nauwelijks inhouden. Toe nou! Ik geloof mijn ogen niet...

Ik voel nog steeds de gloed van jouw huid tegen de mijne. Het is zo'n zalig gevoel om mijn hand over je rug te laten glijden tot bij dat plekje, helemaal onder aan je ruggengraat, waar de welvingen gebeeldhouwd lijken.

Jezus. Waarschijnlijk zat hij ergens op een rotsblok in Yosemite met een ondeugend sigaretje en zo geil als boter. De *Meditaties van John Muir* konden hem daar niet bij helpen. Ik krijg ineens een schuldig gevoel. Eigenlijk moet ik dit niet doen. Maar ik lees toch verder.

Kom tot me in deze Waanzinnige, Naakte Zomernacht.

Sjonge, hij had het wel erg te pakken!

Ineens hoor ik een vrolijke stem die 'Hoi Muriel!' roept.

Shit, dat is Tiff! Ik stop de brief haastig achter in het boek voordat ze tegenover me neerplapft.

'Ik rammel van de honger. Wat lees je daar?'

'O, niets.'

'Wat voor boek is dat dan?' Goddank. Ze had het over het boek. Mijn handen zijn klam. Ik heb me schandalig gedragen. Het is nooit zijn bedoeling geweest dat iemand die brief onder ogen kreeg, zelfs Pamela niet. Als ik thuis ben, gooi ik hem meteen weg.

Ik laat Tiff de omslag van het boek zien en ze trekt haar neus op. 'Dat lijkt op een of andere cultfiguur. Waarom lees je dat?

Volg je een avondcursus?' Ze pakt het boek op en bladert het door.

'Nee, ik heb het van iemand op mijn werk gekregen. Laten we nou maar gaan eten.' Ik pak haar het boek weer af en stop het in mijn tas.

'Lieve hemel, je zou haast gaan denken dat het porno was of zoiets.' Tiff lacht. Ze moest eens weten.

We bestellen twee broodjes kalkoen met taugé (alles wordt in Topanga opgediend met taugé). Waarom weet ik niet, maar ik heb plotseling geen trek meer. Ik krijg het nog niet eens half op. Tiff maakt korte metten met wat ik overlaat.

'Wat is er met je aan de hand? Heb je nog steeds last van een kater?'

'Nee, ik heb geen last meer van een kater en zou je misschien over iets anders willen praten?'

'Je lijkt anders een tikje afwezig.'

'Ik voel me prima. Hooguit een beetje moe.' Ik moet steeds aan die brief denken en ik vraag me af hoe Pamela eruitziet. Misschien lijkt ze op Samantha. Glanzend, glad en tot in de puntjes verzorgd. Chic. Misschien komt dat door die volmaakte jurk die ze aanhad toen ik haar leerde kennen. Ja. Het lag echt aan die jurk.

Ik luister met een half oor naar Tiff, die over haar laatste zaak zit te babbelen, een scheiding waarbij alles in kannen en kruiken leek te zijn tot afgelopen nacht twee uur, toen de man in het huis van zijn vrouw inbrak en de deurmat jatte.

'Echt niet goed wijs,' zegt ze.

Dan begint ze over een nieuwe tv-serie die ze goed vindt. De serie heet *Rescue Me* en gaat over een stel sexy brandweerlieden die in elke aflevering wel een excuus vinden om hun overhemd uit te trekken.

'Ben je bijna klaar?' vraag ik. Ik schijn ergens hernieuwde energie vandaan te hebben gehaald. 'Ik wil winkelen.' Ze klaart meteen op.

'Ik vind het best, maar meestal moet ik jou meeslepen.'

Als we naar buiten gaan, komen we langs een kibbelende Jim en Stacy die hun dochter in een zilverkleurige Suburban zetten.

'Als we eerst naar de p-a-a-r-d-j-e-s gaan, dan wil ze geen d-u-t-j-e meer doen.'

'Maar we hebben het haar wel beloofd. Zullen we dan maar even bij het s-p-e-e-l-g-o-e-d gaan kijken, dat gaat een stuk sneller en dan krijgt ze ook niet een van die v-e-r-d-o-m-d-e driftaanvallen.'

Tiff slaat haar ogen ten hemel als we in onze auto's stappen. Ik kijk ze na als ze wegrijden en de gedachte schiet door mijn hoofd dat we in een andere wereld leven. Die van hen is vol speelgoed, kinderzitjes en snoetenpoetsers. Die van mij is vol honden, papegaaien en leugens.

ZEVENTIEN

Ik breng mijn auto naar huis, stap bij Tiff in en we gaan op weg naar het winkelcentrum van Topanga, dat in geen enkel opzicht op Topanga lijkt. Het is enorm, met tweehonderd winkels, eetcafés, een overdekte draaimolen en een gigantische ondergrondse parkeergarage. Mijn moeder begint altijd dat liedje van Joni Mitchell te neuriën, met de regel *they paved paradise and put in a parking lot*, als we er voorbijrijden. En dan slaakt ze een overdreven diepe zucht. Wij laten de auto achter op niveau G4-rood en gaan op weg naar Macy's.

Er is een grote uitverkoop aan de gang en op de truienafdeling is het een drukte van belang, maar daar trekt Tiff zich niets van aan. Ze struint langs alle rekken, schuivend, trekkend en grissend. Ik hou me afzijdig en kijk alleen toe hoe ze een paar angora truien uitzoekt in kleuren die variëren van felroze tot zachtblauw.

'Ik dacht dat je een zwarte wilde,' zeg ik. Maar ze snapt de hint niet.

'Deze zijn toch veel sexier?' zegt ze.

'Nou ja, ik denk alleen dat zwart veel chiquer zal zijn. En ik bedoel maar, je kunt het ook met meer dingen combineren.'

'Je kunt zeggen wat je wilt, maar je hebt echt de saaiste smaak die er is. En dat bedoel ik goed.'

'Nee, toe nou, Tiff. Deze zijn gewoon niet echt... mooi.' Ik zeg niet dat ik ze eigenlijk een beetje ordinair vind. Te pluizig.

Te paars of te roze of te weet ik veel. Ik wil haar niet op de tenen trappen. Dus zeg ik maar dat ik de zachtblauwe het mooist vind, maar echt overtuigend klink ik niet.

'Hè, wat doe je weer saai. Wat is er met je aan de hand? Is deze te duur? Zeg het nou maar eerlijk. Je hoeft helemaal geen truitje voor me te kopen. Echt niet.'

'Nee, doe niet zo mal. Ik heb een toffe baan, hoor. Ik betaal deze voor je en dan moet je me helpen om het perfecte zwarte jurkje te vinden. Een beeldschoon, adembenemend zwart jurkje. Zo'n jurk die maakt dat een man vindt dat ik er als een beeldhouwwerk uitzie, als een droom. Waar vind je zoiets?'

Tiff is sprakeloos, waarschijnlijk omdat ze van mij alles had verwacht behalve dat. Dan begint ze ondeugend te grinniken. 'Als een droom, hè?' Ze loopt voor me uit naar de dameskleding op de eerste verdieping.

We snuffelen rekken vol zwarte jurkjes door. Tiff begint enthousiast, maar ze krijgt er al snel genoeg van.

'Wat is er mis met dit jurkje?'

'Te glimmend.'

'En deze?'

'Die v-hals is veel te diep.'

'En deze?'

'Te strak in het middel.'

'En deze?'

'Daar heb ik een dikke kont in.'

'Hè, toe nou, Cassie. Dit is gewoon belachelijk. Een zwarte jurk is een zwarte jurk. Waar heb je die trouwens voor nodig? Moet je alweer naar een begrafenis? Haha. O, ik weet het al! Je gaat weer naar zo'n verrekte galerieopening!' zegt ze lachend.

'Leuk hoor,' zeg ik. 'Maar hier hebben ze niets. Misschien vind ik iets bij Neimans.'

'Wat? Heb je de staatsloterij gewonnen? Daar vind je echt niks onder een miljoen, geloof me nou maar. Ik ga naar Target, om wat spullen voor mijn haar te halen. Ik zie je daar over twintig minuten, maar zorg wel dat je op tijd bent.'

Iedere keer dat ik Neimans binnenloop, verbaast het me weer hoe stil en vredig het daar is. Niet dat ik er ooit iets koop, maar het is leuk om hier rond te dwalen. Achter hun toonbank staan schitterend geklede verkoopsters me glimlachend aan te kijken. 'Wilt u misschien de nieuwe geur van Marc Jacobs proberen?'

'O, lekker.' Ze spuit me een beetje op. Het kost honderdtwintig dollar per flesje.

Ik neem de lift naar de eerste verdieping en ik zie het jurkje meteen. Het hangt op een gezichtsloze, doorzichtige etalagepop midden in de afdeling met designerkleren. Ik loop er langzaam naartoe, alsof het een spirituele ervaring is, en raak de dunne wol aan. De stof is zo soepel en dun, zo zijdeachtig, dat het lijkt alsof ik een hondenoor aai. Er is geen naadje te bekennen en de hals is elegant diep uitgesneden. Laag genoeg om sexy te zijn. Ik heb nooit naar een kledingstuk gehunkerd, maar nu ik dit jurkje zie, wil ik het hebben. Ik wil die stof tegen mijn huid voelen. Ik wil zien hoe het vloeiend over mijn lichaam valt. Ik wil het aantrekken, een kamer binnenlopen en weten dat de mensen me meteen zien. Wat moet ik er verder over zeggen. Ik wil het gewoon hebben.

Op het moment dat ik het aantrek, voel ik alle stof, alle gruis, alle teleurstellingen en mislukkingen, mijn hele in duigen gevallen leven als sneeuw voor de zon verdwijnen. De herinneringen aan wie ik vroeger was, maken plaats voor een gevoel van verwachting en hoop.

Ik ga op de dik gestoffeerde stoel vlak bij de bontafdeling zitten, pak mijn mobieltje en bel het gratis nummer achter op mijn Visakaart. De jurk kost zeshonderd dollar. De computerstem vertelt me dat ik nog driehonderd dollar mag opnemen.

Ik vraag aan de verkoopster of ik in termijnen kan betalen. Ze glimlacht vol sympathie en zegt: 'Nee, dat kan hier niet. Maar als u wilt, kan ik de jurk wel drie dagen voor u vasthouden.'

Ik zeg dat ze dat dan maar moet doen. Maar ik weet dat ik toch niet terugkom en dat weet zij ook. Ik zou graag willen beweren dat de opwinding van het passen al genoeg was, maar dat is niet waar.

Ik neem de lift naar de schoenenafdeling beneden en vind een paar eenvoudige hooggehakte zwarte suède schoentjes – tweehonderd dollar. Daarna loop ik naar de tassenafdeling en kies een zwart satijnen handtasje uit, precies de goede maat. En het weegt niets. Driehonderd. Uiteindelijk beland ik op de kousenafdeling en kijk met grote ogen naar de ragfijne, antracietgrijze panty die het volgens de verkoopster momenteel helemaal is. Ze laat haar hand erin glijden en spreidt haar vingers om te laten zien dat het materiaal echt niet glimt. Gewichtloos. Transparant. Twintig ballen. Nu weet ik dus wat het kost om Samantha te zijn. Ik loop naar Target, waar ik thuishoor.

ACHTTIEN

Onderweg naar huis kletst Tiff me de oren van het hoofd terwijl ze constant van rijbaan verwisselt, toetert en nog net door oranje rijdt. Als ze haar middelvinger tegen iemand opsteekt, zeg ik dat ze rijdt als een vent en dat beschouwt ze als een compliment.

We stoppen op de hoek van Topanga Road om te tanken en als we wegrijden, draait er vlak voor ons een slagschip van een auto de weg op. De bak ziet er met zijn staartvinnen uit alsof hij uit de jaren vijftig stamt en we kunnen er niet langs. Het enige wat we zien, zijn twee kleine handen die het stuur omklemd houden en een paar sliertjes grijs haar die boven de stoel uit komen. Ze blokkeert de smalle weg en sukkelt met een vaartje van hooguit vijfentwintig kilometer per uur voor ons uit. Tiff wordt er knettergek van.

'Niet toeteren,' zeg ik tegen haar. 'Anders bezorg je haar nog een hartaanval.'

'Waarom mogen die mensen nog steeds de weg op? Het is maar goed dat ik geen pistool heb. Weer zo'n klootzak die me snijdt? Pang! Iemand die te langzaam rijdt? Pang! Rechtsaf vanaf de linkerrijbaan? Pang!' Ik zie dat haar vinger boven de claxon hangt.

'Daar zal ik je nog wel eens aan herinneren als wij twee oude dametjes zijn en samen een dagje op stap gaan. Niet toeteren.'

'Oké, al goed, ik toeter niet. Jezus. Op deze manier zijn we pas om twaalf uur thuis.'

We doen er dertig in plaats van tien minuten over om bij Tiffs huis te komen. Daar gooien we onze pakjes op de bank en trekken onze jacks uit.

'Mam, we zijn weer thuis!' roept Tiff.

'Ik ben hier, Tiffy,' antwoordt tante Ethel met een vermoeide, ijle stem vanuit de keuken.

Zure kookluchtjes van het avondeten hangen nog steeds om ons heen en de vuile vaat staat opgestapeld naast de gootsteen. Oom Guy hangt op een kruk bij het aanrecht. Aan zijn onderlip bungelt een tandenstoker. Hij strijkt met zijn hand over zijn voorhoofd als de zweetdruppels over zijn vermoeide gezicht rollen. Tante Ethel staat de was te vouwen en glimlacht flauw als ze ons ziet om meteen daarna een sliert haar uit haar ogen te blazen. De sfeer is gespannen, alsof ze net flink ruzie hebben gehad.

'Is alles in orde?' vraagt Tiff aan haar moeder, die haar met zachte stem vertelt dat ze net een e-mail van Guy jr. hebben gehad. Hij zit nu in een plaatsje in de buurt van Az Zubayr, ten zuidwesten van Basra. We gaan achter de computer zitten om het bericht zwijgend te lezen.

Om te beginnen is alles met mij in orde. Maar dit is wel iets heel anders dan in de bioscoop, dat mogen jullie gerust weten. Op dit moment zit ik in een internetcafé en we hebben van het Corps gehoord dat we mogen zeggen wat we willen zolang het maar geen gevaar voor een missie oplevert, maar volgens mij menen ze dat helemaal niet. Ik heb gehoord dat ze links en rechts allerlei blogs sluiten, maar ik wil jullie dit toch vertellen. Tot dusver, en dat zuig ik niet uit mijn duim, zijn er drie jongens van mijn eenheid gesneuveld. Daar komt nog bij dat de vrouw van mijn beste vriend heeft gezegd dat ze er genoeg van heeft en wil scheiden. En hij heeft zijn kinderen al een jaar lang niet meer gezien. We heb-

ben laatst een huis gebombardeerd en zo uiteindelijk de bur-
gers gedood die we hier horen te beschermen. Het is zo heet
als de pest en alle spullen die we moeten dragen zijn lood-
zwaar. Ik weet wel dat we hier met een reden naartoe zijn ge-
stuurd, maar af en toe is het verdomd moeilijk om jezelf in
te prenten dat het leven niet altijd één groot verrekt mijnen-
veld is...

'Jemig, mam, wat deprimerend!' zegt Tiff terwijl ze de rest van
het bericht hardop voorleest.

Tante Ethel kan zich maar met moeite beheersen en ondertussen zie ik in gedachten hoe Guy jr. als tiener languit op de
bank in de zitkamer lag, in een verschoten T-shirt van een of
andere rockband en een oversized spijkerbroek. Destijds was
hij één en al armen en benen, gespierd en met grote voeten en
handen. Knap. Tiff en ik konden hem door de muur van haar
slaapkamer horen, als hij met zijn laatste vriendinnetje lag te
kletsen. Toen hij vorig jaar naar Irak werd gestuurd, zei hij bij
wijze van grap dat het enige wat hem kon overkomen was dat
hij allergisch zou blijken voor zand. De mail eindigt met de
mededeling dat hij misschien snel verlof krijgt.

Tiffs vader komt naar me toe sjokken, met een bolle pens en
zwengelende armen en handen.

'Heb je nog leuke kerels ontmoet bij je nieuwe baan?' vraagt
hij, terwijl hij zijn ogen van het scherm haalt.

'Ze werkt bij de universiteit, pap. Natuurlijk heeft ze geen
leuke kerels ontmoet,' zegt Tiff met een geforceerd lachje, terwijl ze over haar neus wrijft. Ik zie dat ze overstuur is en nog
steeds strak naar het scherm zit te staren. Dan draait ze zich
met een ruk om en steekt haar arm door de mijne om me mee
te slepen naar de keuken. Daar pakt ze een fles wijn en duwt
me de deur uit.

Tiffs kamer is een bruidstaart vol ruches, kant, organza en
stapels zelfhulpboeken. Ze denkt dat ieder mens gelukkig kan
zijn en als dat niet zo is, moeten ze er iets aan doen. In haar

jacht op geluk heeft ze meer dan tweehonderd boeken over zelfhulp gelezen, variërend van *De kracht van positief denken* van Norman Vincent Peale, dat ze van haar moeder heeft gekregen, tot *De kunst van het gelukkig zijn, Zet het van je af* en, haar bijbel, *Ik wou, ik zou, ik had moeten.* Ze zegt altijd tegen mij dat ze uit alles, zelfs de slechte, wel iets heeft opgepikt dat haar kan helpen om achter het geheim van geluk te komen.

Haar kamer ziet er nog precies zo uit als toen ze tien was. Boven het raam is een lange plank voorzien van een schulprandje waarop al haar schaatstrofeeën staan, troep waarmee je opgescheept wordt als je tweede of derde bent: zilveren borden, bekers, linten en sjerpen. Plus foto's van Tiff die eruitziet als een soort Baby June in al haar verschillende schaatspakjes. Ik vind het altijd een beetje triest, alsof haar roem al verdwenen was voordat ze ooit de kans kreeg om beroemd te worden. Persoonlijk zou ik die troep ergens diep in een kast stoppen, maar Tiff zegt dat ze een grote glazen vitrine gaat kopen om de hele mikmak tentoon te stellen, zodra ze op zichzelf woont.

Ze vist in de tas van Target en haalt er met een triomfantelijk gebaar een pakket doe-het-zelf coupe soleil uit.

'Wat vind je ervan? Ik heb dit al jaren bij je willen doen.' Ze geeft me het doosje met een portret van een blonde blauwogige schoonheid met een stralende lach en een bos haar à la Lady Godiva 'gekust door de Noorse zon'. Ik wil ook gekust worden door de Noorse zon. Net als Samantha.

'Goed. Ga je gang, Tiff.'

'Echt waar? Of hou je me voor de gek?'

'Ik wil wel eens iets anders. Net als in al die tijdschriften: van grijze muis tot betoverende schoonheid!'

Ze lacht als ze me een flesje rode nagellak geeft. Thrill of Brazil. 'Doe maar eens gek,' zegt ze.

Een golf peroxide pleegt een aanslag op mijn ogen, neus en keel als Tiff de kalkachtige brei voor asblonde Royal Danish-plukjes mengt. De hele procedure neemt ongeveer twee uur in beslag en het merendeel daarvan zit ik wijn achterover te slaan en door een paar van haar newageboeken te bladeren die beloven de 'tot dusver verborgen krachten die in je schuilen' naar boven te brengen en me het 'geheim' te vertellen dat van mij 'de krachtigste zendmast in het universum' zal maken. Op een gegeven moment beken ik zelfs hoe graag ik die jurk had willen hebben. Ik beschrijf het Onbereikbare tot in het kleinste detail en vertel haar treurig dat ik me die jurk nooit zal kunnen veroorloven.

Een paar uur later werp ik een blik in de spiegel als ik in mijn eigen huis naar binnen stap. Mijn haar is nog niet helemaal droog, maar het is lichter, blonder. Ik vind het mooi, maar Sam duidelijk niet. Hij wordt helemaal gek als hij me ziet. Hij hangt als een gevangene aan de tralies van zijn kooi te schudden en zet zijn veren op. En als ik dichterbij kom, deinst hij achteruit en krijst: 'Help! Help!'

Ik wou dat mijn moeder hem dat woord nooit had geleerd, want hij maakt er misbruik van. Net als het jongetje dat iets te vaak 'wolf!' riep. Alleen is hij een papegaai. Het zal wel door die knalrode nagels komen. En door mijn haar. Vogels hebben een hekel aan verandering.

Later die avond pak ik Conners liefdesbrief uit mijn tas, verfrommel het velletje en gooi de prop in de prullenbak. Zo. Dan kleed ik me uit, kruip in bed en begin door het boek van Muir te bladeren. Als ik moe ben, kan ik het meestal niet opbrengen om te lezen, maar de woorden van Muir kikkeren me vreemd genoeg op. Net als zijn beschrijving van de natuur als 'vol van Gods gedachten, een veilige en vredige plaats, een nieuw lied, een plek waar alles opnieuw kan beginnen.' Onwillekeurig blijf ik doorlezen.

Voor mijn raam zitten twee uilen die op een warme en treurige toon naar elkaar roepen. Ze lijken op een stel bezwaarde zielen die verdwaald zijn tussen de donkere naaldbomen. Een van de twee klinkt iets hoger dan de ander, maar als je het mij vraagt, produceren ze geen van beide 'oehoe'-geluiden. Uilen gaan 's nachts op rooftocht, net als prairiewolven, en af en toe doden ze ratten, vogels en jonge katjes. Ik sta op om me ervan te overtuigen dat Sam veilig in zijn kooi zit en in gedachten zie ik mijn andere vogels voor me, die op de open plek nestelen. De hele canyon zit vol haviken en uilen. Zij zijn de vijand. Onzichtbaar, maar altijd aanwezig.

Ik denk na over vanavond. Tiff kan zich het grootste deel van de tijd groothouden, maar ik weet dat ze verschrikkelijk bezorgd is over haar broer en dat ze alles bij elkaar opgeteld ook niet zo'n leuk leven heeft. Haar familie leeft van de hand in de tand en haar broer kan best tussen zes planken thuiskomen. Ik vraag me wel eens af hoe ze het volhoudt.

Een paar weken na dat ongeluk van Frank zaten we op een avond laat in mijn keuken rum-cola's te drinken toen ik er eindelijk uitflapte dat ik nog geen week daarvoor had gewenst dat Frank dood zou zijn. Daarna zag ik de foto's uit het lijkenhuis, die foto's waarop hij echt dood leek, niet alsof hij sliep, en toen schoot het ineens door me heen: wat als dit in kosmische zin nu eens mijn schuld was geweest?

'Goeie genade, Cassie, iedereen denkt toch wel eens zoiets,' antwoordde ze. 'Gewoon, zonder het te menen.'

'Maar ik meende het wel. Daar gaat het juist om.'

Tiff bleef even stil en begon toen te lachen. 'Eigenlijk wist ik dat allang. Het geeft niet hoor, ik wist het al.' En daarna voegde ze er treurig aan toe: 'Trouwens, wensen komen toch nooit uit.'

Vlak voordat ik in slaap dommel, schiet me ineens iets te binnen en ik zet mijn voeten opnieuw op de ijskoude grond. Daarna pak ik de liefdesbrief uit de prullenbak en leg de prop in mijn la.

NEGENTIEN

Hoe kan dit nou? Mijn haar staat rechtop in stijve, grijsgrauwe plukken. Ik zie eruit als een stekelvarken. Logge, slome knaagdieren met korte poten. Waren we dan zo van de wereld? Misschien blijft dat spul gewoon doorwerken als je slaapt. Of we hebben het niet grondig genoeg uitgespoeld. Hebben we het eigenlijk wel uitgespoeld? Sam had gelijk. Ik zie eruit als een idioot en ik ben al laat voor mijn werk.

Ik doe mijn haar in een staart in mijn nek, pak een oud honkbalpetje met een gore voering en trek dat over mijn stijve geblondeerde pieken. Dit is het tegendeel van chic, dit is een ramp.

Ik kom een kwartier te laat op kantoor. Alison zit zoals gewoonlijk al achter haar bureau, maar ze ziet er tegen haar gewoonte in heel vriendelijk uit. Wat is er aan de hand? Ik bedoel maar, het staat zo vast als een huis dat we elkaar niet kunnen uitstaan, maar ze lacht me toe alsof ze me iedere ochtend zo begroet. Misschien is ze blij dat ik eruitzie alsof de hele ochtendfile over me heen is gereden.

'Hoi. Hoe is het met je?'

'Prima. En met jou?' speel ik het spelletje mee.

'O, je weet wel. Hoor eens, ik wil je om een gunst vragen.' Ze spint als een poes.

Alison dempt haar stem en trekt een stoel bij voordat ze

zich omdraait en me aankijkt alsof we boezemvriendinnen zijn. Dit bevalt me niets. Misschien zijn ze achter de waarheid gekomen.

'Het gaat om een vent,' fluistert ze, 'en hij is volmaakt, dat zweer ik. Ik ben gisteravond met hem uit geweest en nu wil hij samen met mij een ritje langs de kust maken. In een open Mercedes.' Ik voel alleen maar opluchting.

'Als ik om een uur of vier terug ben, kun jij dan voor me invallen?'

'Ja, natuurlijk,' zeg ik nonchalant. Wat maakt het uit.

'En we hoeven ook niets tegen Pearce te zeggen. We zijn toch volwassen mensen onder elkaar?'

'Goed.'

'Dat bedoel ik.'

'Hoe laat is hij hier?'

'Hij kan elk moment komen.' Ze kijkt me even met grote ogen aan. 'Waarom heb je een pet op?'

Ik zet hem af en mijn weerbarstige piekhaar steekt alle kanten op.

'Jezus, ik hoop dat je daar niet voor betaald hebt.'

Ik heb geen zin om haar te vertellen dat mijn vriendin dit heeft gedaan. En dat we allebei een behoorlijke slok op hadden.

'Het ziet er niet uit, hè?'

'Zeker weten,' zegt ze, terwijl ze haastig haar tas over haar schouder hangt. 'Tot straks.'

Terwijl ze de deur uit loopt, ga ik achter haar bureau zitten en zet mijn handtas weg. Verdomme, ik had haar moeten vragen naar welke kapper zij gaat. Ik heb veel op Alison aan te merken, maar haar haar zit altijd goed. O, ze heeft haar kleine krokodillenleren Filofax naast de telefoon laten liggen. Hmmmm. Ik vraag me af of haar kapper later op de dag nog een plekje over heeft. Ik leg het boekje achteloos op mijn schoot onder het bureau.

Eens even kijken. Misschien onder de K. Nee. Dan onder de

s van schoonheidssalon? Ook niet. Maar ik heb haar wel eens met hem horen praten. De man heet Frank of zo. Over toeval gesproken. Ik kijk onder de F en daar staat het. Alleen spelt hij het als 'Franck'.

Ik schrijf het nummer op en als ik weer opkijk, zie ik verdomme Alison teruglopen. Ik leg haastig de Filofax weer naast de telefoon.

'O, hoi! Volgens mij heb ik mijn Filofax laten liggen.' Ik geef haar de agenda. 'God, dank je wel! Mijn hele leven draait om dat boekje.'

'Graag gedaan. Veel plezier,' zeg ik als ik overdreven beleefd de rinkelende kantoortelefoon opneem.

'Cassie? Met Freddy.'

'O, hallo.' Dit is lastig. 'Alison gaat net weg.'

'Ik bel eigenlijk voor jou.' Wat krijgen we nou weer? Zou zijn vriendje, de fotograaf, hebben gezien dat ik onderuit ben gegaan?

'Ik kreeg gisteren een telefoontje van mijn vriend, de fotograaf.' Zie je wel. Nu komt het. 'En een criticus van de *Times* heeft hem een geweldige recensie gegeven. Heb je die al gelezen?'

'Jeetje nee, ik heb nog geen tijd gehad om de krant te lezen.'

'Nou, het was echt een fantastische recensie. Moet je horen: "zalig atmosferisch, romantisch en indringend".'

'Daar zal hij vast heel blij mee zijn.' Wat wil hij nou eigenlijk? Hij moet toch hebben gehoord wat er is gebeurd. Misschien wacht hij tot ik met een smoesje aankom. O, ik heb een paar grieppillen genomen nadat ik één glaasje had gedronken en die zijn volkomen verkeerd gevallen. Ik heb echt een griepje onder de leden, iedereen bij mij thuis is ziek, zelfs de papegaai.

'Maar goed, je zult het wel druk hebben, dus ik hang op.'

'Oké. Leuk om even met je gebabbeld te hebben.' Geen woord over het feit dat ik onderuit ben gegaan. Misschien heeft hij het toch niet gehoord.

'O, tussen twee haakjes...' Hij aarzelt even. 'Ik weet dat het kort dag is, maar ik vroeg me af of je morgenavond iets te doen hebt.'

Ik kan mijn oren niet geloven. 'Morgenavond?'

'Ik heb twee kaartjes voor het concertgebouw en morgen spelen ze de Zesde van Beethoven.'

God. Het concertgebouw. Hij wacht op mijn antwoord. Ik frommel aan mijn enge pieken. Ik moet hem aan het lijntje houden.

'Hoor eens, ik had wel wat vage plannen, maar misschien kan ik nog wat regelen. Mag ik je terugbellen?'

'Natuurlijk,' zegt hij beleefd. Hij geeft me zijn nummer en vraagt het nummer van mijn mobiel.

Het eerste wat me door het hoofd schiet, is: Alison zal dit een regelrechte nachtmerrie vinden. Dan bel ik haar kapper. De receptioniste, Tracy, heeft een geprononceerd Brits accent. Wassen en een coupe soleil komt op tweehonderd dollar. Maar dat wordt meer als het haar beschadigd is. Volgens mij is dat bij mij wel het geval. Ik vraag of ze niet iemand hebben die wat goedkoper werkt. De receptioniste geeft me de tip dat vanavond een lesavond is waarop de assistenten onder supervisie van de stylisten zelfstandig mogen werken. Mocht ik daar belangstelling voor hebben, het kost niets en ze verzekert me dat er prima kwaliteit wordt geleverd. Er zijn nog twee plaatsen beschikbaar. Ik neem het aanbod aan.

Ik wacht tot er voldoende tijd verstreken is voordat ik Freddy terugbel en vertel dat de afspraak door kan gaan. Allemaal heel luchtig en nonchalant.

Maar op weg naar de kapper ga ik toch langs Neimans om nog eens naar dat zwarte jurkje te kijken. Ik doe het. Ik heb al een jaar lang geen nieuwe jurk meer gekocht. En de schoenen ook. Het heeft geen zin om bij zo'n beeldschone jurk goedkope schoentjes te dragen. Ik gebruik twee verschillende creditcards en vertel de aardige verkoopster dat ik naar het concertgebouw ga en dat ik niet veel tijd heb, omdat ik naar de kapper moet. Ze glimlacht stralend. Ik lach even stralend terug. Deze jurk is voor ons allebei eigenlijk veel te duur.

Wanneer heb ik voor het laatst zoveel geld voor mezelf uitgegeven? Geld dat ik niet eens heb. Is dat ook zondigen?

TWINTIG

Freddy heeft gevraagd of ik naar hem toe kon komen, omdat hij tot laat in vergadering zit. Vandaar dat ik mijn nieuwe zwarte jurk heb meegenomen naar het werk, samen met een weekendtas vol make-up, kousen, schoenen en een gloednieuwe push-upbeha. Als ik me verkleed heb, kijkt Alison me neutraal aan en knippert niet eens met haar ogen. Ze wil niet laten merken dat ze verbaasd is, anders zou ze misschien iets aardigs moeten zeggen. Ik steek vrolijk mijn hand op als ik de deur uit loop.

Voordat ik in de auto stap, sla ik een handdoek om de voorstoel en zak er zo voorzichtig op neer dat het lijkt alsof ik van porselein ben. Ik wil geen hondenharen op mijn jurk krijgen en zeker geen ladder in mijn zwarte, superdunne panty. Ik ben zenuwachtig en blijf keer op keer in de spiegel kijken of mijn make-up wel goed zit. De laatste keer dat hij me ontmoette, zag ik eruit als een belachelijke roze angora pluis.

Ik vind een parkeerplaatsje op een paar straten van zijn moderne flatgebouw. Hij heeft wel gezegd dat ik mijn auto door een van de parkeerbedienden in de ondergrondse garage moet laten zetten, maar ik rij in zo'n oud wrak dat ik daar niet over pieker.

Dan loop ik haastig naar het flatgebouw in de verwachting dat de portier Freddy wel op zal piepen, maar hij staat al beneden, in een donker, goed gesneden pak. Er is een flits te zien van een plat gouden horloge aan een krokodillenleren bandje als hij het portier voor me openhoudt en dan word ik voor de tweede keer in mijn leven op een bewonderend fluitje getrakteerd (nou goed, de eerste keer was het inderdaad een papegaai).

'Je weet niet half hoe fantastisch je eruitziet,' zegt Freddy, terwijl hij mijn elleboog aanraakt en heel even vlak bij me komt staan. En terecht. Het ligt niet alleen aan de jurk, maar ook aan mijn haar. Dat is zacht en los, met de pony opzij gekamd. Het grappige is dat Tiff nog even aanwipte toen ik gisteravond thuiskwam en me meteen begon te knuffelen.

'Cassie, wat is die kleur van je fantastisch gelukt. Misschien heb ik wel het verkeerde beroep gekozen en had ik eigenlijk een opleiding tot schoonheidsspecialiste moeten volgen.' Hè ja. Ik kan het niet over mijn hart verkrijgen om haar te vertellen dat mijn haar een regelrechte ramp was en dat er vier mensen een hele avond bezig zijn geweest om me er weer een beetje redelijk uit te laten zien.

Op weg naar het Music Center in het centrum van L.A. vraagt Freddy of ik recentelijk nog bij een uitvoering van de Zesde van Beethoven ben geweest en ik vertel hem dat ik zelden (oftewel nooit) naar het concertgebouw ga. Hij knikt alsof hij precies weet wat ik bedoel. Het is echt een ramp om daar te komen vanaf de plek waar jij woont, zegt hij. In de spits zal het je gauw een paar uur kosten. O ja, beaam ik. Echt rampzalig.

'Ik hou van de Pastorale,' zegt hij. 'Beethoven was asociaal en bijna doof toen hij die schreef, maar de muziek voert je mee naar een andere wereld... de Provence of zo, vind je ook niet?'

'O ja,' jok ik, zwaar geïntimideerd. Ik zie er vanavond kennelijk echt chic uit, als hij denkt dat ik de symfonieën van Beethoven ken en in de Provence ben geweest. Bravo, Cassie.

Uiteindelijk blijkt dat we een beetje te vroeg zijn voor het concert, dus nodigt Freddy me uit om iets te gaan drinken in de Founders Room, volgens hem een soort privéclub voor donateurs.

Als we daar naar binnen lopen, kan ik alleen maar aan de scène uit *The Phantom of the Opera* denken, waarin die gigantische kristallen kroonluchter tegen de grond smakt, vlak voor de voeten van die beeldschone bleke godin Christine. We gingen nooit naar het theater, maar mijn moeder heeft diep in de beurs getast en nam me op een zondagmiddag mee naar die voorstelling. Dat was niet lang na de dood van Frank en de plotselinge, oorverdovende klap van versplinterend glas en de lichtflitsen herinnerden me meteen aan de avond dat zijn vrachtwagen als een granaat in de berghelling sloeg en ontplofte. Nu staar ik omhoog naar drie glimmende kroonluchters vol diamantvormige pegels en vraag me af of een daarvan naar beneden zal komen, waardoor al deze dure mensen met één klap in de hel zullen belanden.

Het is gewoon een beetje te veel van het goede. Drie meter hoge plafonds, Perzische tapijten, zware geborduurde fluwelen banken en een kamerhoog schilderij van een koninklijk uitziende vrouw, in een baljurk en een tiara, die wel iets wegheeft van een bruidstaart. Ik kijk uit het raam naar de wolkenkrabbers van het centrum die tegen de donkere avondlucht uit legoblokjes lijken opgebouwd als een in smoking gehulde kelner langskomt met een sterling zilveren blad vol champagneflûtes.

Freddy geeft me een glas en zegt samenzweerderig: 'Tussen haakjes, zou je het heel vervelend vinden als we dit afspraakje *entre nous* hielden?'

Ik kijk hem niet-begrijpend aan.

'Ik wil niet dat Alison precies weet wat ik doe. Dat maakt het allemaal een stuk eenvoudiger, snap je?'

O ja. Ze zal wel wat over me gezegd hebben.

'Oké. Ik begrijp het. Mij best,' zeg ik lief. '*Entre nous.*'

Freddy is helemaal in zijn element als hij zich een weg baant door de menigte, handenschuddend met oudere, eerbiedwaardig uitziende mannen, mannen van aanzien met een aura van succes. En hun elegante vrouwen, die allemaal een opvallend gebrek aan nieuwsgierigheid tonen ten opzichte van mij. Veel van hen zijn in het zwart. Het dringt nu pas tot me door hoe onmodieus alle andere kleuren daarnaast lijken. Als we langslopen, noemen ze Freddy bij zijn voornaam en geven hem een liefkozend kneepje in zijn schouder.

Een paar blijven even staan om met hem te praten en dan is hij zo beleefd om me voor te stellen. Ik lach net een beetje te hard om hun grapjes en het valt me op dat ze allemaal uit de losse pols de intelligentste opmerkingen kunnen maken. Ik merk dat ik mijn best doe om me aan te passen en me in mijn hoofd te prenten hoe ze dat precies doen, terwijl ik me gedraag alsof ik uit dezelfde kringen kom.

We lopen naar een bank in de hoek waar een met wit linnen gedekte tafel staat. Sandwiches met gerookte zalm, een chique kaasschotel, fruit en een fles wijn in een zilveren wijnkoeler. Dit lijkt in de verste verte niet op Franks favoriete restaurant, Mantle's, waar de slogan luidde: 'Je krijgt alleen een lekkerder stukje kip als je een haan bent.'

Freddy gaat zitten en klopt met een intiem gebaartje op het brokaten kussen naast hem. Gezellig. Een paar van zijn vrienden sluiten zich bij ons aan. De vrouwen dragen net zulke jurkjes als ik of zwarte pakjes met grote glimmende broches op de revers. Dat zullen wel cadeautjes van hun grootmoeders zijn.

De kelner trekt de wijn open en geeft de kurk aan de man naast mij, die eraan begint te snuiven als een junk met een lijntje coke. Het etiket op de fles lijkt op een oud familiewapen, Domaine de Weet Ik Wat uit de stenen kelders waar het Fantoom de scepter zwaait. De fles zal wel een godsvermogen kosten. Hij knikt pontificaal. De kelner schenkt vervolgens een beetje in het glas van de man en blijft in de houding staan wachten terwijl de vent de wijn laat ronddraaien, tussen zijn handen warmt, tegen het licht houdt, de geur inademt, er een slokje van neemt, het in zijn mond houdt en ten slotte met zijn hoofd achterover begint te gorgelen. Freddy kijkt me aan en knipoogt als de man, die Vier heet (zijn vader was Drie, zijn grootvader Twee, snap je wel) zich iets te ver naar mij overbuigt en zegt: 'Uitmuntend, 1975. Het merendistrict. Ik heb mezelf op een kistje ervan getrakteerd toen ik in Como was.' Hij ruikt naar Brut 2006, uit het potsenmakersdistrict. Maar ik houd mijn mond.

'Wat doe jij voor de kost?' vraagt hij.

'Ik werk op de universiteit.'

'Goed zo,' zegt hij geïnteresseerd, terwijl een vrouw achter ons een overdreven groet roept en zichzelf tussen Freddy en mij wringt, en een met gouden armbanden behangen arm om hem heen slaat.

'Waar heb jij gezeten?' jubelt ze terwijl ze hem familiair bij de arm pakt. 'God, ik heb je zo gemist.'

Ze draagt hoge hakken, een witte satijnen blouse en een strakke grijze flanellen rok. Sexy zonder al te opdringerig te zijn. Haar witblonde haar wordt door een fluwelen bandje uit haar gezicht gehouden. Ze is rond de dertig, gebruind, slank en ze heeft een smetteloos gezicht, jeugdig en zijdezacht met een doorzichtig laagje knalrode lipgloss.

'Hallo, ik ben Nan,' zegt ze tegen mij terwijl ze me als een kerel haar hand toesteekt. Dan praat ze meteen verder tegen Freddy. Haar conversatie is doorspekt met een overdosis 'moetjes'. Ik 'moet' je zover krijgen dat je naar het strandhuis komt. Ik 'moet' echt nog een glaasje champagne. Ik 'moet' absoluut terug naar New York zolang dat toneelstuk nog loopt. Ze is een schoonheid, maar ze wurgt me gewoon met al die charme. Het lijkt net alsof ze alle zuurstof uit de lucht zuigt.

Ik verontschuldig mezelf (ik 'moet' echt naar het toilet) en als ik terugkom, hangt er een ongemakkelijke stilte. Ik krijg de indruk dat er iets is wat ik zou moeten weten, maar dat gevoel verdwijnt als Freddy haastig ingrijpt en me vertelt dat Nan een vriendin van hem uit Londen is. Daar heeft hij na zijn twintigste een paar jaar gewoond. Hij had een appartement in Mayfair en werkte bij Goldman Sachs.

'Mijn ex-vrouw werkte in een kleine galerie in de buurt. Daar heb ik mijn eerste schilderij gekocht. Ik heb het geld ervoor moeten lenen, omdat het in de "ik kan er niet zonder leven"-categorie viel.'

Dat gold kennelijk niet voor zijn vrouw. Ik zou wel iets meer over haar en dat huwelijk willen weten, maar in plaats daarvan vraag ik: 'Wat was dat voor schilderij?'

'Een verrukkelijk naakt. Mijn vrouw heeft het bij de scheiding gekregen.'

'Wat naar voor je.'

'O, ik heb het gewoon op een veiling teruggekocht.'

Nan zit inmiddels bij een groep van vijf vrouwen die allemaal blond haar hebben, prachtige stevige armen en lange, dure oorbellen. Ze lachen en zitten samenzweerderig te fluisteren. Ze zien eruit alsof ze lid zijn van een van die clubs waar Joden en zwarten niet toegelaten worden.

Ik heb net mijn eerste zalmsandwich gepakt als er lampen beginnen te knipperen. Freddy blijft gewoon met zijn vriend doorpraten over een grote kunstveiling die binnenkort wordt gehouden en negeert het teken dat de voorstelling gaat beginnen, terwijl een optocht van bedaarde mensen ongehaast naar de deuren loopt die worden opengehouden door geüniformeerde kelners. Ik stop haastig de sandwich in mijn mond en hoor nog een paar 'Ha, die Freddy's' voorbijkomen, voordat hij me in mijn knie knijpt en zegt: 'Ben je zover?'

Ik knik enthousiast. Ik verheug me er echt op. De laatste keer dat ik een orkest heb gehoord was bij *De Notenkrakersuite* toen ik vijf was.

Onze plaatsen zijn op het eerste balkon, dat volgens Freddy de beste akoestiek van de hele zaal heeft. Bovendien is het maar een paar meter lopen vanuit de Founders Room. Deze lui hoeven niet haastig een paar trappen af te lopen en het gezellige gebabbel gaat gewoon door, terwijl ze hun plaatsen opzoeken. Freddy draait zich om en schudt de hand van een man die twee rijen áchter ons zit. Een vrouw met een kapsel dat bestand lijkt tegen windkracht tien, kust-kust-kust zich een weg door het gangpad. 'Hoe gaat het met je?' 'Wat leuk je weer te zien.' Smak, smak.

Ik kijk toe hoe de muzikanten op het podium hun instrumenten en hun muziekstandaards klaarmaken. Sommigen zitten nog aandachtig kleine stukjes te repeteren, terwijl anderen aan hun snaren of hun mondstukken friemelen.

Uiteindelijk duikt de dirigent op, die onder een stormachtig applaus doelbewust naar zijn plaats loopt. Hij maakt een statige buiging, terwijl de rest van het orkest vol respect opstaat. Maar hij is heel anders dan ik had verwacht. Naar mijn idee moeten dirigenten eruitzien alsof ze God zelf zijn, met een ondefinieerbare leeftijd en zwierige, lange witte haren. Maar deze vent is kaal, in een kraagloos colbert en met schoenen die zo glimmen dat het licht erin weerkaatst. Hij staat op het punt van beginnen, met zijn dirigeerstokje in de lucht, als er vlak na elkaar twee mobiele telefoons af gaan. Hij verstijft, fronst zijn voorhoofd, en laat zijn stokje zakken. Heel wat minder vergevingsgezind dan God.

Na een korte pauze, als er een doodse stilte in de zaal hangt, heft hij zijn dirigeerstok weer op en wacht nog even om er zeker van te zijn dat we allemaal ons lesje geleerd hebben.

Het eerste stuk is wild – volkomen atonaal met nonchalant rondgestrooide noten, woeste paukenslagen en toeterende fagotten – en van een moderne componist van wie ik nog nooit heb gehoord. Halverwege stoot Freddy me aan en gebaart dat ik eens om me heen moet kijken. Er zit een hele kudde grijsharige mannen met de kin op de borst vredig te slapen, een hele prestatie gezien de oorverdovende herrie.

'Ze kunnen nog geen vijf minuten wakker blijven,' grinnikt hij.

Het tweede stuk is de Zesde Symfonie van Beethoven, de Pastorale. De muziek begint met een kabbelende, rustige melodie. Een glimlach van herkenning flitst over Freddy's gezicht voordat hij op zijn gemak gaat zitten voor het stuk waarvan ik al in het programma heb gelezen dat het iets minder dan een uur zal duren.

De eerste tien minuten luister ik vol belangstelling, maar dan begint mijn aandacht af te dwalen – zoals dat ook wel gebeurt als je over een bekend stuk snelweg rijdt en voordat je het weet op je bestemming aankomt, zonder je ook maar iets van de rit te herinneren. Ik vraag me af of daar een woord voor is. Auto-amnesie misschien?

O, de muziek houdt op. Sjonge, dat is snel voorbijgegaan. Ik wil net gaan klappen als Freddy zijn handen over de mijne legt en naar het programma wijst. Dit was pas het eerste deel. Er moeten er nog vier komen. Ik ga even verzitten en sla mijn benen over elkaar. De kussens zijn luxueus dik, maar de been-ruimte is niet voldoende voor die lange stelten van mij. Ik zet mijn voeten weer op de grond en mijn programma valt op de grond.

Freddy glimlacht, pakt het op, legt het weer op mijn schoot en laat zijn hand op mijn knie liggen. De muziek wordt leven-diger, een ode aan de natuur waarin de fluiten kwinkeleren als vogeltjes. Ik zak onderuit en werp een blik op mijn horloge. Nog veertig minuten.

Nu zijn we in het derde deel aanbeland. Freddy ziet eruit alsof hij zit te dommelen, maar het kan ook best zijn dat hij met zijn ogen dicht naar de muziek luistert. Ik sluit mijn ogen ook en laat me meedrijven op de muziek, waarin dezelfde ver-rukkelijke melodieën telkens terugkomen en steeds op een an-dere manier. Ik bedenk dat ik graag nog een keer samen met mijn moeder terug zou willen komen. Zij zou dit fantastisch vinden.

Plotseling verandert de sfeer en de muziek zwelt aan. Freddy schiet overeind, neemt zijn hand van mijn knie, pakt voorzich-tig de mijne vast en zegt: 'De onweersbui! Dit vind ik het mooi-ste stuk. Ik kan me nog herinneren...'

'Ssst!' snauwt een oud lijk achter ons. Freddy geeft me een knipoogje, maar een prettige bijkomstigheid is dat hij mijn hand vast blijft houden. Nu draait zijn duim kringetjes over mijn handpalm terwijl de muziek steeds heftiger wordt.

Het mondt uit in een crescendo, om dan weer rustiger te worden en te eindigen in een serene stemming. Freddy schenkt me een vorstelijke glimlach.

'Dat was echt ongelooflijk. Ontzettend bedankt, Freddy.'

Hij buigt zich voorover en kust me licht op mijn mond. 'Graag gedaan, hoor.'

Het publiek is opgesprongen en staat nog steeds bravo te schreeuwen en fanatiek te klappen als wij teruglopen naar de VIP-ruimte om daar de pauze door te brengen. Maar voordat we naar binnen gaan, blijft Freddy staan, pakt op een behoorlijk bezitterige manier mijn arm vast en fluistert: 'Laten we ervandoor gaan.'

'Meen je dat?' vraag ik. De kaartjes moeten een fortuin hebben gekost. Hoe kan hij dan gewoon weggaan? Hij ziet dat ik aarzel.

'Ik meen het,' zegt hij. 'En je zult me dankbaar zijn, tenzij je je verheugt op *Hallucination City* van Glenn Branca. Dat heb ik vorig jaar gezien en er is geen bal aan.'

Ik begrijp dat hij het niets bijzonders vindt om bij een voorstelling weg te lopen. Ik ben nog nooit bij iets weggelopen, zelfs niet bij een flutfilm. Ik neem aan dat hij het punt bereikt heeft, waarop hij meer waarde hecht aan tijd dan aan geld. Ik ken niemand voor wie hetzelfde geldt.

Alles hier is VIP. We nemen de VIP-lift naar de VIP-garage en stappen in de auto. Het dashboard baadt in een spookachtig licht met wijzers die in het luchtledige lijken te zweven. Ik zak weg in de diepe leren kussens die in gepolitoerd notenhout zijn gevat. Uit verborgen luidsprekers klinkt zachte jazzmuziek. Dat is wel heel iets anders dan de subwoofers zo groot als schoenendozen die Tiff onder het dashboard heeft hangen. Ik pijnig mijn hersens om met een amusante opmerking te komen, maar het blijkt al gauw dat ik me die moeite kan besparen, want hij begint meteen allerlei verhalen over zijn werk te

vertellen. Hij strooit met termen als rentevoet, fusies en over-
names, wisselkoersen, big caps, small caps en middelgrote bedrijven. Midden in die monoloog begint zijn BlackBerry te trillen. Hij kijkt naar het scherm, ziet wie er belt en negeert het
telefoontje.

EENENTWINTIG

Twintig minuten later stoppen we bij Freddy's flatgebouw. Hij vertelt me dat hij zijn flat een jaar geleden heeft gekocht en er alles uit heeft laten slopen om er wat extra badkamers en een mediakamer bij te krijgen. Ik heb nog nooit eerder gehoord dat iemand een flat helemaal heeft laten slopen, maar ik vraag niet of dat iets ongebruikelijks is. Hij vertelt me ook nog dat er de laatste tijd heel wat hippe Hollywood-figuren zijn komen wonen, maar toen hij zijn flat kocht, waren het voornamelijk 'weduwen en andere oude knakkers'. Ik zou hier precies passen.

'Wat zou je ervan zeggen om nog snel een borreltje te pakken, voordat ik je naar je auto breng?' Hij laat zijn hand licht over mijn schouder glijden en mijn huid begint te tintelen. Ik trap er bijna in.

Maar als ik met hem naar boven ga, is alles voorbij. Ik weet precies hoe dat gaat. Dan zal hij morgenochtend heel beleefd tegen me zijn, me een kopje koffie aanbieden, zeggen dat hij al vroeg een vergadering heeft en dan zie ik hem nooit weer. Nee, ik ga niet mee naar boven. Dat zou stom zijn. Vandaar dat ik verstandig ben en zeg dat ik echt naar huis moet. Als ik hem vertel dat mijn auto een paar straten verderop staat, wil hij me er per se naartoe rijden. Nou ja, hij zal het wrak vroeg of laat toch wel onder ogen krijgen.

Dus rijden we naar de straat waar ik mijn auto heb achtergelaten en stoppen langzaam. Geen auto. Dat is raar, ik weet zeker dat het hier was. Misschien vergis ik me. Al deze straten lijken op elkaar en ik was inderdaad een beetje zenuwachtig toen ik hier aankwam. Misschien is het de volgende straat. We rijden langzaam twee andere straten door. Nog steeds geen auto. Waar staat dat kreng, verdomme? We zijn nu zeker vijf straten verwijderd van de plek waar ik volgens mij mijn auto heb achtergelaten.

'Denk je echt dat je zo ver weg bent gaan staan?' vraagt hij. En dan, als klap op de vuurpijl: 'Dit zijn trouwens ook alleen plaatsen voor vergunninghouders.'

Ik kijk omhoog en zie een hele serie borden met de niet te missen tekst: 'Hier geldt een wegsleepregeling'.

Ik moet meteen denken aan al die gesprekken die ik heb afgeluisterd toen ik nog voor Franks bedrijf werkte. Iedereen kwam altijd met dezelfde smoes: 'Ik heb het bord niet gezien.' Nadat we hen hadden weggesleept, hadden ze op zoek naar de auto nog uren rondgereden zonder de tig borden te zien met 'wegsleepregeling'. 'Hoe kan iemand zo stom zijn?' vroeg Frank zich altijd af.

Nu vraag ik Freddy om terug te rijden naar de plek waarvan ik eigenlijk dacht dat mijn auto er zou staan. Ik hoop tegen beter weten in dat hij wonder boven wonder weer zal opduiken. We stoppen bij de plek en nu weet ik zeker dat ik mijn auto hier heb neergezet. Er is een gapend leeg gat, een veelzeggend plasje olie (een lek dat ik nooit heb laten maken) en langs de stoeprand staat een van die verdomde borden als een wachtpost op ons neer te kijken.

'Ik ben weggesleept,' zeg ik. 'Ik schaam me dood.'

'Je hoeft je niet te schamen. Daar kun je niets aan doen.' Hij schiet in de lach. 'Nou ja, natuurlijk is het je eigen schuld. Maar het overkomt iedereen.' Inmiddels zit hij te schudden van het lachen. 'Al ik moet bekennen dat het míj nog nooit is overkomen.'

'Ik vind het helemaal niet grappig.'

'Oké, het spijt me. Wat moeten we nu doen? De rijksverkeersdienst bellen, of zo?' Hij stapt uit en kijkt of er misschien een nummer op het bord staat. Ik ben al aan het bellen.

'Mag ik alstublieft de nummers van alle OPG's in West Hollywood?'

Dat blijken er maar twee te zijn. Ik ken het klappen van de zweep. Officiële Politie Garage, $96 voor het wegslepen, $48 voor het vrijkopen van de auto, tien procent belasting en dat is nog maar het begin. Dan komt er nog de bekeuring bij voor het parkeren op een plaats waar een wegsleepregeling van kracht is en, uiteraard, alle openstaande parkeerbonnen, waarvan ik er uit mijn hoofd zo drie kan opnoemen. Misschien kan ik ze de auto beter laten houden.

We stoppen bij het parkeerterrein, dat eerder op een gevangenis lijkt: een lange, lage betonnen bunker, gaashekken met prikkeldraad erbovenop, een beveiligingscamera en lichten. Aan de muur achter het hek ligt een joekel van een bastaarddobermann aan de ketting.

'Weet je zeker dat het hier is?' vraagt Freddy. Gelukkig vraagt hij me niet hoe ik aan al die kennis op dit gebied kom. We gaan naar binnen, ik in mijn nieuwe zwarte designerjurkje en Freddy in zijn onberispelijke pak. Er zit een groepje pechvogels, junks en verbijsterde tieners onderuitgezakt op de betonnen banken langs de muur. Ik herinner me al die smekende, boze en radeloze blikken maar al te goed. Ze hebben hier waarschijnlijk al uren zitten wachten. Een paar van hen leggen al hun geld bij elkaar in een poging hun auto vrij te kopen.

Ik loop naar het getraliede venster van de kassa, die bemand wordt door een morsig uitziende kerel van begin vijftig met een grauwe schubbenhuid: Frank als hij in leven was gebleven. Ik laat mijn papieren aan de vent zien en hij zegt dat ik 'daarginds' maar even moet wachten. Hij praat door zo'n microfoontje, net als bij de kassa van de bioscoop. Ik zie vergeelde bordjes boven het raam waarop in het Engels en het Spaans staat: 'Wij accepteren Visa en Mastercard en contant geld. Geen cheques.'

De rekening bedraagt meer dan $300. Natuurlijk wordt mijn Visakaart geweigerd. Daar kijk ik niet van op. Met de jurk en de schoenen ben ik ver boven mijn limiet gegaan.

'Ik kom morgen wel terug om contant te betalen,' fluister ik tegen de vetzak.

'De kosten voor opslag bedragen veertig dollar per dag en na dertig dagen wordt de auto op een veiling verkocht,' zegt hij zo luid dat iedereen in het vertrek hem kan verstaan.

'Is er een probleem?' Freddy loopt naar me toe.

'Nee. Nee, helemaal niet,' zeg ik haastig. 'Ik wil alleen niet zo'n hoog bedrag van mijn kaart laten schrijven.'

'Om hoeveel gaat het? Dan laat ik het wel van de mijne schrijven.'

'Het is echt duur, Freddy. Maar dat geeft niet. Ik kan morgen wel terugkomen,' zeg ik, tot op het bot vernederd.

Freddy draait zich om naar de vent en geeft hem zijn kaart. 'Doe niet zo mal. Ik krijg het wel een keer van je terug.'

'Jezus, ik voel me echt afschuwelijk. Hoe kan ik je bedanken?'

'Ga maar gezellig mee om iets te drinken. Na al dit gedoe heb ik daar wel behoefte aan. En vergeet niet om je auto bij de parkeerbediende achter te laten.' Ha ha.

De valse tweelingbroer van de morsige vent haalt mijn rammelkast op, die er op de een of andere manier nog sjofeler uitziet dan daarvoor. Freddy kijkt er even naar en zegt dan: 'Waarom rijden al die academische figuren toch in auto's die rijp zijn voor de sloop?'

De ironie ten top. Als ik had geweten dat aan mijn auto al in de verte te zien was dat ik op de universiteit werk, had ik hem wel bij die verdomde parkeerbediende achtergelaten. Maar nog ironischer is dat dit mijn eerste echte afspraakje in jaren is en ik meteen weer ben afgezakt naar het niveau van Frank.

TWEEËNTWINTIG

Inmiddels is het bijna middernacht als hij op drie verschillende plekken zijn toegangscode in moet toetsen. In de garage, in de lift en bij zijn voordeur. En hij woont niet eens in Manhattan. Mijn moeder en ik doen de helft van de tijd onze deuren niet eens op slot. Ik kijk stiekem even om me heen. Er brandt geen licht in zijn appartement, alleen het grote scherm van zijn flatscreen-tv op de muur van de woonkamer staat aan, afgesteld op het Bloomberg-kanaal. De beursnoteringen lopen geluidloos onder in het beeld mee, waarbij de beginletters van de bedrijven voorzien worden van een rood of een groen pijltje.

'Die laat ik constant aanstaan, want tegenwoordig wordt er gewoon vierentwintig uur per etmaal gehandeld.' Hij zet het geluid van de tv uit en klikt de muziek aan waarvan hij zegt dat het surround sound is. Dan trekt hij zijn BlackBerry uit zijn zak en controleert het scherm, voordat hij een apparaatje tevoorschijn haalt dat er sprekend op lijkt, alleen met een groter scherm. Hij ziet dat ik ernaar kijk.

'Gaaf, hè? Het is nog niet eens op de markt, maar ik heb het van onze techneut gekregen. Hiermee kan ik overal vandaan bij mijn satelliet-tv.'

Hij legt ze voorzichtig naast elkaar op een bijzettafeltje en gebaart dat ik moet gaan zitten. Dan loopt hij naar de bar, kiest een fles duur uitziende whisky uit en biedt me een glaasje aan. De smaak is zacht en sterk, niet zo bitter als het goedkope spul.

Freddy valt neer op de bank tegenover me, neemt een fikse slok, trekt een gezicht en schudt zijn hoofd als een zwemmer die net twintig ijskoude baantjes heeft getrokken.

'God, dat had ik echt nodig.' Hij slaakt een diepe zucht. Ik zak weg in de immense, zandkleurige kussens van een bank alsof ik gestrand ben in Sahara-achtige duinen en voel me voor het eerst die avond echt ontspannen. Dan valt mijn oog op de kunst, die aan alle muren hangt. Subtiel geplaatste lampen verlichten elk schilderij.

Op de salontafel liggen stapels kunstcatalogi en hij vertelt me dat hij die iedere avond doorbladert. Dat heeft wel iets weg van mam met haar zaadcatalogi.

'Vertel eens, welke zijn wat?' vraag ik omhoogkijkend naar de schilderijen.

'Bedoel je wie de schilders zijn?'

'Nee, ik bedoel de categorieën. Mooi. Dat moet ik hebben. En die waar je niet zonder kunt leven.'

Hij glimlacht aangenaam verrast en wijst naar een wazig boslandschap boven de bar. 'Mooi.'

Dan staat hij op en loopt naar een eenvoudige tekening van een zich steeds herhalend vierkant. 'Die moet ik hebben.'

'Maar deze...' Hij kijkt naar een wulps, bleek naakt waarvan het haar bedekt wordt door een kleurige sjaal. 'Zonder deze zou ik niet kunnen leven.'

We blijven allebei even naar haar staren.

'Ging het om haar?'

Hij knikt. Hij weet dat ik het heb over het schilderij dat hij terug heeft gekocht van zijn ex-vrouw.

'Je begrijpt wel waarom ik haar niet kon laten gaan, hè?' zegt hij terwijl hij vol bewondering naar het naakt kijkt. 'Maar ik heb mijn lesje geleerd. De tweede keer ging het op huwelijkse voorwaarden.'

'Freddy! Hoeveel heb je er achter de rug?'

'Maar twee. En jij?'

'Ik ben nooit gescheiden. Maar één wijlen echtgenoot.'

'Wijlen?'

'Dood.'

De verbazing staat op zijn gezicht te lezen. Daar gaan we weer.

'O, wat naar voor je.'

Ik zou het liefst willen zeggen: 'Dat hoeft niet.' Maar in plaats daarvan zeg ik bedeesd: 'Dank je.'

Nu de tweede vraag. Daar komt-ie al.

'Hoe is hij gestorven?' Bingo.

'Een auto-ongeluk. Nou ja, met een vrachtwagen.'

'Hoe lang is dat geleden?' vraagt hij. Dat willen ze altijd weten. Het mocht eens vorige week zijn gebeurd.

'Een paar jaar,' antwoord ik.

Dan moet ik natuurlijk het onvermijdelijke verhaal over een verkeersongeluk aanhoren dat iedereen schijnt te hebben, of het nu over een oom, een tante, een schoolvriendinnetje of weet ik wie gaat. Hij staat op en doet nog wat ijs in zijn glas.

Ik heb het gevoel alsof iedereen die ik ontmoet zich gedwongen voelt om intens medelijden met me te voelen.

'Enfin. Bedankt dat je naar me geluisterd hebt. Ik denk dat ik nu maar ga,' zeg ik abrupt.

Freddy is nog even stil. Dan bukt hij zich en kust me zacht op mijn wang. 'Alles in orde?'

'Ik voel me prima. Geweldig zelfs. Ik heb een heerlijke avond gehad.'

Als we naar de deur lopen, komen we langs zijn glimmende roestvrijstalen keuken. Hij ziet me ernaar kijken en vraagt of ik misschien nog even snel een rondleiding wil hebben.

Hij neemt me mee naar zijn slaapkamer met een lading heerlijk dikke reservekussens in zwart en beige op het bed, een inloopkast vol stropdassen en schoenen en een vloerbedekking die even glad is als een gemaaid gazon, zijn bibliotheek met het gepolitoerde houten bureau dat eruitziet alsof er nog nooit iemand aan heeft zitten werken of lezen en zijn hightech mediakamer. Dan loopt hij voor me uit de gang door naar de hoofdbadkamer. In het midden staat een blok graniet dat wel iets wegheeft van Mount Rushmore.

'Ik heb vaak last van mijn rug, dus mijn architect raadde me deze aan... de Dreamline Hydrotherapy Massage Shower.'

Hij trekt langzaam de zware glazen deur open. Binnen is het een wirwar van zwart-witte tegeltjes met rondom langs de wanden een lage bank.

'Negen krachtige jet-turbo massagestralen en een douchekop als een tropische regenbui. De temperatuur, druk, snelheid en hoek van inslag kunnen allemaal digitaal ingesteld worden,' pocht hij.

Ik hoor wat hij zegt, maar ik luister niet. Het enige waar ik nu nog aan kan denken is uit de kleren gaan, die stomend hete douche aanzetten en in Freddy's multiorgastische Dreamlinetrein een reis naar de hemel maken.

Ik zou graag willen beweren dat Freddy moest soebatten om me zover te krijgen, maar voordat ik wist wat er gebeurde, zette hij een van die massagestralen aan en ik was verkocht. Hij rukte mij de kleren van het lijf en ik rukte aan de zijne.

Wat er daarna gebeurde, was gewoon een plotselinge Hydroactie die werd opgevoerd in een van de jets die met 2800 pulsen per minuut gestaag bleef doorranselen.

Op een gegeven moment tijdens die nerveuze bedoening kijkt Freddy geduldig op me neer, lacht en zegt: 'Rustig aan, Cassie. Het is geen wedstrijd.' Hij staat achter me, met zijn borst tegen mijn holle rug gedrukt, laat kusjes neerdalen op mijn schouders en in mijn hals en fluistert in mijn oor: 'Vertel me maar wat je fijn vindt.'

In mijn enigszins beperkte romantische leven ben ik kampioen ontwijkende antwoorden geworden, omdat ik nooit wilde praten over de dingen waar ik behoefte aan had.

'Kom op, lieverd. Dat kan toch geen kwaad? Vertel het me maar gerust.'

En dat doe ik ook. Het is drie jaar geleden dat ik met iemand gevrijd heb en ik heb de rare gewaarwording dat ik uit mijn eigen lichaam ben getreden en mijn leven met iemand anders heb geruild. Iemand op straat of misschien wel een van de vrouwen uit het symfonieorkest.

Zij is nu de oude Cassie en ik ben de nieuwe Cassie. En ik zeg en denk dingen die niet echt bij mij horen, omdat ik niet langer mezelf ben.

'Nu is er nog maar één ding wat we moeten doen,' hijgt hij als we uitgeput tegen de koele tegels leunen. Ik vraag me af wat we in godsnaam nog meer kunnen doen.

'Net als in Beethovens Negende Symfonie, als hij al het mogelijke met zijn instrumenten heeft gedaan.' Hij zwijgt even. 'Er bleef hem maar één ding over voor de grootse finale.' Ik trek mijn wenkbrauwen op. Hij lacht stralend.

'De "Ode an die Freude", lieve schat.' En dan begint hij luidkeels te zingen. In het Duits. Een sterke, galmende bariton die door de douchecabine nog eens tien keer versterkt wordt.

Freude, schöner Gotterfunken, Tochter aus Elysium...'

Hij worstelt zich door het eerste couplet en zegt dan: 'O, verdomme nog aan toe.'

Nu is het mijn beurt.

'Het regent, het regent!' brul ik. Ik vind het heerlijk om onder de douche te zingen.

'De pannen worden nat!' gaat hij verder.

We werken nog vier liedjes af, tot hij me vriendelijk aankijkt en zegt: 'Goeie genade, Cassie. Je hebt een stem als een misthoorn.'

'O, hartelijk bedankt,' zeg ik quasibedeesd. Ik blijf hem even aankijken.

'Ik geef toe dat ik niet echt goed kan zingen.' Ik trek hem naar me toe en sla mijn armen om zijn nek. 'Maar ik kan dansen.'

Hij pakt me meteen om mijn middel en buigt me achterover

alsof we een tango dansen. Mijn natte haren slieren over de vloer als hij me langzaam op de grond legt.

Uiteindelijk past hij de kracht en de hoeveelheid van het water nog een ietsepietsje aan tot ik gewoon wegdrijf.

DRIEËNTWINTIG

Freddy is eerder uit bed dan ik en heeft de koffie klaar. Volgens mij ben ik wakker geworden van de geur. Ik kijk om me heen en voel me meteen ongemakkelijk. Als hij binnen komt waaien ziet hij er voornaam uit in zijn grijze flanel Wall-Streetkostuum. Hij heeft een dampende mok bij zich die hij op het nachtkastje zet.

'Goeiemorgen, prinses.' Hij grinnikt en geeft me een kusje op mijn wang dat aanvoelt als een klap in mijn gezicht. 'Het spijt me dat ik weg moet, maar ik ben nu al te laat voor die verrekte vergadering.'

Ik kijk op de klok. Belachelijk. Het is nog niet eens zeven uur.

'Blijf maar zo lang liggen als je wilt. Mijn hulp komt later vandaag om de boel op te ruimen,' zegt hij zonder een greintje gêne, een heer ten voeten uit. Ik schenk hem een ironisch lachje.

'Maakt niet uit, ik moet zelf ook werken,' zeg ik.

'Ik bel je nog wel,' zegt hij nonchalant. Meteen daarna is hij verdwenen.

Ik ben in een wildvreemd appartement met niets anders om aan te trekken dan mijn nieuwe zwarte jurk, die verkreukeld in een hoopje op de vloer in de badkamer ligt. Ik hoor een donderslag en dan regen. Fijn. Ik red het nooit meer om nog voor het werk naar huis te gaan. Dit is precies zo gegaan als ik vooraf dacht. Het enige wat nog ontbreekt, is het briefje van hon-

158

derd op de toilettafel, naast mijn exemplaar van *Vriendinnetje voor één nacht*.

Nu begint het pas echt hard te regenen. Ik kleed me haastig aan, trek mijn jas aan en pak een geblokte paraplu met een houten handvat waarvan er een paar in een Chinese porseleinen paraplubak naast de voordeur staan. Als ik naar mijn werk rij, kom ik langs een lagere school. Kinderen in gele plastic regencapes en felgekleurde rubberlaarzen, moeders die hun kroost naar binnen brengen, hun hand vasthouden en ze een afscheidskusje geven. Dikke regendruppels plenzen op de voorruit en mijn ruitenwissers kunnen al dat water niet aan. Het lijkt alsof ik door een autowasserette rij.

Ik zet de verwarming aan en bel Tiff.

'Kun jij nu meteen naar mijn huis rijden?'

'Waar ben je?'

'Op weg naar mijn werk. Wil jij Sam en Zwartmans eten geven? Mam is de stad uit.'

'Sjongejonge. Dat klinkt interessant... dus we zijn gisteravond niet thuisgekomen?' Tiff giechelt.

'Ik vertel je alles later wel. Mijn auto is weggesleept.'

'Is dat alles?'

'Zo'n beetje.' Ik heb geen zin om in details te treden.

'Maar heb je dan in ieder geval wel lol gehad?'

'Ik heb het gevoel dat ik ontzettend stom ben geweest. Ik bel je nog.' Ik hang op en kijk naar de weekendtas op de achterbank. Daar zitten de kleren in die ik gisteren aan heb gehad. Ik kan me op kantoor omkleden.

Ik heb eigenlijk geen zin om over gisteravond na te denken. Ik had echt weg moeten gaan. Ik had een perfecte smoes. Waarom ben ik niet in mijn auto gestapt en naar huis gereden? Ik had nooit met hem naar boven moeten gaan. Dat was mijn grote fout. Mijn moeder zegt altijd dat gedane zaken geen keer nemen. Je moet gewoon verder. Zonder om te kijken.

Ik denk aan het gevoel dat ik kreeg toen hij me aanraakte. De gloeiende hitte die oplaaide in mijn buik en door mijn hele lichaam raasde. En aan vanmorgen, toen hij me nauwelijks aankeek. Ongeïnteresseerd en zo koel dat het bijna klinisch leek. Leuk dat je bent gebleven. Misschien kunnen we het nog een keertje overdoen.

Ik stop bij de universiteit. Daarna pak ik mijn weekendtas en mijn zijden avondtasje dat boven op de smerige rekeningen van het wegsleepdrama van gisteravond ligt. Ik prop mijn portemonnee en mijn telefoon in mijn jaszak en loop naar het toilet om me om te kleden. Als ik bij de receptie kom, zit Alison al achter haar bureau met haar gebruikelijke bekertje koffie en zoals gewoonlijk haar mobiel aan haar oor.

'Hoi, Cassie. Er is nog niemand. Door de regen zit alles tegen. Zou je alsjeblieft even de post willen halen? Ik hang in de wacht bij een luchtvaartmaatschappij.'

Ik loop naar de postkamer en begin alles te sorteren. In mijn regenjas die ik de hele dag aan wil houden.

Dan gaat mijn mobiele telefoon. Het is mam.

'Hallo, schattebout. Ik bel alleen maar om even iets van me te laten horen. Het is heerlijk weer hier in de woestijn. Is alles in orde? Ik heb gehoord dat het pijpenstelen regent.'

'Alles is oké. Hebben jullie al iets gezien?'

'Nog niet, maar er is nog hoop. Je had gisteravond de lucht moeten zien. De maan is in retrogade ten opzichte van Mercurius. De sterren zijn ongelooflijk en ik heb Jupiter gezien door de telescoop van Sylvia. Maar daar praten we vanavond wel verder over.'

We nemen afscheid en daarna pak ik de post bij elkaar, neem alles mee naar boven en begin de enveloppen te sorteren. Alison zit nog steeds aan de telefoon. Voor het eerst zie ik een sterke familiegelijkenis.

'Oké, moeder,' hoor ik Alison zeggen. 'Ik ben er helemaal klaar voor, maar er is bijna geen plek meer te vinden.' Geluidloos zegt ze 'sorry' tegen mij.

'Ja, dat weet ik. Ik zal wel tegen Freddy zeggen dat als hij en Patricia dezelfde vlucht willen nemen ze nu direct moeten bellen. Volgens mij is ze op zakenreis.' Patricia?! Ze is weer even stil. Dan zegt Alison: 'Ik ook. Tot ziens, mam.'

Wie is Patricia? Ze heeft geen sporen achtergelaten in Freddy's keurige appartement. Misschien is ze een nichtje of zo. Ja, vast. Hij is de enige die van alles wilde weten, ik heb helemaal niets gevraagd. Ik bedoel maar, we hebben over zijn kunst gepraat, over het theater, over muziek, o en tussen twee haakjes, voordat ik je ga neuken wil je misschien wel weten dat ik een vriendin heb. Waarschijnlijk heeft hij dat kleine detail vergeten door te geven. Het zal hem wel ontschoten zijn. Vuile leugenaar.

Alison legt eindelijk de telefoon neer en zegt: 'Thanksgiving. Dat is altijd zo'n bedoening. Niemand wil naar huis, want we maken het hele weekend ruzie.'

'Houden jullie het voornamelijk in de familie?' vis ik. Ik maal nergens meer om.

'Ja, min of meer. Wie zou je dat anders aan willen doen?'

Misschien heb ik me vergist. Misschien heeft ze ook een zus. Ja. Patricia zal haar zus wel zijn.

'Met uitzondering van Freddy's vriendin. Zonder haar zouden we elkaar waarschijnlijk kelen.' Dan staat Alison op en rekt zich uit.

'God, wat ben ik stijf. Ik heb vanochtend mijn yoga gemist.' Ze staat op en strekt haar armen opzij, met de handpalmen naar beneden. Haar ene knie is gebogen, haar andere been is recht naar achteren gestrekt. Dan draait ze heel langzaam haar hoofd naar links tot ze over haar vingers kijkt.

'De krijgershouding. De incarnatie van Shiva. Dat schijnt goed te zijn voor je uithoudingsvermogen. Heb jij wel eens aan yoga gedaan?' Nee, ik heb nooit aan yoga gedaan. Daar heb ik geen tijd voor. Ik heb het veel te druk met het terugkopen van mijn auto en het neuken van die leugenachtige broer van je.

'Nee, op de een of andere manier heb ik het daar altijd veel te druk voor,' zeg ik, zo stijf als een plank. *De klunzige klungel houding.* Ik wist dat die vrouwen bij het concert me niet voor niets zo behandelden... alsof ik helemaal niets te betekenen had. Gewoon weer een van Freddy's liefjes om hem bezig te houden nu zijn vriendinnetje de stad uit is. Wat voor soort man is dat die zijn afspraakje meeneemt naar een plek waar iedereen weet dat hij haar belazert?

Alison gaat met Pearce mee om een paar dingen te regelen voor het faculteitsfeest en ik neem de receptie over. Mijn hart bonst en ik heb het gevoel dat er iets op mijn borst drukt waardoor ik geen adem meer kan krijgen. Zo moet je je ook voelen als je levend begraven bent, in het donker, zonder lucht en zonder hoop. Ik moet mezelf weer in de hand krijgen. Het was alleen maar een stom afspraakje met een stomme vent, een grote lafbek die me niet eens durfde te vertellen hoe de vork in de steel zat. Want als hij me dat wél had verteld, was ik nooit met hem naar bed gegaan en dat zou zijn avond hebben verpest. Dan had hij niet kunnen neuken.

Het probleem van leugenaars is dat ze nooit de verantwoording nemen voor wat ze doen. Erger nog, als ze de waarheid zouden vertellen krijgen ze niet wat ze willen en daar moet alles voor wijken: hun moraal, hun religie, hun trouw aan andere mensen en ga zo maar door. En dat is het punt. Ik ben zelf de grootste leugenaar van allen. Anders zou ik nooit deze baan hebben gekregen, dan zou ik niet in de galerie zijn geweest, dan had ik Freddy niet ontmoet en dan was ik zeker niet met hem in bed beland.

Ik heb me diep in de nesten gewerkt en als ik niet probeer daar zo snel mogelijk uit te komen, overleef ik dit nooit. Dat weet ik zeker. Of nog erger, dan zal ik voor de rest van mijn leven een mottig bruin hoopje ellende zijn. Niemand wil iets met een leugenaar te maken hebben. Nixon, Martha Stewart, Pinokkio. Het gaat altijd mis. Mijn hersens draaien op volle toeren als mijn mobiele telefoon overgaat.

'Hallo, schattebout!' zegt Freddy luid. Op de achtergrond hoor ik stemmen en het gerinkel van borden. Hij zit in een of ander restaurant.

'Hoi,' zeg ik. Ik heb het gevoel dat ik stik.

'Ik wou je alleen even vertellen dat dit je gebruikelijke "morning after"-telefoontje is.' Hij lacht. 'Ik heb gisteren een fantastische avond met je gehad, echt waar, en dat wou ik je even vertellen. Alles was gewoon... uit de kunst.'

Wat is hij beleefd, hè? Precies de juiste manier om een vriendinnetje voor één nacht te behandelen.

'O. Nou bedankt voor het telefoontje. Ik vond het ook heel gezellig, maar we moeten het echt bij één keer laten.' Vuile schoft. Nu staat hij met zijn bek vol tanden. Ik weet best wat de normale gang van zaken is. Als hij na een paar dagen nog niets van zich heeft laten horen, belt het meisje hem met een of ander smoesje op. Iemand had een stel kaartjes voor *Het Zwanenmeer* over, heb je zin om mee te gaan? Of: ik geef een feestje in het strandhuis, kom je ook? Of: ik heb twee kaartjes voor *Val Maar Dood*, wat denk je ervan?

'Geef je me al zo snel de bons? Dat is een record.' Hij grinnikt en neemt me kennelijk niet serieus.

'Het was ontzettend leuk gisteravond en ik was er ook echt aan toe. Je was geweldig bij die toestand met de auto en ik zal je een cheque sturen.'

'Is dat alles? Een koninklijk dag-met-je-handje?'

'Nou ja... om eerlijk te zijn heb ik een vriend,' jok ik. Hij houdt meteen op.

'Oké. Dan begrijp ik het. Ik laat je met rust. Wat voor soort douche heeft híj?' vraagt hij plagend. Hij klinkt verbazend onaangedaan.

'Ik moet ervandoor, Freddy. Doei.'

Ik zou het heerlijk vinden als ik meteen zou weten wanneer iemand liegt. Het is meetbaar via bepaalde elektrische schokjes. Naalden die onregelmatig bewegen. Je zou een menselijke leugendetector moeten zijn. Soms valt het meteen op. Door de toon waarop ze spreken of over hun woorden struikelen, of nauwelijks merkbaar aarzelen. Soms past de glimlach niet bij het gezicht dat ze trekken. Of je krijgt te veel informatie, of te veel tegenstrijdigheden. Mijn moeder zegt dat je het best op je instinct kunt vertrouwen. Maar deze man heeft zulke scheepsladingen vol charme, hoe kun je dan op je instinct vertrouwen? Waarom is liegen voor bepaalde mannen gemakkelijker dan de waarheid vertellen?

De rest van de dag trekt in een waas voorbij, met uitzondering van professor Conner die me een bandje van een van zijn oude colleges geeft en vraagt of ik dat wil uitwerken. Omdat ik het de vorige keer zo goed heb gedaan, zegt hij. Hij staat bij mijn bureau te spelen met mijn mok uit Michigan en naar het lege fotolijstje te kijken.

'Geen vrienden of familieleden?' vraagt hij terwijl hij het lijstje oppakt en omhooghoudt.

'Daar komt het wel op neer,' zeg ik.

'Waarom doe je de foto die je moeder van Bigfoot heeft gemaakt er dan niet in?' zegt hij. Hij maakt een grapje. Ha ha.

Waarom steek jij die niet in je reet, zou ik het liefst willen zeggen, terwijl ik niet op mijn gemak aan mijn regenjas trek om mijn gekreukte kleren te verbergen. Ik haat mannen.

VIERENTWINTIG

Als ik thuiskom, plens ik in de keuken door twee enorme plassen water. Dat ouwe lekkende dak. Dat ouwe lekkende huis. Ik dweil het water op met een kapot en verschoten badlaken en pak twee grote soeppannen die ik onder de lekken zet. Zwartmans staat zo hard te kwispelen dat het lijkt alsof hij een hoeladansje doet. Hij heeft duidelijk honger. Daarentegen zit Sam mokkend in zijn kooi en negeert me volkomen. Ik geef Zwartmans een beetje overgebleven kip door zijn droogvoer en biedt Sam gedwee een wortel en een stukje kaas aan. Hij is te hongerig om door te blijven mokken, dus hij gaat met het eten in een hoekje zitten terwijl hij nog steeds chagrijnig binnensmonds zit te mopperen.

Ik trek mijn kleren uit, stap in mijn beschimmelde formica douche, draai de kraan helemaal open en kijk naar het nietige straaltje dat eruit komt. Net als ik in mijn joggingpak ga zitten om het college uit te werken, hoor ik mijn moeders stem door de gesloten keukendeur. 'Ik ben weer thuis, lieverd!'

'Ik ben thuis! Ik ben thuis!' herhaalt Sam.

'Cassie, doe eens open! Ik kan er niet in!'

Zwartmans is het eerst bij de deur, gaat op zijn achterpoten staan en drukt zijn neus tegen de ruit. Dan jankt hij schril alsof hij een fluitketel is en is met één sprong de deur uit om haar te verwelkomen. Hij zet zijn poten tegen haar twee grote boodschappentassen, waardoor ze bijna haar evenwicht verliest.

'Ja, ja, ik heb jou ook gemist, schattebout,' zegt ze terwijl ze de tassen neerzet en in haar rugzak op zoek gaat naar een zakje met lekkers.

'Zit,' commandeert ze, terwijl ze hem een kauwstok van buffelhuid voorhoudt. Zwartmans springt op en grist het uit haar hand.

'Brave hond,' zegt ze automatisch.

Mam geeft mij de tassen die volgepropt zijn met biologisch gedroogd fruit, conserven, amandelen, honing en enorme potten met dadels. Iedere keer dat ze naar de woestijn gaat, stopt ze halverwege op weg naar de hel bij een dadelkraampje langs de weg, waar ze al die spullen inslaat. Ze beweert vaak dat dit soort voedsel het geheim van geluk vormt. Met als extraatje dat het goed is voor de stoelgang, zorgt dat je bij je volle verstand blijft en voorkomt dat je kanker krijgt. Af en toe denk ik wel eens dat als ik mijn moeders geheime lichaamskrachten zou kunnen combineren met Tiffs filosofische zoektocht naar geluk er geen wijzere persoon op aarde zou zijn dan ik.

Toen ik nog klein was, gingen mijn ouders altijd samen met mij langs bij een tent tegenover dat dadelkraampje waar een gigantische verweerde betonnen brontosaurus stond. Het beest had een nek van vijftien meter lang waarlangs je naar beneden kon glijden, als je je tenminste niets aantrok van vogelpoep. Daarna moest je weer via een ellenlange trap terug naar boven. Ik kan me nog herinneren dat mijn vader een keer zo buiten adem raakte, dat hij eerst een tijdje moest zitten om naar lucht te happen voordat hij weer naar beneden kon.

Mijn moeder vond het altijd heerlijk om bij rare gelegenheden langs de weg te stoppen. Zoals die keer dat we op de terugweg van een of ander uitstapje naar een wetenschappelijke tentoonstelling voor kinderen gingen en een wandeling door het menselijk hart maakten. Het was een enorm, kloppend, angstaanjagend rood geval, zo groot als een huis en als je naar binnen ging, waren de 'slagaders' waardoor je naar boven moest gaan pikdonker en zo nauw dat we moesten kruipen.

Luidsprekers braakten een pompende vochtige hartslag uit die klonk als een ziedende oceaan en ik weet nog dat ik eerst een beetje last begon te krijgen van claustrofobie voordat ik bang werd en uiteindelijk verstijfd van angst bleef zitten. De kinderen achter me schreeuwden dat ik verder moest gaan, maar ik hurkte neer en bleef als bevroren in de aorta zitten. Uiteindelijk moest de leiding van de tentoonstelling het geluid uitzetten, de lichten aandoen en een van de gidsen naar binnen sturen om me op te halen. Ik stond te trillen op mijn benen, uitgeput en kapot. Ik vermoed dat mijn vader zich een jaar later precies zo voelde toen zíjn enorme hart er voorgoed mee stopte.

En ineens, ergens tussen het moment waarop ik de honing in de kast zet en mijn moeder een dadelshake maakt en vervolgens aankondigt dat ze onder de douche gaat, heb ik een visioen. Nou ja, geen echt visioen natuurlijk, meer zo'n moment van hevig en onvervalst berouw dat eerder in een film thuishoort. Zo'n 'hoe heb ik dat nou kunnen doen?'-moment dat uitmondt in pure waanzin. Daar, recht voor me, zie ik een soort fata morgana die me het uitzicht op mijn moeder bij de blender beneemt. Het is de videoherhaling van Freddy en mij in een innige omhelzing. Hij drukt me tegen de wand van de douche, met zijn dijbeen tussen de mijne geperst en zijn handen die langs mijn borsten op en neer glijden. En wat het allemaal nog erger maakt, is dat mijn lichaam ineens in lichterlaaie staat en ik een gloeiende steek voel van mijn kruis naar mijn borst.

'Cassie, ik praat tegen je... Heb je gehoord wat ik zei? Wil je ijs in jouw shake?'

'O ja. Dat lijkt me een goed idee, mam. Hoe was het uitstapje?'

Ze loopt naar haar rugzak en trekt een baal foto's tevoorschijn terwijl ik de beelden die ik in gedachten zie weg probeer te drukken om me op het gesprek met mijn moeder te concentreren.

'We zijn naar de richel gelopen... een bezoek gebracht aan de mijnen... in de buurt van de oase gekampeerd...'

Ze geeft me de foto's en loopt terug naar de blender. Shit. Daar gebeurt het weer. Dit keer in Freddy's bed en hij verplettert bijna mijn borst en mijn ribben als hij mijn armen omlaag drukt en ze daar houdt terwijl zijn mond op de mijne neerdaalt en me de adem beneemt. Ik moet hier meteen een eind aan maken. Ik krijg geen lucht meer! Op dit soort gedachten zit ik niet te wachten, want hij denkt vast niet aan mij. Hij zal het hele gedoe wel zorgvuldig gepland hebben. Hij neemt me mee naar een dure tent, stelt me voor aan zijn chique vrienden, zorgt dat ik de hoogte krijg en doet net alsof hij helemaal hoteldebotel van me is. Waarschijnlijk heeft hij dat al duizend keer eerder gedaan. Maar de waarheid is dat ik hem vanaf het moment dat het water op het marmer kletterde per se wilde neuken. Een intens verlangen dat ik nooit eerder heb gevoeld.

'Cassie?' Mijn moeder houdt me een glas voor.

'O. Dank je wel, mam.' Ik neem een slokje. Een vieze dikke dadelshake die in mijn keel blijft steken en me al net zo doet kokhalzen als mijn gevoel van schaamte. Wat ik echt graag zou willen, is een glas pure whisky. Iets wat in mijn keel brandt en alle zondige gevoelens verzengt.

'Heerlijk,' zeg ik tegen haar en bied aan om haar spulletjes op te ruimen om alleen te kunnen zijn met mijn akelige visioenen. De brave Cassie knuffelt haar even voordat ze naar haar slaapkamer gaat om uit te pakken. De slechte Cassie blijft me allerlei pornografische beelden voor ogen toveren terwijl ik dat hippievoer opberg. Freddy wist gewoon dat ik naar hem hunkerde. Maar misschien vergiste hij zich wel. Als ik nou eens gewoon naar een man verlangde? Misschien had ik er gewoon behoefte aan om iemand plat te neuken. Behoefte aan dat gevoel dat je naar lucht ligt te happen, dat gevoel dat je uit je eigen lichaam bent getreden. Dat gevoel dat nergens anders op lijkt. Iets dat je nog uren- en dagenlang laat snakken van verlangen, ook al weet je best dat de man een emotionele schooi-er is, een regelrecht zwijn.

Als ik klaar ben in de keuken hang ik een doek over Sams kooi, kus mijn moeder welterusten en probeer me te concentre-ren op het uitwerken van Conners college. Ik hoop dat ik lang genoeg wakker kan blijven om minstens de helft af te krijgen.

'We gaan het vandaag hebben over *Polygonia c-album,* beter bekend als de gewone vlinder. En in werkelijkheid dus een bui-tengewone schoonheid. Een hemelse droom verstrooid door zonlicht. De schrijver Vladimir Nabokov was bezeten van vlin-ders. Hij noemde ze zijn passie en zijn nachtmerries. Maar hij was eerst en vooral gefascineerd door het proces van hun transformatie. Nabokov schreef over het ongemak dat de larve voelde tijdens het groeien, het benarde gevoel om de hals, de pijn en de moeite... dus als de cocon openbarst en de vlinder zich eindelijk naar buiten wurmt, zag hij in haar niet alleen een symbool van schoonheid maar ook van kracht en moed. En pas dan klaar om het luchtruim te kiezen.'

VIJFENTWINTIG

'Kus me. Ik wil dat je me kust... die leugenachtige kus die zegt "ik hou van je", maar iets heel anders bedoelt. Je bent zo goed in dat soort kussen. Kus me.'

Ik zit in een oude, sjofele bioscoop in Santa Monica waar alleen kunstzinnige films worden gedraaid. Het theater ligt in een vage buurt, vlak naast een lommerd en een pakhuis vol tweedehands meubels en aan weerskanten van de straat staan rijen onthoofde parkeermeters. Op het bankje in de bushalte voor de bioscoop zit een dakloze met gekruiste benen en een deken om zijn schouders. Ik hoor hem mompelen 'kutklereklootzakken' als ik langsloop, dus ik besluit de gebruikelijke fooi achterwege te laten.

Ik moet hier duizenden keren langs zijn gereden, zonder ooit te overwegen om naar binnen te gaan. Maar daar is inmiddels verandering in gekomen. We zitten momenteel bij de eerste middagvoorstelling van *Kiss Me Deadly*, volgens professor Pearce een klassiek voorbeeld van een film noir uit de jaren vijftig. De voorstelling maakt deel uit van haar cursus Vrije Wil en Filosofische Gedachtegang voor ouderejaars en ze heeft me gevraagd om haar naar de bioscoop te rijden en aantekeningen te maken van de discussie na afloop.

De film speelt in L.A., maar één ding staat vast: we hebben het niet over het zonnige Californië. Elke scène is goor of nog erger: bourbon als ontbijt, bebloede lijken, felgekleurde neon-reclames en een zooi psychopaten, gangsters, derderangs boeven en sexy sletjes die samen de nacht onveilig maken.

De film opent met het beeld van een verlaten snelweg en het geluid van een snikkende vrouw op de achtergrond. Dan trapt de hardboiled detective Mike Hammer op de rem van zijn gave open sportautootje om de alleen in een regenjas gehulde Christina op te pikken. Maar ze laat helaas al het leven in de volgende charmante scène waarin een stel boeven haar eerst aan de balken in een verlopen motel hangen, haar vervolgens met een waterpomptang martelen en haar dan in een ravijn smijten.

Ik moet bekennen dat ik al geboeid zit te kijken voordat Christina Hammer smeekt om haar 'niet te vergeten'. Maar de ban wordt even verbroken als de wekker van Pearce in haar enorme leren tas afloopt. Ze rommelt in haar tas, zet het ding af en mompelt: 'Neem me niet kwalijk.'

Ik wist al dat ze geen horloge omhad, maar ze heeft ook geen mobiele telefoon (hersentumor), geen computer en geen auto. Ze heeft me verteld dat ze er nooit aan zal kunnen wennen dat ze aan de 'verkeerde' kant van de weg moet rijden, ook al woont ze hier al tientallen jaren. Ongeveer een keer per week moet ik haar ergens naartoe rijden wanneer haar vriendin haar niet wil brengen.

We hebben al een paar lezingen in de bibliotheek in het centrum bijgewoond, waarvan ik vooral die over stereotypes fantastisch vond. De auteur in kwestie was een dwerg, zodat je meteen begreep waarom hij zoveel belangstelling had voor dat onderwerp (nou ja, misschien was het geen échte dwerg, maar hij was in ieder geval ontzettend klein). En dan was er ook de lezing over de beroemde psycholoog Carl Jung door iemand die maar door bleef zwetsen over het feit dat Jung zo gefascineerd werd door occultisme, buitenzintuiglijke waarnemingen en astrologie. Tot mijn verbazing leek die discussie erg veel op een van mijn moeders koffieclubjes.

Er hangt een onmiskenbare intellectuele sfeer in deze bioscoop. De grond is bezaaid met popcorn en sigarettenpeuken, het scherm is korrelig en het geluid een tikje gedempt. Al die glanzende zwart-witbeelden geven je het gevoel dat je midden in een akelige droom zit. Alles gaat mis met deze mensen en iedereen is gemeen, ontrouw en moordlustig. Uiteindelijk krijgen ze allemaal hun verdiende loon, in de val gelopen in eenzame, donkere steegjes: dood, verminkt en vertwijfeld.

Na de film gaan we met ons allen naar een café in Venice Beach, bestellen driedubbele espresso's en praten over het thema van de film en hoe dat verband houdt met de cursus. Zoals de meeste mensen met een Engels accent klinkt Pearce heel begripvol en intelligent. Neem nou Tiffs vriendin Liza. Die is te dom om voor de duvel te dansen, maar omdat ze Engels is, krijgt ze altijd de meest fantastische baantjes. Ze klinkt alsof ze overal deskundig in is en ik ben er altijd vast van overtuigd geweest dat ze alleen maar zoveel sexappeal heeft omdat mannen in haar bijzijn continu het gevoel hebben dat ze heel chic en belangrijk zijn. Als ik het voor het zeggen had bij een modeblad dan zou een Frans of een Engels accent boven aan de lijst staan, samen met Prada-handtassen en chihuahua's.

Aanvankelijk heb ik het gevoel dat ik er niet bij hoor. Maar na een poosje raak ik zo geïnteresseerd in wat er allemaal wordt gezegd, dat ik vergeet alles in mijn laptop in te voeren en alleen maar luister. Ze beginnen met een analyse van de moreel twijfelachtige personages en raken daarna verzeild in een discussie over, om met Pearce te spreken, 'het eenzame, wetteloze universum' van noir.

'Maar heeft iemand dan nog wel kans op verlossing?' vraagt een vrouw met een ernstig gezicht. Ze is helemaal in het zwart en heeft zich neergevlijd op een fluwelige kastanjebruine bank met kapotte veren.

'Ja. Natuurlijk wel. De wereld mag dan nog zo bezoedeld zijn, de mens moet zich aan de regels houden om niet gestraft te worden. Daar staat tegenover dat het recht niet altijd zegeviert over het kwaad,' antwoordt Pearce.

Ik probeer die theorie te verwerken terwijl de middagschaduwen over de gezichten spelen van deze intelligente, bescheiden studenten die kennelijk zoveel te vertellen hebben over zoveel dingen.

De gespreksonderwerpen zijn afwisselend filosofisch, wetenschappelijk en kunstzinnig. Tegen het eind van de bijeenkomst merkt iemand op dat Christina vernoemd is naar een beroemde dichteres, Christina Rossetti, en dat haar sonnetten 'briljant' zijn. Een magere, slonzige knul die eruitziet alsof zijn moeder hem net uit het nest heeft geduwd begint over de 'existentialistische' toneelstukken *No Exit* en *Waiting for Godot,* waarin volgens hem alle personages tijdens hun zoektocht naar de waarheid gewoon verstrikt zijn geraakt in hun eigen persoonlijke hel. En de grote grap is, zegt hij gekscherend, dat de waarheid helemaal niet bestaat. Ik knik, omdat de andere studenten ook knikken, maar ik vind het een verwarrend idee en besluit om naar de bibliotheek te gaan en boeken te lenen over Rossetti en die twee toneelstukken. Maar wat ik eigenlijk het liefst zou willen, is gewoon hier nog zo'n jaar of vijftig blijven doorpraten over films, poëzie, de liefde en het leven.

Aan het eind van het gesprek vergelijkt professor Pearce de film met de Duitse expressionistische kunst.

'Zoals Klimt?' vraag ik opgewekt.

'Precies,' zegt Pearce, kennelijk onder de indruk. Is die klootzak van een Freddy toch nog ergens goed voor geweest.

ZESENTWINTIG

'En wat heeft Freddy nog meer, behalve een grote hete douche?'

'Daar hoef je geen grapjes over te maken, Tiff. Hij heeft me schofterig behandeld.'

'Helemaal niet. Hij heeft je meegenomen naar een concert, hij heeft die ouwe rammelkast van je vrijgekocht en daarna heeft hij je de lekkerste douche van je leven gegeven.'

'Hij heeft een vriendin. Is er nog iemand in Amerika die geen vriendin heeft?'

'Natuurlijk wel.'

'Nou, die ben ik nooit tegengekomen.'

Het is vrijdagavond. Tiff en ik zitten in het eethuisje en straks gaan we waarschijnlijk naar de bioscoop. Ik vertel haar dat ik net een geweldige film in het Royal heb gezien en ze kijkt me nieuwsgierig aan.

'O, dus nu gaan we ook al naar kunstzinnige films?' En dan begint ze opnieuw over uitgaan en Freddy. Zoals gebruikelijk vallen we weer in ons oude, vertrouwde rolpatroon. Tiff vindt dat ik te veeleisend ben. (Hoe ze dat nog kan volhouden, nadat ik met Frank getrouwd ben geweest, gaat me boven de pet.) En ik vind dat Tiff veel te snel tevreden is.

'Ben je zo overstuur omdat hij de waarheid niet heeft verteld?'

'Ja, natuurlijk.'

'Wat is er eigenlijk zo fijn aan de waarheid?'

'Dat moet je aan God vragen,' zeg ik. 'Tenzij je vindt dat we in een amoreel universum leven.'

'Waar heb je het over? Je moet alleen van die vriendin zien af te komen. En je weet toch wel hoe je dat moet doen?'

'O ja, dat weet ik als geen ander.'

'Oké. Je hoeft alleen maar lief en begrijpend te doen. Want je weet toch hoe dat gaat. Na een poosje begint het vriendinnetje lastig te worden, en bitter te klagen over die ring die maar uitblijft. En dat is precies het juiste moment om in te grijpen.'

'Ik wil niet meedoen aan dat soort spelletjes.'

'Goed, dan zal ik het anders brengen, in een taal die jij wel verstaat. Je hebt een ouwe hond die alleen nog maar een beetje rondhinkt, geen zin meer heeft om te spelen, altijd chagrijnig is en bij het minste of geringste blaft. En dan gaat hij helaas ineens dood. Na een poosje neem je weer een jong hondje. Een vrolijk, dartel, opgewekt, speels en aanhankelijk hondje. En ineens vraag jij je af wat er eigenlijk zo leuk was aan die ouwe hond.'

'Ik hou van mijn ouwe hond.'

'Oké. Maar denk je dan niet ergens diep vanbinnen dat Freddy je echt aardig vond?'

'Ik denk ergens diep vanbinnen dat ik geen diep vanbinnen heb.'

Vandaag ben ik tijdens mijn lunchpauze naar de bank geweest, heb geld van mijn snel afnemende spaarrekening gehaald en Freddy een cheque van driehonderd dollar gestuurd. Ik word al misselijk bij de gedachte dat die cheque ongedekt zou zijn. Ik probeer niet aan hem te denken, want tussen alle vernederingen door blijven die gekmakende aanvallen van begeerte de kop opsteken. Volgens mij begrijpen mannen daar niets van. En over honden gesproken... ze beschouwen ons allemaal als puppy's. Als ze de een niet kunnen krijgen, dan nemen ze gewoon een ander. O, hou op. Ik wil helemaal niet bitter klinken. Ik heb een hekel aan bittere vrouwen, ze zijn ronduit vervelend. Toch blijf ik me afvragen hoe Patricia eruitziet.

Als ik thuiskom, trek ik mijn oude pyjama aan, kijk naar mijn gekreukte jurk en naar de propvolle wasmand in mijn sjofele kast. Ik heb niets fatsoenlijks om aan te trekken. Op mijn werk zie ik er iedere dag hetzelfde uit. Ik besluit om eens in de kast van mijn moeder te kijken. Dat is zelfs een nog grotere ramp. Allemaal dingen die ze al jaren draagt. T-shirts die als blouses in de kast hangen, oude zelfgemaakte geknoopverfde rokken, mottig uitziende trainings- en joggingpakken en niet één broek met een tailleband en lusjes. Allemaal met elastiek in het middel. Echt een ramp. Waarom is me dit nooit eerder opgevallen? Allerlei tinten bruin, kaki, grijs en modderkleurige combinaties van polyester en acryl. Ik kijk naar mijn spiegelbeeld.

Misschien zie ik er morgen, als ik wakker word, wel ineens uit als een van die meisjes in het concertgebouw. Als er vannacht een wonder gebeurt, is Cassie als bij toverslag veranderd. Mooi gemaakt en voorzien van een stralende, kleurrijke glans. Een kunstwerk op zich. Kijk, daar gaat ze... Een wezentje dat begeerte oproept. Een stukje van de hemel.

Dat zal heus niet gebeuren. Maar ik heb behoefte aan een nieuw leven. Ik wil reizen. Ik wil studeren. Ik wil meer zwarte kleren. Ik wil geld.

Ik heb me eigenlijk nooit druk gemaakt over geld, maar er zijn nu zoveel dingen die ik wil doen, dat inmiddels het tegendeel het geval lijkt. Ik hoor constant een inwendig stemmetje dat zegt: 'Zorg dat je aan geld komt, zorg dat je aan geld komt.' Het is een zachte, krakende en treurige klaagzang die me op de meest ongelegen momenten lastigvalt en me als een schaduw volgt.

Niemand zegt ooit ronduit tegen je dat je niet genoeg geld hebt, maar je weet toch wel wat ze denken. Het is net alsof je achter je rug uitgelachen wordt.

Mijn moeder heeft nooit met geld kunnen omgaan. In feite

heeft ze daardoor zelfs mijn vader leren kennen. Ze kreeg een dreigbrief van de belastingdienst over achterstallige aanslagen en rende in paniek naar een accountantskantoor in Malibu. Daar legde ze haar hele trieste verhaal over zoekgeraakte aangiftebiljetten en verlopen inleverdatums voor aan de accountant van dienst. Hij hoorde het verhaal aan, toonde sympathie, zocht de hele kwestie uit en vroeg toen of ze met hem uit wilde.

Het was niet echt romantisch, maar met zijn plastic pennenetui en zijn rekenmachine onder zijn arm was hij toch haar kalende ridder zonder vrees of blaam.

Mijn moeder vertelt vaak dat die jaren de beste van haar leven waren. Mijn vader was dol op ons allebei. Hij was vijftien jaar ouder dan mijn moeder, een keurig burger, conservatief en fantasieloos. Zij was folkzangeres geweest, fietskoerier, serveerster in een koffieshop en had nog veel meer van dat soort hippiebaantjes gehad. Maar nadat ze mijn vader had ontmoet, ging ze weer naar school, haalde haar diploma en vond toen werk bij het Wildlife Center. Ze was jong en mooi. Zijn eigen sprookje.

Nadat hij was gestorven, hebben we weer constant op de grens van de armoede geleefd. Eerlijk gezegd kan ik me geen ander bestaan herinneren. Hij heeft ons via een levensverzekering wat geld nagelaten, dat mijn moeder nog steeds gebruikt om haar inkomen van het Wildlife Center aan te vullen. Belastingen en budgetten zijn altijd een hele uitdaging.

Af en toe wil mijn moeder nog wel eens herinneringen ophalen. 'Je vader zei altijd tegen mij: "Gooi al je bonnetjes maar in een schoenendoos." "God verhoede," zei hij dan, "dat onze aangifte ooit gecontroleerd wordt."'

En in januari wordt de schoenendoos altijd opnieuw tevoorschijn gehaald, maar als die rond maart nog steeds leeg is, zegt ze: 'Het jaar is al half voorbij, dat heeft toch geen zin.'

Tiff huldigt het standpunt dat je geluk moet hebben om aan geld te komen en dat je slim moet zijn om het te houden. Frank kon naar allebei fluiten – kijk maar hoe hij aan zijn eind is ge-

komen – en dat inwendige stemmetje van mij wordt als het gekwaak van een stel kikkers op een mooie zomeravond steeds
luider en indringender. Ik heb geld nodig. Ik heb geld nodig.
Wat kan ik dan verkopen?

Ik ruik een bedompte geur als ik het licht in de garage aan
doe. Aanvankelijk denk ik dat er niets te vinden is, omdat ik
alles wat ook maar enige waarde had naar Franks familie heb
gestuurd, maar dan zie ik ineens achter in een hoek een stel
dozen die ik nooit heb uitgepakt. Mijn vrienden die zelf ver-
huisd zijn, waren het er allemaal roerend over eens: niemand
pakt ooit alle dozen uit. Zo gaat dat met bezittingen. Je besluit
dat je iets absoluut niet kunt missen, dus geef je het niet weg,
maar na de verhuizing denk je er geen moment meer aan.
Meestal verdwijnt het zelfs in het niets. Volgens mam staat drie
keer verhuizen gelijk aan één brand.

Ik rommel door een paar oude kartonnen dozen en verdorie
nog aan toe, daar heb je al die zendapparatuur en radiotroep
die Frank in zijn kantoor had. En het ziet er allemaal nog pico
bello uit. Vier dozen vol zend- en ontvangapparatuur, anten-
nes, houders, kabels, verbindingsmateriaal, microfoons en
snoeren. Ik moet ineens weer denken aan al die stomme dronken boodschappen die hij en zijn truckervriendjes met elkaar
uitwisselden. Het leek allemaal te stom voor woorden. Ik bedoel maar, ze hadden toch mobiele telefoons? Allemaal voor
het geval de nood aan de man kwam, maar de *Titanic* heeft er
ook niet veel aan gehad, hè?

Onder in de doos ligt zijn politieradiodecoder, die hij van een
agent een paar maanden voor het ongeluk uit zijn auto moest
halen. Ik weet dat dit spul wel iets waard is. Net als ik weg wil
gaan valt mijn oog op een doos van Clay's Radio Shop die half
verscholen gaat achter de zakken biologische onkruidverdelger
van mam. Hoe kon ik die over het hoofd zien? Sjonge jonge,
een gloednieuw gps-navigatiesysteem. Nooit gebruikt. Op het
bonnetje staat $799. Bingo.

En dus ga ik het volgende doen. Het is vrijdagavond en ik

weet precies waar Franks vrienden uithangen: in de Breakers Bar in Point Dune. Ik zet alle dozen in mijn kofferbak, trek een spijkerbroek aan en rijd naar beneden, naar de Pacific Coast Highway. Het is een ritje van ongeveer drie kwartier naar het noorden en als ik bij de bar aankom, is het daar spitsuur: elf uur 's avonds.

Aan de buitenkant ziet de Breakers er niet bepaald imposant uit, maar alle omwonenden weten de kroeg te vinden. Er is altijd een heel stel jongeren buiten aan het skateboarden. En binnen is het stampvol, de muziek staat keihard en de mensen staan hutje-mutje, maar ik herken niemand. Het is een kroeg waar veel surfers en blowers komen plus een gemengd publiek van mensen uit de omgeving: jongeren van de middelbare school in Malibu met valse identiteitsbewijzen en een heel stel inwoners van een woonwagenkamp in Trancas, de doorsnee arbeidersklasse van Malibu. De meeste mannen hebben nog steeds shorts en teenslippers aan en een paar vrouwen dragen bikinibehaatjes onder hun blouse, hun vaste kledij voor het hele jaar. Als de temperatuur onder de achttien graden daalt, trekken ze een fleecetrui aan.

Bij binnenkomst loop ik tegen een vertrouwde walm van zonnebrandlotion, bier en zilte zeelucht aan. Ik weet nog goed dat Frank dol was op deze tent. Ik ook, tot de keuken moest sluiten vanwege een rattenplaag. Dit jaar hebben ze een goedkeuringszegel, maar ik wil hier nog steeds geen hap eten. Ik besluit om bier en chips te bestellen en gewoon af te wachten. Misschien ben ik aan de vroege kant.

'Raad eens?' zegt iemand die achter me staat en zijn handen voor mijn ogen houdt.

'Wie is dat?' speel ik het spelletje mee.

'Steve! En Carl!' Ik wist dat ik ze hier zou vinden, die twee oude maatjes van Frank die zeggen dat ze in de West Valley in onroerend goed doen, maar wie weet. Carl ziet er goed uit, een beetje als een wat ouder wordende surfer. Stevig, gezet lijf, slonzige geblondeerde haren. En Steve is zo'n vent die kennelijk nooit heeft gemerkt dat er ook knoopjes aan een overhemd zitten. Ik kan me nog herinneren dat ze vroeger zondags bij ons naar alle footballwedstrijden die er maar op tv te vinden waren kwamen kijken. Als hun favoriete ploeg won, zaten ze te joelen op de bank, sprongen een gat in de lucht en maakten een rondedans. Daarna belden ze meteen hun bookmakers op. Steve had zo'n hoog meisjesachtig giechellachje, maar ik vond Carl altijd een lekker stuk.

Hij was een van de meest interessante vrienden die Frank had, een kruising tussen een pestkop en een sentimentele mafkees. We gingen vaak met ons vieren uit, omdat Frank zijn vriendinnetjes altijd leuk vond. En ik mocht Carl. Het mag stom klinken, maar hij stond op als ik de kamer binnenkwam.

'Ik herken je nauwelijks, Cassie, ben je afgevallen of zo?' vraagt Carl die het echt leuk vindt om me weer te zien.

'Het zal wel aan mijn haar liggen.'

'O ja, dat is het. Je ziet er goed uit. Ik heb je vaak willen bellen om te vragen of je zin had om uit te gaan, want per slot van rekening was Frank echt een goeie vriend van me, maar ik ben veel weg geweest en ik kon je niet bereiken. Heb je een nieuw nummer?'

'Nee, nog steeds hetzelfde,' zeg ik.

Dit overkwam me om de haverklap na Franks dood. Als ik toevallig iemand tegenkwam die ik kende, kwamen ze meteen met allerlei smoesjes over de reden waarom ze me niet gebeld of opgezocht hadden om te vragen of ik misschien mee uit wilde. Uiteindelijk wenste ik alleen maar dat ze de waarheid zouden zeggen: 'Nou ja, ik vond je eigenlijk nooit echt aardig' of 'Verdorie, ik was je bestaan volkomen vergeten. Ik schaam me dood.'

Ik neem een slok van mijn bier, kijk het stel recht aan en zegt: 'Ik heb een voorstel.'

Ze kijken me verbaasd en geïnteresseerd aan. Ik vertel ze over de spullen van Frank die gloednieuw en in prima conditie zijn en zeg dat ik bereid ben ze het hele zootje te verkopen voor de helft van de prijs als ze me contant betalen. En ik weet dat ze dat kunnen. Ze hadden altijd pakken geld bij zich. Het zijn kerels die hun brood verdienen met onnaspeurbare transacties. Ze kijken elkaar veelbetekenend aan. Hebben ze medelijden met me omdat ze denken dat ik geld nodig heb, of proberen ze een manier te vinden om me te belazeren?

'Vierhonderd ballen voor de hele zooi,' zegt Steve met tegenzin, terwijl hij me even strak aankijkt. Hij heeft de vage blauwe ogen van een bajesklant, te dicht bij elkaar en met een kille, afwezige blik. Hij draagt niet zijn gebruikelijke surfshort. Waarschijnlijk omdat hij zijn elektronische enkelband moet verbergen.

Oké. Ze proberen me te belazeren. Ik deel en heers. Ik haal de vergelijkbare eBay-aanbiedingen die ik voor mijn vertrek nog even snel heb opgezocht tevoorschijn en vertel het stel dat ik bereid ben om ze vijfentwintig procent korting te geven. Uiteindelijk verkoop ik Carl het gps-systeem voor $500 en Steve alle zendapparatuur en de rest voor $450. Bijna duizend dollar!

Carl trekt een stapel bankbiljetten uit zijn zak en vraagt op een flirtend toontje: 'Vertel eens, Cassie, heb je alweer verkering?'

'Ja, inderdaad,' jok ik.

'Jammer,' zegt hij als ik het geld opberg. Dat is de tweede keer deze week dat ik over een vriendje heb gelogen.

Als ik in mijn auto wil stappen, voel ik dat iemand zijn armen om mijn middel slaat en me wegtrekt bij de auto. Het enige waar ik aan kan denken is aan al dat geld dat ik in mijn tas heb en ik sta net op het punt om hem zo'n elleboogstoot te verkopen die je bij een cursus zelfverdediging geleerd wordt, als hij zegt: 'Kom op, Cassie. Laten we een eindje gaan rijden.' Het is Carl en hij is een tikje aangeschoten. Hij valt bijna om als ik hem wegduw.

'Je ziet er fantastisch uit, schattebout, echt waar.'

'O. Bedankt. Dat is heel lief van je. Maar mijn moeder zit te wachten tot ik haar oppik. Ze staat beneden bij de benzinepomp en ik moet er echt vandoor.'

'Oké, lieverd. Misschien later vanavond?'

'Ik weet het niet, Carl. Tegen de tijd dat ik haar heb thuisgebracht...'

'Ja, ja. Oké, ik snap het. Maar je weet waar je me kunt vinden,' zegt hij verslagen.

Een jaar of zo geleden zou ik dolblij zijn geweest en zelfs een beetje dankbaar als hij een afspraakje met me had willen maken. Maar nu lijkt hij een stuk minder. Ik laat mijn vingers over het geld glijden dat ik van Steve en Carl heb gekregen. Ik beschouw het maar als een laatste meevaller uit de niet-bestaande nalatenschap van Frank.

DEEL TWEE

'Het is niet alleen een verrassende en memorabele,
maar tevens een waardevolle ervaring om in de bossen te
verdwalen... Pas als we verdwaald zijn, oftewel pas als we
het contact met de wereld kwijt zijn, beginnen we onszelf te
ontdekken en te beseffen wie we zijn...'

HENRY DAVID THOREAU, 'Het Dorp', *Walden*

ZEVENENTWINTIG

De volle maan is opgekomen en weer verdwenen. Op Halloween goot het van de regen en daarna kwamen de Santa Ana's. Die hete, dwarrelende winden hielden een paar weken lang huis en gingen toen chagrijnig weer liggen, als een stel feestvierders dat 's nachts laat de kou weer in moet.

Het is inmiddels bijna Thanksgiving en de bomen en struiken rond mijn huis veranderen van groen in allerlei herfstkleuren. In het bos, waar mijn vogels nestelen, vloeien de sappen en schieten de wortels in de grond waar ze om elkaar heen kronkelen.

Tegenwoordig denk ik na over wat ik moet doen, voornamelijk over hoe ik me op college staande kan houden. Het is een hele openbaring voor me dat studeren aan de universiteit een stuk gemakkelijker is dan de middelbare school. Ik kan nu mijn eigen tempo aanhouden en colleges volgen die geen gebruikmaken van multiplechoicevragen.

Ik heb de afgelopen maand om acht uur 's ochtends telkens het college van Conner bijgewoond. Ik glip altijd een paar minuten eerder de deur uit, zodat ik om negen uur aan mijn bureau zit. Het geld uit Franks 'nalatenschap' heeft me in staat gesteld me in te schrijven voor een avondcursus en dat kostte me maar vierhonderd dollar. Ik heb Introductie tot de Wereldliteratuur en Filosofie gekozen. Het is een basiscursus voor beginnende eerstejaars en biedt van alles en nog wat. Ik heb zelfs wat nieuwe kleren gekocht. Nu zie ik eruit als een doorsnee student, met een zwarte rugzak en bijpassende donkere kringen onder mijn ogen.

Maar mijn haar ziet er een stuk beter uit. Ik ben nog een paar keer naar dezelfde kapper teruggeweest en ik begin nu het onlogische concept van je haren laten groeien door ze af te knippen te begrijpen.

In Conners kantoor ben ik halverwege het alfabet en nog steeds ijverig aan het catalogiseren. Af en toe zitten we even met elkaar te kletsen als ik aan het werk ben. Meestal over het college dat ik volg. Niet zo lang geleden vertelde ik hem dat ik bezig was met Descartes. Conner was een en al redelijkheid en logica terwijl hij een lang betoog hield over Descartes als de vader van de moderne filosofie, het verband tussen lichaam en geest en het begin van de Verlichting.

'Soms heb ik het gevoel dat het nergens op slaat,' durf ik te bekennen.

'In welk opzicht?' vraagt hij.

'Nou, neem nou die uitspraak "ik denk, dus ik ben". Ik bedoel, wat ben ik dan? Is iemand wat hij of zij zelf denkt te zijn of wat andere mensen denken dat ze zijn?'

Hij kijkt me uit de hoogte aan als hij langzaam en weloverwogen begint te praten. 'Tja… ik denk dat we nu een beetje beginnen af te dwalen. Om een lang verhaal kort te maken, het draait allemaal om het wezen van zekerheid. In principe gaat het bij denken en zijn om hetzelfde. Kunnen we er nu wat meer begrip voor opbrengen?'

'Om een lang verhaal kort te maken, nee.' Ik besluit dat Conner geen flauw benul heeft van denken en zijn als je niet bent wie je denkt te zijn… Ik denk, dus ik lieg en dus ben ik niet? Ik denk, dus ik lieg en dus ben ik? Nou niet echt, nee. Ik denk, dus ik ben… ach, laat maar zitten. Hoe kan ik nou van hem verwachten dat hij dit zal begrijpen. En ik haat dat toontje.

Een andere keer kwam hij zijn kantoor binnenlopen en betrapte me terwijl ik op zijn bank een paar aantekeningen zat te maken voor mijn werkstuk. Hij vroeg me waar het over ging en ik vertelde hem dat het de bedoeling was dat het over schijn versus werkelijkheid zou gaan.

'Ken je het werk van Bertrand Russell?' vraagt hij, terwijl hij zijn boeken op zijn bureau gooit.

'Nee. Ik ga uit van Plato. U weet wel, dat de waarheid in feite schijn is. Ik schrijf over het feit dat mensen dingen doen om andere mensen te laten denken dat ze anders zijn dan ze in werkelijkheid zijn.'

'Waar hang je dat aan op?' Hij doet zijn colbertje uit, gaat in zijn draaistoel zitten en begint zijn e-mails door te lopen.

'Aan u.'

'Aan mij?' Hij kijkt op van zijn laptop. Nu is hij een en al aandacht en begint heen en weer te draaien in zijn stoel.

'Min of meer. Laten we dat nu gewoon eens aannemen. Als u er anders uitzag, of u tijdens colleges anders zou gedragen en niet uw hond meebracht of wilde verhalen over Afrika vertelde – over die pygmeeën en zo – dan zou er geen student naar u luisteren. Uw voorkomen is de reden waarom ze van u houden. En waarom ze opletten.'

'Dus het gaat alleen om mijn voorkomen?' zegt hij terwijl hij zijn mouwen oprolt.

'Ja, maar met voorkomen bedoel ik allerlei dingen, dus ook uw voordracht en uw charisma. Natuurlijk moet je er dan nog achter zien te komen wat daarvan allemaal waar is.'

'En ben je daar al achter?'

'Nee. Ik heb geen flauw idee. Ik ken u nauwelijks.'

'Dat klopt. Maar je zult toch wel een idee hebben?'

'Hoe bedoelt u?' vraag ik.

'Of ik onzeker ben, of gefrustreerd...'

'Of neerbuigend en hautain. Bijvoorbeeld,' zeg ik er haastig achteraan.

'Precies.' Hij lacht. 'Maar dat kun je bij iedereen doen. De waarheid achter de schijn. Laten we jou nou eens nemen.' Hij laat zich naast me op de bank neervallen. Geweldig. Laten we maar eens zien of hij echt bij de pinken is.

'Je komt naïef en ongeschoold over. Als iemand die zich totaal niet op haar kennis laat voorstaan, bijna tot in het ridicule. Maar ondertussen heb je een vaardig brein en bekijk je alles op een unieke manier.'

'Bedankt…'

Hij snoert me de mond. 'Daar komt nog bij dat je kennelijk een vrouw bent die haar schoonheid als vanzelfsprekend beschouwt, door opzettelijk weinig aandacht te besteden aan je kleding. Maar de waarheid is, dat je er nog steeds… laten we zeggen… puur om de discussie op gang te houden… uitmuntend uitziet.'

Ik wend even mijn blik af. Ik ben niet gewend aan complimentjes, zeker niet van een man. En ik vind het een beetje gênant om hem te laten zien hoe gevleid ik me voel.

'Bedankt,' zeg ik nog een keer. 'Maar het werkstuk gaat eigenlijk helemaal niet over u.'

'Wat een opluchting. Wat is de titel dan?'

'"Illusies van liefde".'

Ik weet niet precies wanneer het gebeurd is, misschien wel nadat ik mijn werkstuk over de havik af had. In ieder geval ging het niet van de ene op de andere dag, dat staat vast. Maar vanbinnen is er iets in me veranderd. Er gebeurt iets. Misschien schenk ik er te veel aandacht aan en maak ik van een mug een olifant. In ieder geval ben ik bij al mijn vrienden langsgegaan om te vragen of ze vonden dat ik veranderd was. In feite ben ik misschien wel de enige persoon ter wereld die in haar eigen leven heeft ingegrepen. Nou ja, het is natuurlijk niet zo'n dramatische vertoning als bij mensen die een soort verrassingsbijeenkomst organiseren voor een van hun dierbaren die aan verdovende middelen is verslaafd en dan met zijn allen proberen hem of haar de afkickkliniek in te praten. Maar je moet toegeven dat er enige gelijkenis is. Het kwam er in feite op neer

dat ik probeerde van de mensen om wie ik geef een formele be-
vestiging te krijgen van het feit dat ik begin te veranderen. En
natuurlijk begon ik met Tiff.

'Tiff, is het jou opgevallen dat ik veranderd ben?'

'Heb ik iets gezegd wat je in het verkeerde keelgat is ge-
schoten?'

'Nee. Ik wil gewoon weten of je vindt dat ik in bepaalde op-
zichten veranderd ben.'

'In welk opzicht?' vraagt ze behoedzaam.

'Maakt niet uit. Bijvoorbeeld... in mijn manier van praten.'

'Tja. Het lijkt alsof je beter...'

'Uit mijn woorden kan komen?' leg ik haar in de mond.

'Ja, precies. En je lijkt je ook meer...'

'Op mijn gemak te voelen bij andere mensen?' dring ik aan.

'Ja. Dat is me echt opgevallen. En wat dacht je van je haar?'
vraagt ze vertrouwelijk.

'Nou ja, dat heb ik aan jóú te danken.'

'Klopt. Dat is me toch echt geweldig gelukt.'

Jullie merken het al, met Tiff schoot ik niets op. En met mijn
moeder evenmin. De algemene opvatting is dan ook dat ouders
vaak de laatsten zijn die iets aan hun kinderen merken, zelfs al
zijn die kinderen doorgedraaide junks of pathologische leugenaars. Daarom vroeg ik het vervolgens aan mensen van het
Wildlife Center, de mensen bij de stomerij, Sylvia, de vriendin
van mijn moeder en zelfs de serveerster in het eettentje.

Ik moet zeggen dat de doorsnee reactie niet bepaald wereld-
schokkend was. In feite was het meestal het tegendeel van wat
ik verwachtte te horen. Bijna iedereen zei iets in de trant van:
'Hé, maak je niet druk, Cassie. Dacht je soms dat ik niets tegen
je zou zeggen als ik vond dat je rare kuren had?'

Maar ook al valt het niemand op, ik heb wel degelijk nieuwe
theorieën en ideeën over het leven, een nieuw besef van hoe je
ermee om moet gaan. Op een gegeven moment bereik je het
punt waarop je beseft dat je bij een denkbeeldige grens bent
aangekomen... Je bevindt je op een weg waarvan je niet weet

waar die naartoe gaat, maar je bent al zo ver dat je niet meer terug kunt.

Het is heel verontrustend en verwarrend. En moeilijk uit te leggen. Het lijkt alsof je nooit genoeg tijd hebt. Ik ben rusteloos en geagiteerd, ik dwaal voortdurend af, ik kan mijn eigen gedachtegang niet meer volgen en ik loop rond met een hoofd vol informatie waarvan ik niet weet wat ik ermee aan moet. Als ik na mijn werk thuiskom, dringt het vaak ineens tot me door dat ik doelloos van het ene vertrek naar het andere loop, op zoek naar een plek om neer te vallen. Sam denkt dat het een spelletje is en huppelt voor me uit om te zien wat ik nu weer van plan ben. En ik geloof dat ik weet wat het is.

De cursus die ik volg en het werken voor Conner maken dat ik echt wil gaan studeren. Ik wil toelatingsexamen doen. De afgelopen week heb ik iedere dag de examensite gegoogeld en de vraag van de dag beantwoord. Vier van de vijf keer gaf ik het juiste antwoord. Toen ik nog maar net op de middelbare school zat, was er nooit iemand die over studeren begon. Alleen mijn moeder. En zij kreeg van mij meteen de wind van voren. Ondanks al haar aanmoedigingen had ik gewoon niet genoeg zelfvertrouwen om na al die jaren van slechte cijfers weer van voren af aan te beginnen. Ik was toch niet goed genoeg, dus waarom zou ik me druk maken? Maar dat is allemaal veranderd. Ik had naar haar moeten luisteren.

Een van mijn professoren heeft het altijd over de dingen die we meeslepen. Hij zou het eigenlijk eens moeten hebben over alles wat we niet hebben opgepikt.

ACHTENTWINTIG

Ik word iedere ochtend om vijf uur wakker, geef de dieren te eten, maak mijn ontbijt klaar en ga om zes uur de deur uit. Ik rij in een soort roes achter iemand anders aan door de winderige canyon naar beneden, langs de houtzagerij, de supermarkt en de kringloopwinkel. Ondertussen wordt het langzaam licht en de lucht is fris en helder. Ik heb een lange dag voor de boeg: college om acht uur, werken tot vijf uur, en dan weer een college van zeven tot negen.

Ik hol over de campus omdat ik een beetje laat ben voor Conners vroege college, waar we meestal met een vast stel op de hoogste bank achteraan zitten. Het is vrijdagochtend, de opkomst is absoluut minder en de studenten die er wel zijn, zien eruit alsof ze net uit bed zijn gerold. Voor me zit een meisje met lange natte haren. Ze draagt een yogabroek en met fleece gevoerde slippers en ze knabbelt aan een muffin. De knul naast me zit nog half te slapen en biedt me uitzicht op een kruin vol verwarde donkere haren. Hij ziet eruit als een uit zijn krachten gegroeid koorknaapje, behalve zijn gekreukelde Led Zeppelin-T-shirt en een slobberige, afgezakte trainingsbroek. Geen spoor van ondergoed.

Hij tikt me op mijn schouder en stelt zich voor. Hij heet Zack. 'Ik ken je toch! Weet je nog wel, van bij de flappentapper.'

'O ja. Hallo.' De knappe knul met de contanten, die kind aan huis is in Praag. Hij zit in zijn rugzak te rommelen.

'Zou ik een pen van je kunnen lenen?'

'Dat zal wel lukken.' Ik trek er een uit mijn canvas tas.

'Gaaf,' zegt hij en dan gaat zijn mobiele telefoon. De eerste tien minuten van het college zit hij druk te sms'en. Hij draagt een brede ring van bewerkt zilver om zijn duim, een doodshoofd met knekels.

Nu trilt mijn telefoon ook. Dat is Freddy weer. Ik heb de laatste weken een paar sms'jes van hem gekregen en gisteren heeft hij een flauwe boodschap achtergelaten met op de achtergrond een kinderkoor met 'Het regent'. Ik ben natuurlijk een veilig object. Mannen zijn dol op vrouwen die niet vrij zijn. Ook al ben ik dat wel en hij niet.

Conner staat met zijn rug naar ons toe en heeft een aanwijsstok met een verlicht puntje in zijn hand. Hij draagt een spijkerbroek, een poloshirt en een tweed colbertje. Ahab ligt dwars over de schoot van een knap meisje op de eerste rij, helemaal in de hondenhemel terwijl zij vol adoratie zijn oren streelt. Het college van vandaag gaat over de vogeltrek.

'Vroeger heersten er de raarste ideeën over wat er met vogels gebeurde als ze wegtrokken. De Romeinen dachten dat zwaluwen op de maan overwinterden. Andere beschavingen dachten dat ze in kikkers veranderden. Er zijn zelfs voorstellen geweest om het leger in te schakelen en te voorkomen dat de vogels wegtrokken. Of ze allemaal dood te schieten bij het vertrek.'

Ik word opnieuw op mijn schouder getikt. Dat is Zack weer.

'Heb je een stukje papier voor me?' De sms'jes zitten er kennelijk op. Ik buk me en scheur een paar velletjes uit een aantekenblok.

'Dank je wel. Wat heeft hij gezegd?'

'Dat ze vroeger dachten dat trekvogels naar de maan gingen.'

'Leuk.' Hij schenkt me een wazige glimlach terwijl hij met een ruk zijn trainingsbroek ophijst, die zo ver afgezakt is dat ik haastig mijn ogen afwend. Te laat. Ik zie nog net een paar haartjes.

Conner doet het licht uit en laat een groot scherm zakken.

We luisteren naar hem terwijl we kijken naar een troep zang-vogels die plotseling in formatie voorbijvliegen.

'Toen het reizen steeds meer in zwang kwam, begon de mens eindelijk te beseffen dat de vogels niet zomaar verdwenen. Ze legden met ongelooflijke snelheden grote afstanden af. Op het hoogtepunt van de trek zijn er in één nacht vijfenveertig mil-joen zangvogels in de lucht om de vierhonderdvijftig kilometer af te leggen van Corpus Christi aan de Golf van Mexico naar Lake Charles in Louisiana. Dat doen ze zonder te rusten, in het donker, dwars door de wolken en in feite weet niemand waar-om ze niet verdwalen.'

Ik denk aan de kolibriekastjes van mijn moeder en aan die minuscule wezentjes met hun flossige vleugeltjes die als sma-ragden vuurvliegjes heen en weer schieten en dan ineens in het niets verdwijnen. Mijn moeder is altijd zo bezorgd voor ze en zet hun voedsel altijd op plekken waar haviken en uilen niet bij kunnen.

'Al die energie en dat doorzettingsvermogen,' zegt ze dan, 'en dat met hersens die niet groter zijn dan een erwtje.'

Ik probeer naar Conner te luisteren als ik merk dat Zack me aan zit te staren.

'Ben je bezig met een onderzoek of zo?'

'Min of meer. Ik werk bij de faculteit psychologie.'

'Ben je een assistent?'

'Niet echt. Ik ben alleen bezig met wat research.'

'Gaaf.' Hij schotelt me een verblindende Tom Cruise-glim-lach voor.

'Een paar tictacs?' biedt hij aan.

Hij schudt ze net in mijn hand als we horen dat Conner op-dracht geeft om over twee weken een werkstuk klaar te heb-ben over 'Predatiegevaar en Habitat in Zuid-Californië'.

Zack gooit de pen omhoog en zucht. 'Shit. Daar ben ik klaar mee. Ik heb volgende week al twee tentamens. En ik moet nog steeds van alles inhalen uit het vorige semester. Wat is predatie-gevaar trouwens?'

'Roofdieren, je weet wel. Haviken. Uilen. Prairiewolven. (Freddy.) Waar hij het vorige week over had.'

'Ik heb vorige week toevallig gemist.'

'Nou, schrijf dan maar een werkstuk over roodstaarthaviken. Die zitten hier overal en ze eten elk beest dat je je maar voor kunt stellen.' Het zou mij hooguit een uur kosten om dat werkstuk te maken.

'Mag ik je aantekeningen lenen?' Dat is voor het eerst dat iemand míjn aantekeningen wil lenen. Ook al gaat het om een luiwammes. Ik kan ze beter uittikken en door de spellingscontrole halen.

'Ja hoor. Is maandag goed?'

Hij buigt zich naar me over, geeft me een kneepje in mijn arm en blaast een wolk mentholadem in mijn gezicht. 'Ja, hoor. Da's prima,' zegt hij.

Als ik terugloop naar kantoor denk ik na over haviken. Over de havik die Frank naar het Wildlife Center bracht op de dag dat ik hem leerde kennen en aan de vogels die op zoek naar prooi op warme luchtstromen door onze omgeving suizen. Sam zit altijd naar ze te kijken op zijn stok voor het keukenraam, een stille wachtpost. Als hij er een ziet, doet hij de kreet van een havik na en gaat dan ineengedoken in een hoekje van zijn kooi zitten. Ik bedenk dat ik morgenochtend echt weer eens naar de open plek moet, want ik heb al een paar weken lang verzuimd om bij mijn ivoorsnavels op bezoek te gaan. Dan zet ik de wekker gewoon op vier uur. Dat is de beste tijd om naar ze te gaan kijken. Wie heeft er hier slaap nodig?

NEGENENTWINTIG

De sombere ochtendschemering sijpelt door de bomen als ik op weg ga naar de open plek. Nachtkrekels maken vlak bij mijn oren een herrie van jewelste, één grote golf van hoge tonen op de eerste ochtend na het begin van de wereld. In deze tijd van het jaar is de mist zo dik dat je het gevoel hebt dat je dwars door een enorme vloedgolf loopt. Ik struikel over een afgeknaagd stukje plastic waterslang en word kletsnat. Dat zullen de prairiewolven wel hebben gedaan. In onze omgeving zwerven hele troepen rond die gewoon over de hekken springen en de tuinsproeiers doorknagen als ze dorst hebben. Indianen noemden die beesten altijd 'de ondeugden' omdat ze zo handig en slim zijn. Ik heb een grote stok bij me om ze te verjagen als ze op me af komen.

Ik loop dieper het bos in en vermijd de plassen vol modderwater en drassige rotzooi die wemelen van miljoenen levensvormen, allemaal oeroud en vruchtbaar. Op een gegeven punt ben ik ineens omringd door felgekleurde paddenstoelen die doen denken aan de scène uit *Alice in Wonderland* met die maffe rups die aan een waterpijp lurkt. Hallucinerende dromen voor het grijpen.

Als ik in de buurt kom van de open plek hoor ik een boel gefriemel en gefladder. Borreluur in vogelland. Winterkoninkjes, tjiftjafs, spotlijsters en distelvinken zwieren en duiken tussen de bomen door als buren die elkaar een bezoek brengen. Op het prikbord in het Wildlife Center hangt een citaat van John Burroughs: 'Er is nieuws in iedere struik.' En zo voelt het hier inderdaad.

Ik ga op mijn vaste plekje zitten, pak mijn dagboek en wacht tot de ivoorsnavels op komen dagen. Het is verschrikkelijk koud en mijn oren gloeien. Gisteren regende het aanvankelijk, maar later op de dag werd het zwoel en zo'n twintig graden, een heerlijke novemberdag in L.A., die al een echte voorbode op de lente leek. Een dag om een nestje te gaan bouwen. Maar vannacht is de temperatuur ineens tot rond het vriespunt gedaald en nu is het weer doffe ellende. Af en toe werp ik een blik om me heen. Het is eigenlijk wel raar dat ik op deze open plek nooit iemand anders heb gezien of gehoord. Ik zou hier wachtend op die vogels gewoon dood kunnen vriezen en dan zou het weken duren voor iemand me vond. Dat vind ik wel een prettig idee. Misschien dat mijn moeder of Tiff uiteindelijk toch deze kant op zou komen en een paar mensen zouden er misschien ook wel een telefoontje aan wagen. Zoals mijn oude makker Carl, met zijn dommige kikkergrijns. Of Freddy.

Shit. Ik kan de gedachte aan wat er is gebeurd maar niet van me af zetten. Ik ben veranderd van een vrouw die al jarenlang niet meer geneukt was en ernaar hunkerde, in een vrouw die inmiddels wél geneukt is en uit het diepst van haar hart wenst dat het niet was gebeurd. Wacht even. Daar is het vrouwtje. Ze zit op een hoogte van een meter of drie in een rottende cipres en haar kop steekt uit een vers uitgehakt gat dat groot genoeg is voor een havik. Ze staart me aan met haar oeroude, reptielachtige smoeltje alsof ze me kent. Dan duikt ineens het mannetje uit het niets op en voegt zich bij haar. Ze beginnen meteen aan hun standaard gehup en gepik en proppen zich vol met alle lekkere larven die ze achter de boomschors vinden. Het zal niet lang duren voordat het mannetje mij in de gaten krijgt en alarm slaat. Dan zullen ze er allebei in een stralende witte flits vandoor gaan.

Ondertussen blijf ik ze strak in de gaten houden. Ze vormen

een vreemd, teruggetrokken stel dat moeizaam huppend van de ene op de andere tak een leven vol onzekerheid leidt. Ik vraag me af of ze van plan zijn een nest te bouwen en of al dat geruzie daarboven normale echtelijke twisten zijn. Meneer en mevrouw Van Kibbelstein, die elkaar onder vuur nemen. Meestal blijf ik hier wel een paar uur zitten, maar daar is het nu veel te koud voor. Ik stop met tegenzin mijn dagboek weer weg en loop de berg af.

Als ik thuiskom, gooi ik mijn natte kleren uit, die inmiddels halfbevroren zijn en aan mijn huid blijven plakken. Dan stap ik onder de lekkere warme douche en neem de tijd op. Het duurt precies drie minuten voordat het water koud wordt. We hebben eigenlijk een grotere ketel nodig, maar die kost vijftienhonderd dollar en mam heeft gezegd dat ik dat kan vergeten.

Ik werp een snelle blik op Sams kooi. Zijn kop zit diep verstopt tussen de zachte, donzige veren in zijn nek en zijn lange klauwen omklemmen de stok. Het zal nog zeker een uur duren voordat hij aan zijn gebruikelijke ochtendpoetsbeurt begint. Ik pak zijn ontbijt en doe er wat verse aardbeien bij. Daar is Sam dol op. De vloer rond zijn kooi is bezaaid met restanten van zijn avondmaal. Stukjes kaalgevreten maïskolf, pasta en kippenbotjes. Sam gooit alles wat hij niet opeet altijd op de vloer, want hij houdt zijn kooi graag netjes.

Ik heb ergens gelezen dat de papegaai van koningin Victoria haar altijd wekte met 'God Save the Queen', maar Sam heeft last van een ochtendhumeur. Meestal doet hij voor twaalf uur zijn bek niet open. Ik pak een kop koffie en ga met mijn dagboek aan de keukentafel zitten.

Mijn onderwijzeres op de lagere school was de eerste die vond dat ik eigenlijk een dagboek moest bijhouden. Meestal schreef ik over dingen die ik had gelezen en hoe ik daarover dacht. Op die manier zou ik leren om me te concentreren. Maar tegenwoordig gebruik ik ze voor heel andere dingen. Ik schrijf over mijn wandelingen, over mijn geliefde ivoorsnavels en over alles wat ik zie en hoor.

Als ik klaar ben met mijn dagboek print ik mijn aanteke-ningen voor Zack en controleer de opdracht nog een keer. Pre-datiegevaar en Habitat in Zuid-Californië. Echt een makkie. Misschien moet ik hem maar met een paar alinea's op weg helpen.

De volgende paar uur worden besteed aan het havikwerk-stuk. Het gaat me verrassend gemakkelijk af. Heel raar, maar op de middelbare school kreeg ik altijd hoge cijfers voor de werkstukken die ik thuis op mijn gemak in een rustig hoekje kon schrijven. Dan schreven de leraren altijd opmerkingen als 'een grote verbeeldingskracht' en 'mooi gezegd' in de kantlijn. Ik weet nog dat mijn moeder me voorlas over de grote schrij-vers die ook dyslectisch waren, dus ik ben kennelijk geen uit-zondering. Het probleem was dat de euforie over die hoge cij-fers nooit lang duurde. Op een gegeven moment moest ik toch weer naar school om een proefwerk te maken, waarvoor ik dan prompt weer een onvoldoende kreeg. Maar dit werkstuk heeft me nauwelijks moeite gekost, het was net alsof ik in mijn dagboek zat te schrijven. Het zal wel aan het onderwerp heb-ben gelegen. Vijf bladzijden over haviken. Die knul zal me wel kunnen zoenen.

DERTIG

Er is een somber gedachtespelletje dat in deze tijd van het jaar overal in Topanga wordt gespeeld, omdat één vonk van een radiator of een enkele achteloos weggegooide sigaret de hele omgeving in lichterlaaie kan zetten. Als je precies twee minuten had om uit je huis te komen, wat zou je dan meenemen?

Je staat er altijd weer van te kijken wat mensen het waardevolst vinden. Porselein, linnengoed, meubels en zelfs antiek staan maar zelden boven aan de lijst. Hetzelfde geldt voor kunst. Het zijn de kleine dingen waar mensen het meest aan hechten. Een geërfde armband, fotoalbums, verzamelde recepten, gelukshangertjes, liefdesbrieven. De gedachte aan Conners ode aan Pamela flitst door mijn hoofd. Op deze manier kun je veel over iemand te weten komen.

Nadat ik het werkstuk over de havik af had, zal ik wel ingestort zijn, want het laatste wat ik me kan herinneren is dat ik rond twaalf uur 's middags duizelig werd van vermoeidheid. Nu ben ik in die wazige schemertoestand vlak voordat je echt wakker wordt, als je brein nog droom en werkelijkheid door elkaar haalt en ik kijk rond in mijn slaapkamer en vraag me af wat ik zal meenemen. De denkbeeldige brand is al over de top van de heuvel en heeft alles op zijn weg verzengd. Boven mijn huis hangen helikopters van de politie en de paniek slaat toe als ik hoor dat een agent mij door een megafoon beveelt om er als de gesmeerde bliksem vandoor te gaan (hoewel ik geloof dat ze in werkelijkheid eufemistisch over 'het pand verlaten' spreken). Ervan uitgaande dat mijn moeder en Sam al in veiligheid zijn, grijp ik mijn lievelingsboeken over mythen, mijn zeeglasverzameling en de foto waarop mijn vader mij als baby in zijn armen houdt. Dan werp ik een blik op mijn pietepeuterige inloopkast. Nee, verder niets, besluit ik na even nagedacht te hebben. Alles daarin mag wat mij betreft in rook opgaan... O, wacht even, behalve mijn nieuwe zwarte jurk.

Ik loop strompelend mijn op instorten staande kast in om een trui te pakken en struikel over een oude tas vol afgetrapte schoenen die ik vorig jaar nog wilde laten repareren. Jezus. Ik wed dat ik zeker al tien jaar mijn kast niet meer heb opgeruimd. Ik heb gewoon toen ik trouwde al mijn troep meegesleept naar het huis van Frank en na zijn dood is alles weer mee teruggegaan. Vlak voor mijn neus hangt mijn hele treurige verleden op een rijtje.

Dat is de jurk die ik aanhad toen Frank me ten huwelijk vroeg. Glimmend en volmaakt seksloos. De broek en de blouse waarin ik bij Pearce ben gaan solliciteren. Hoe had ik dat in vredesnaam in mijn hoofd kunnen halen? Een leuk setje dat ik meestal droeg als ik naar de kerk ging: een lange gebloemde katoenen rok en een bijpassend bloesje. Het lijkt sprekend op dat prentje van de Oude Vrijster. Dat is die jas van blauw brokaat waarin ik bijna dood ben gevallen. Alsof ik Tiffs bank aanheb. Daar is ook de chocolade bodypaint die ik een jaar voor zijn dood van Frank heb gekregen. Nooit opengemaakt. Zou dat spul goed blijven?

Tegen de achterwand, verstopt achter een stapel lege schoenendozen, staat een foto van mij in een kapot lijstje. Ik sta voor het huis in een strogeel pak en kijk boos. Alleen de hooivork ontbreekt nog. En wat is dit? Een akelige bruine tas met franje, gekocht bij de Village Tannery een stukje verderop. Die is kletsnat geworden toen ons dak lekte en nu ziet hij eruit als een verzopen kat en zo ruikt hij ook. En deze trui, het resultaat van een tragische misser van de stomerij. Oké, zo is het mooi geweest.

Conner zegt dat ik opzettelijk weinig aandacht besteed aan mijn kleding. Maar daar komt weinig opzet aan te pas, volgens mij gebeurt dat gewoon onbewust. Ik heb ergens een keer gelezen dat je alles weg moet gooien wat je twee jaar lang niet hebt aangehad. Dus dat moet allemaal weg. Ik moet mijn ziel bevrijden van al die rotzooi. Ik leg de nieuwe kleren die ik heb gekocht om naar mijn werk en de cursus te gaan opzij en begin dan alles in enorme zwarte vuilniszakken te proppen. Hou het simpel, nietwaar?

Ik denk aan alles wat ik zal gaan kopen als ik daar de tijd en het geld voor heb. Ik wil dezelfde dingen als Alison heeft, maar dan zonder die houding. Strak, slank, sexy en stijlvol. Laarzen. Zachte truien. Nauwsluitende rokken. Spijkerbroeken die glad om de billen zitten. Ik krijg nu al de neiging om daar mijn hele salaris aan uit te geven. Nou ja, niet alles. Ik wil niet de rest van mijn leven bij mijn moeder blijven wonen. Ik heb uitgerekend dat Tiff en ik rond deze tijd volgend jaar wel zover zijn dat we zelf een huis kunnen huren.

Ik heb net de laatste zak naar buiten gebracht als de telefoon gaat.

'Hallo?'

'Mooi. Dit is de derde keer. Waarom bel je me nooit terug?' Freddy. Zijn stem klinkt vriendelijk, flirtend.

'Ik zat me af te vragen wanneer we elkaar weer eens kunnen zien. Hoe gaat het met je vriendje?' Hij heeft wel lef.

'En met jouw vriendin?' Goed zo, dat is eruit. Nu blijft het aan de andere kant van de lijn even stil, alsof hij goed moet nadenken over zijn antwoord. Dan barst hij in lachen uit.

'We hebben elkaar nu lang genoeg dwarsgezeten. Ik heb het nu wel gehad.' Nu schiet ik ook in de lach. Die vent is gewoon niet klein te krijgen.

'Nee, maar even serieus. Zullen we een keer uit eten gaan?' dringt hij aan.

'Eh...' aarzel ik.

'Morgenavond? Zeg jij maar waar.' Daar moet ik even over nadenken. Als je het goed beschouwt, heeft hij zich eigenlijk helemaal niet zo érg misdragen. Misschien was hij zo kapot van me dat hij gewoon besloot om zich nergens iets van aan te trekken, en trouwens, hij gaat het toch uitmaken?

'Vooruit dan maar. Hoe laat?'

'Ik bel je morgen wel. Reserveer maar iets waar jij graag naartoe wilt. Een leuke tent.'

Een leuke tent. Ik reserveer een tafel in een Italiaans restaurant in Santa Monica, om acht uur.

Ik ben de avond daarna aanvankelijk heel optimistisch. Roekeloos genoeg wil ik echt geloven dat Freddy niet de persoon was die ik dacht. Ik heb een eenvoudige zwarte trui en broek uitgekozen uit de beperkte garderobe die ik nog over heb. Daarna heb ik een heel stel hulpmiddelen bij elkaar gezocht. Toners, luminizers, correctors, concealers en primers. Allemaal dingen om de deuken in je ziel te camoufleren.

En vervolgens ga ik zitten wachten. Ik zet de tv aan. Ik zet de tv weer uit. Ik laat de hond naar buiten. Ik laat de hond weer binnen. Ik zet Sam in zijn kooi omdat ik geen vogelveren op mijn trui wil hebben. In het begin zit hij alleen maar te mokken, maar inmiddels begint hij al behoorlijk kwaad te worden. Hij vindt het vreselijk om opgesloten te zitten als we samen thuis zijn. Om de vijf minuten begint hij oorverdovend te krijsen, wat ik dapper probeer te negeren. Maar daar zal ik spijt van krijgen.

Het is acht uur. Misschien kan ik beter dat restaurant bellen om te zeggen dat we iets verlaat zijn. Of niet. Ik wacht nog een halfuur. En nog een halfuur. Nu begin ik moe te worden. Ik zak achterover tegen de bank en probeer mijn haar en mijn makeup intact te houden voor het geval dat hij belt. Dan zal ik natuurlijk wel pissig reageren, omdat het al na negenen is, maar daarna zal ik mijn hand over mijn hart halen en toch naar hem toe gaan.

Als de uren verstrijken, groeit mijn zelfmedelijden en maakt korte metten met het gevoel van opwinding dat ik aanvankelijk voelde. *Hij heeft me een blauwtje laten lopen.* Het trieste is dat deze ervaring gewoon de zoveelste is na een hele serie andere teleurstellingen. In gedachten zet ik alles wat de laatste paar jaar is misgegaan op een rij. Als ik bij honderd ben, besluit ik daarmee op te houden. Op de een of andere gekke manier heeft deze bezigheid er wel voor gezorgd dat ik niet meer denk aan mijn mislukte afspraakje. Ik herinner me ineens een preek waarin onze dominee zei dat verlossing vaak pas komt nadat je een bezoekje aan de hel hebt gebracht.

Om tien uur ben ik eindelijk bereid om toe te geven dat ik mijn afspraakje op mijn buik kan schrijven. Nu ben ik boos. Ik haat Freddy. Ik haat zijn gekreukelde kaki broek. Ik haat zijn chique vrienden met hun stomme namen. Vier, Drie, Twee en Nul. Ik haat zijn zus, zijn moeder, zijn vader en zijn verrekte vriendinnetje, Patricia. Ik haat zijn hele flatgebouw en iedereen die daar woont. Plus de portier. Ik haat zijn gerenoveerde koopflat, zijn lelijke 'dat moet ik hebben'-kunst, zijn nooit gebruikte roestvrijstalen keuken en zijn stomme mediakamer. En ik haat zijn douche. Nou vooruit, niet zijn douche.

De telefoon gaat over. Ik verman mezelf en zeg met een strenge, kille stem: 'Hallo?'

'Je gelooft nooit wat mij is overkomen.' Het is Freddy. Hij klinkt opgewekt.

'Dat zal best.'

'Ik heb mijn vlucht gemist en ik zit vast op het vliegveld.' Sam slaakt een serie ongelooflijk vijandige kreten die me de adem benemen en schreeuwt: 'Help!'

'Wat?' zeg ik. 'Ik kan je niet verstaan. Mijn papegaai is overstuur.'

Freddy's stem stokt even als hij herhaalt: 'Mijn vlucht gemist... vast op het vliegveld.'

'Nee toch,' zeg ik terwijl ik mijn ogen ongelovig ten hemel sla.

'Ik moest voor zaken even naar San Francisco.' (Ja, vast. Op zondag.) 'Maar de vergadering liep uit en daardoor heb ik mijn vlucht gemist.' (Werkt je telefoon niet in San Francisco?)

'Wat jammer,' snauw ik. Ik voel een barstende hoofdpijn opkomen. Ik hou de telefoon iets van mijn oor, ga op de bank liggen en begin over mijn slapen te wrijven. Ondertussen zit Sam met fladderende vleugels wild aan zijn kooi te rukken. Hij krijst nog steeds. 'Help! Help! Laat me eruit!'

'Wil je me dit vergeven?' vraagt Freddy. In gedachten zie ik zijn flirtende, lachende gezicht. 'En ik beloof je dat ik je mee zal nemen naar iets geweldigs om dit goed te maken.'

'Zo stom ben ik heus niet, Freddy.' Sam doet de sirene van een brandweerauto na.

'Dus je bent echt boos?'

Ik probeer een heel vals antwoord te bedenken, maar in plaats daarvan zeg ik: 'Nee. Ik heb alleen het gevoel dat iemand me heeft dwarsgezeten.' Ik lach, maar niet op een leuke manier. Het is zo'n lach waaruit hij kan opmaken dat hij bij me uit de buurt moet blijven, omdat ik hem anders in hetzelfde ravijn zal flikkeren als waarin ik ben beland. Ik verbreek de verbinding en zet de telefoon uit.

Ik heb altijd van het verkeerde soort mannen gehouden en ineens dringt het tot me door dat Freddy gewoon een andere versie van Frank is. Een stuk gehaaider, dat wel. Een duurdere, meer ontwikkelde versie met aangeboren tact en charme, maar net zo'n geile en leugenachtige rat.

Tiffs vriend zei altijd bij wijze van grap: 'Je begint echt een dikke kont te krijgen, Tiff.'

Dan liep ze rechtstreeks naar de koelkast, pakte een liter ijs en at dat onder zijn neus op. Ze was nergens bang voor. Daar bewonderde ik haar om. Ik bedenk dat ik altijd te bang was om Frank te vertellen wat ik echt dacht. Ik liep iedere dag rond met een benauwd gevoel, deed net alsof ik bepaalde gevoelens koesterde en gelukkig was, overtuigd als ik was dat dit voor mij het enige leven was.

Sam begint te blaffen en dan diep in zijn keel te rochelen. Ik been naar zijn kooi en zet het deurtje open, maar nu is hij woest. Hij draait me zijn rug toe en komt er niet uit. Mij best. Je doet maar!

Ik loop naar de badkamer, schop de deur open en poets de make-up van mijn gezicht. Dan zet ik de warmwaterkraan open en stop mijn hele gezicht in de wasbak. Wacht even. Het dringt plotseling tot me door dat ik eigenlijk alleen maar woedend ben. Geen spoor van zelfmedelijden, geen 'arme-ik'-gevoelens. In gedachten ga ik na wat er is gezegd en ik besef dat ik hem precies verteld heb hoe ik erover dacht. Ik heb mijn woordje gedaan. Ik heb werkelijk het gevoel dat ik ben dwarsgezeten. En niet alleen door Freddy.

EENENDERTIG

Mijn leven begint echt een universiteitsritme te krijgen. De afgelopen twee weken heb ik zitten blokken voor mijn kersttentamens en de hoeveelheid stof die ik heb moeten doorspitten is ongelooflijk. Zack heeft me wel een paar handige trucjes geleerd zoals het gebruik van archiefkaartjes, nicotinekauwgum en Red Bull. We hebben een studiegroepje dat na werktijd bij elkaar komt in de bibliotheek of in de universiteitsboekwinkel. Grappig genoeg hebben zij heel andere prioriteiten dan ik.

Deze studenten doen alles met een reden, alles om een bepaald doel te bereiken. Ze leven niet echt in het heden. Die boeddhistische onzin mag je op je buik schrijven. Voor hen zijn er maar drie criteria om een cursus te volgen. A. er moet iets in zitten waarop ze zich kunnen concentreren, B. ze moeten er iets aan hebben voor een eventuele vervolgstudie en C. het allerbelangrijkste: de professor moet invloed hebben. Is hij of zij in staat om een brief te schrijven die hen aan een belangrijk assistentschap of een goede baan kan helpen?

En ze zijn allemaal lid van een club. Netwerken. Netwerken, daar gaat het om. Ze sluiten zich aan bij de Dante Society, de Italiaanse Filmclub, de Vrienden van Turkije, het Slavenkoor, de Vliegende Robots en de Gong Club, wat dat ook moge zijn. Ik zie dat er ook een Studenten voor Orgaandonatie bestaat. Tiff is officieel orgaandonor, maar ze is alleen maar lid geworden om dat stickertje te krijgen, dat ze op haar rijbewijs over haar leeftijd mag plakken.

Soms kan ik me wel vinden in hun ambities. Maar meestal snap ik er niets van. Ik wil alleen maar aan mezelf bewijzen dat ik het kan en dat lijkt, als je het vergelijkt met wat zij nastreven, helemaal niet belangrijk. Zij willen de wereld veroveren, ik wil gewoon de cursus afmaken.

Ik haast me naar Conners college en ga op mijn vaste plekje achter in de aula zitten, naast Zack. Het geklets verstomt als Conner naar binnen loopt, gevolgd door zijn hond, die midden op het podium neervalt en aan zijn kont begint te likken.

Conner werpt één blik op hem en zegt: 'Laat dat, Ahab.'

Voordat hij aan zijn colleges begint, hangt Conner meestal een verhaal op over iets wat hem die dag bezighoudt. Vandaag heeft hij het over zijn Toyota Land Cruiser, die op de plantaardige olie uit de frituurbakken van plaatselijke restaurants loopt.

'De olie van Japanse restaurants brandt het schoonst op,' zegt hij. 'Direct daarna komt het Italiaanse spul, een beetje nootachtiger en heel efficiënt. Maar de olie van cafetaria's probeer ik te vermijden. Veel te smerig voor mijn auto, dus ik raad jullie aan om die ook niet te gebruiken.'

Dan begint hij over iets anders. 'Normaal gesproken schenk ik geen aandacht aan één bepaald werkstuk, maar dit opstel over roofvogels is zo goed, dat ik het jullie niet wil onthouden.'

Hij zet zijn bril op en begint te lezen. 'Het heet "Er Dreigt Onheil".' Shit! Dat zijn de aantekeningen die ik aan Zack heb gegeven.

'Haviken zijn moordenaars, dodelijke krijgers die alleen maar lijken achterlaten. Zodra ze iets in het oog krijgen, is het resultaat definitief en onherroepelijk, een regelrechte nachtmerrie. Ze zijn amoreel. Gewetenloos. Geruisloze kruisraketten die zich op een prooi storten. Ze zweven op warme luchtstromen, hoog in de lucht, draaien om hun as en vallen dan roekeloos met de kop omlaag en de klauwen in de aanslag als een steen omlaag om een jong zangvogeltje te grijpen. Daarbij slaken ze een door merg en been gaande indiaanse oorlogskreet, waarvan het bloed in je aderen stolt.'

Wat onbeschoft! Zack heeft geen woord veranderd, terwijl het de bedoeling was dat hij het als uitgangspunt zou gebruiken. Hij heeft gewoon alles overgeschreven. Conner blijft voorlezen. De studenten zitten geboeid te luisteren. Als ik om me heen kijk, dringt het ineens tot me door dat ze mijn opstel echt goed vinden.

Als Conner klaar is, zegt hij: 'Zack Henderson. Jij daar, op de achterste rij. Sta maar eens op. Je hebt uitmuntend werk afgeleverd.' De studenten applaudisseren als Zack stralend opstaat en mij een knipoogje geeft. De snotaap.

Dit bewijst dat wie goed doet altijd met de gebakken peren blijft zitten. Toen ik Zack een paar weken geleden dat opstel en mijn aantekeningen gaf, was hij me echt dankbaar. Maar ik had er geen idee van dat hij het gewoon in de oorspronkelijke staat zou inleveren. Nou ja, wat maakt het ook uit? Ik volg dit college niet om goede cijfers te krijgen. Ik gun die knul zijn tien, want ik weet dat ík het geschreven heb. Maar toch ben ik een beetje teleurgesteld. Behalve hij en ik zal niemand ooit weten hoe goed ik het heb gedaan. Want je kunt er zeker van zijn dat hij zijn mond houdt.

In de loop van de dag begin ik me wat beter te voelen. Om twee uur heb ik een afspraak met Conner. Stiekem hoop ik dat hij als ik binnenkom zijn armen om me heen zal slaan en zal zeggen: 'Ik heb aldoor al geweten dat jij het was, Cassie! Wat een inzicht! Wat een intelligentie! Laten we het nog een keer doorlezen.'

In plaats daarvan word ik ontvangen met een opgestoken hand zonder dat Conner zijn telefoongesprek afbreekt. Hij wijst naar de bank, zegt geluidloos 'sorry' en praat door.

Ik ga zitten en zijn hond springt op en laat zich naast me neervallen. Hij kruipt op mijn schoot en begint als een jong hondje aan mijn onderarm te likken. Als ik mijn hand door de krulletjes op zijn hoofd haal, rolt hij op zijn rug zodat ik hem afwezig op zijn buik begin te kriebelen. Maar zodra ik daarmee ophoud, blaft hij dat ik door moet gaan. Conner legt zijn hand over de microfoon en zegt streng: 'Ahab! Af!'

Ahab negeert hem volkomen, rolt weer om en begint mijn gezicht te likken. Inmiddels verdwijn ik bijna onder de hond. Als ik probeer hem weg te duwen, springt hij gewoon terug.

'Hij heeft een goeie smaak,' zegt Conner als hij klaar is met telefoneren.

'Dat weet ik niet, maar honden schijnen mij altijd aardig te vinden.' Helaas geldt dat niet voor mannen.

Conner vertelt me dat de assistent die hem normaal gesproken helpt bij zijn jaarlijkse vogelstudiereisje niet beschikbaar is. Zou ik het erg vinden om die taak op me te nemen? Ik moet het busje regelen, de motelreserveringen bevestigen, maaltijden boeken en ga zo maar door. Bovendien moet ik dan volgend weekend samen met hem en negen studenten op pad. Als ik geen andere plannen heb (en daar kun je vergif op innemen). Met mijn ervaring uit het Wildlife Center ben ik de ideale plaatsvervanger.

Natuurlijk ben ik bereid om mee te gaan. Wat mij betreft, heeft dit niets met werken te maken en ik krijg de tijd als overuren uitbetaald. Als ik dat aan Pearce vertel, zegt ze dat hij haar ook ieder jaar uitnodigt en dat ze altijd bedankt.

'Ik vind kijken naar vogels ontzettend leuk, behalve als je voor dag en dauw op moet staan en in de modder moet gaan zitten wachten op die verrekte vogels die nooit op komen dagen. Afgezien daarvan is het geweldig.'

Uiteindelijk bleek de dag dus toch niet total loss te zijn (al gebruik ik die uitdrukking met tegenzin). Als ik naar mijn Honda loop, vind ik achter de deurhendel een langstelige rode roos in cellofaan verpakt met een rood strikje en zo'n plastic buisje met water.

Op het briefje staat: 'Gefeliciteerd met je "uitmuntende" opstel. Je bent een toffe meid. Zack.'

TWEEËNDERTIG

Op een avond vlak na Franks dood belde mijn moeder een 'vogelfluisteraar' op die ze op internet had ontdekt. Volgens mij omdat voor haar de maat vol was. Sam zat dag en nacht te kakelen, te krijsen en te jammeren. Hij was humeurig en vervelend en hij vrat alleen maar pasta met Parmezaanse kaas. We sleepten hem twee keer mee naar de dierenarts (honderd ballen per bezoek), maar die kon niets vinden. Hij was niet in de rui. Hij was niet verkouden. Het was een raadsel. Hij had zelfs geen zin in zijn lievelingsspelletjes. Toen ik probeerde kiekeboe met hem te spelen zei hij alleen maar: 'Stomme trut' en gooide zijn blokkentoren om.

Bij die vogelfluisteraar kwam het erop neer dat je een foto van je vogel (dood of levend) opstuurde, zeventig dollar betaalde (per PayPal, cheque of postwissel) en dan zou een zekere Sherry Nogwat binnen vijf dagen op je verzoek reageren. Aanvankelijk was ik echt boos op mam omdat ze geld had gestuurd naar iemand die de indruk wekte compleet krankjorum te zijn. Bovendien had mam haar allerlei persoonlijke dingen over mij verteld. Hoe Frank om het leven was gekomen. En dat Sam zo'n intense hekel aan hem had gehad.

De Fluisteraar kwam prompt met een briljante analyse aandragen. Ze had kennelijk contact gezocht met Frank, die haar vertelde dat hij rondspookte in Sams kooi en dat er dus een uitdrijving plaats moest vinden. Ik maak echt geen grapje. En zoals altijd slikte mijn moeder het allemaal voor zoete koek. Ze zei dat we het net zo goed konden proberen, aangezien ze dat geld toch al betaald had. En trouwens, niets anders werkte. En weet je wat nu zo raar is? Ieder jaar vindt er in het centrum van L.A. een grote Mexicaanse plechtigheid en optocht plaats die de Zegening der Dieren wordt genoemd. Het klapstuk wordt gevormd door een priester die een plumeau in een bakje wijwater doopt en daar de dieren mee besprenkelt. Het is een rituele doop die de duivels in de ziel van de beesten uitdrijft. Honderden mensen komen ernaartoe met hun huisdier en maken er een gezellig dagje van. Een soort kermisbezoek, compleet met ballonnen, kinderen en ijsjes. Ik wilde er niets van weten, maar mijn moeder is er toch met Sam naartoe gegaan. En ik zweer bij hoog en bij laag dat ik vanaf dat moment mijn oude Sam terug had.

Ik moet aan dat verhaal denken als we over de I-15 in een krakkemikkig oud busje naar het natuurreservaat rijden. Ik schaamde me dood toen ik het bij het verhuurbedrijf kwam ophalen. Ik had het busje via internet geregeld, want waarom zou je per slot van rekening naar Hertz gaan als er ook een Super Cheap Discount Rentals bestaat? Dat weet ik nu dus. Het was te laat om nog naar een ander verhuurbedrijf te gaan en de enige andere bus die nog beschikbaar was, had geschilderde naakte vrouwen op de zijkant. Toen ik bij de universiteit stopte, moest Conner een beetje lachen en zei: 'Leuk busje.'

Het laatste uur of zo heeft hij geprobeerd een discussie op touw te zetten over het communiceren met dieren en de natuur. Aanleiding voor mijn overpeinzingen was een grapje dat hij maakte over de paardenfluisteraar. Als hij wist dat ik aan een duivelsuitdrijving bij een papegaai zat te denken, zou hij me waarschijnlijk voor gek verslijten. Zeker als ik zei dat het echt had gewerkt.

We zitten met ons elven in het busje. Zack zat eerst naast een meisje dat Andrea heette en toevallig wel het kortste spijkerrokje draagt dat ik ooit had gezien, maar toen hij zag dat ik alleen zat, kwam hij bij mij zitten. De andere meisjes dragen strakke, lage spijkerbroeken, T-shirtjes die niets te raden overlaten en teenslippers. Ze hebben allemaal fleecetruien bij zich waarop Eddie Bauer staat of North Face. Ik draag mijn oude nubuckleren wandelschoenen, een spijkerbroek, een sweatshirt en een zonnehoedje met een rand dat ik van mijn moeder heb gejat. Ik ben de enige die gekleed is op een trektocht. Maar zij zien er veel beter uit.

Er hing een feestelijk sfeertje toen we net vertrokken waren, wat mij weer deed denken aan de dagen dat we op schoolreisje gingen en altijd de meeste lol hadden in de bus. Ik bedoel maar, wie wilde er nou echt graag de zoveelste Spaanse missiepost in San Juan Capistrano bezoeken om naar de vastgekoekte zwaluwenpoep op het dak te kijken? Maar inmiddels zijn de meeste gesprekken weggestorven en bijna iedereen heeft oordopjes in en zit over een of ander apparaatje gebogen. PalmPilots, BlackBerry's, iPods, videospelletjes op hun telefoons en zelfs een paar laptops.

Zack is in slaap gevallen en als ik naar Conner kijk, lijkt hij zich te concentreren op de eindeloze weg voor ons, diep verzonken in zijn eigen gedachten.

Het enige geluid komt achter uit de bus, waar twee meisjes een uiterst intiem gesprek zitten te voeren dat gepaard gaat met dramatische gebaren van de een die daarbij zenuwachtig met haar haar zit te spelen, terwijl de ander vol medeleven knikt en af en toe met uitbarstingen als 'Zit je me nou te belazeren?' of 'Wat een lul!' een duit in het zakje doet.

Naar buiten kijken is al evenmin opwindend. Eiken, manzanita's, yucca's (al even lelijk als ze klinken), amaranten, stijf hoog bruin gras en hopen rotsblokken.

Een paar uur later zijn we bij het vogelaarsmotel waar een verweerde oude man ons inboekt en de kleine lobby ruikt naar een schoonmaakmiddel met dennengeur en verschaalde sigarettenrook. Vlakbij staat een vierkant laag gebouwtje, het plaatselijke eettentje dat momenteel naar vlees geurende bar-becuedampen uitbraakt.

De kamers zijn niet veel beter: Spartaans, stoffig, zonder tv, een wastafel in de hoek en een gemeenschappelijke badkamer in de gang. Het busje was mijn schuld, maar hier is Conner verantwoordelijk voor. Hij schijnt hier áltijd te logeren. Ik kijk uit het raam en zie hem vastberaden naar het bosje achter het gebouw wandelen. Hij blijft staan, steekt zijn hand in een zak van zijn safari-jasje en haalt een pakje Camel tevoorschijn. Dan haalt hij die truc uit met zijn lucifers waarbij je de indruk krijgt dat hij met zijn vingers knipt waarna er als bij toverslag een vlammetje verschijnt. Het is niet voor niets dat de Marl-boro-man een onvervreemdbaar deel uitmaakt van onze be-schaving. Macho en tijdloos, een cowboy in een verschoten Levi's spijkerbroek met glimmende sporen en een Stetson. Roken is vergif, maar af en toe is het ronduit sexy. Als Conner klaar is, trapt hij de peuk in het zand om hem vervolgens op te rapen en in zijn zak te steken. Daar kunnen wij echt een voor-beeld aan nemen.

Het is de bedoeling dat we voor het eten bij zonsondergang nog een eind gaan lopen, dus dumpen we onze spullen in de kamers en verzamelen ons in een halve cirkel bij het begin van het pad dat naar het natuurreservaat leidt.

De tocht naar boven gaat over steile, rotsachtige paden en de groep breekt op in stelletjes van twee of drie personen, waar-van het merendeel de armen om elkaar heeft geslagen of hun handen tegen de rug van hun voorganger zet om ze naar boven te duwen. Er is sprake van een onderlinge kameraadschap die me niet alleen droefgeestig maakt maar ook een beetje jaloers. Ik loop op met Conner en het valt me op dat hij zich met opzet een tikje distantieert van de groep, hoewel hij vriendelijk en ontspannen blijft.

Uiteindelijk lassen we een rustpauze in bij een uitkijkpost die 'Inspiration Point' heet en gaan in een kring om Conner staan als hij een beduimeld, in leer gebonden exemplaar van *Walden* uit zijn rugzak haalt en hardop begint voor te lezen. Zijn stem klinkt diep en intiem, alsof hij zijn toehoorders in vertrouwen neemt, en de studenten luisteren stil.

'"Ik wil een lans breken voor de natuur, voor absolute vrijheid en de wildernis... en de mens beschouwen als een inwoner, een onverbrekelijk deel van de natuur in plaats van als een lid van de maatschappij."'

Hij kijkt ons ernstig aan (dat maakt hem ook zo charmant) en leest verder.

'"Als je bereid bent om vader en moeder, broer en zuster, vrouw, kind en vrienden te verlaten en hen nooit terug te zien, als je al je schulden hebt voldaan, je testament hebt gemaakt, je zaken hebt geregeld en een vrij man bent, dan ben je klaar om een wandeling te maken." Het doel van dit weekend, beste studenten, is om jullie te laten zien wat Thoreau in Walden zag. "Om kort te gaan: alle goede dingen zijn wild en vrij."'

Conner vergast ons vervolgens op allerlei rare anekdotes die klinken alsof hij ze uit zijn duim zuigt, zoals het feit dat Thoreau een van de eerste vegetariërs was, hoewel hij dol was op rauwe marmot. Het schijnt de studenten allemaal geen bal te interesseren, tot Conner verdergaat met Thoreaus bloedige beschrijving van de veldslag tussen de mieren. Bingo. Doodse stilte.

'"... de strijd, het bloedbad... de felheid... de afgehakte koppen van de tegenstanders van de zwarte krijger, de nog steeds levende koppen die hij als weerzinwekkende trofeeën aan weerskanten droeg... knagend op de voorpoot van zijn vijand... zijn borst helemaal weggerukt..."'

Het pad wordt steiler en smaller tot we alleen nog achter elkaar verder kunnen lopen. Conner zegt tegen de groep dat ze moeten uitkijken naar herten, vossen, wilde katten en poema's, hoewel ik zeker weet dat het nog wel een paar uur zal duren voordat die tevoorschijn komen.

Achter me hoor ik Zacks groggy stem een verhaal afsteken over een club waar hij gisteren is geweest en ik durf te zweren dat ik marihuana ruik. Of zoiets. Maar dat gaat mij niets aan.

Als we eindelijk op de top zijn, is de berghelling gehuld in een rozige waas en de lucht vervuld van honderden vogelgeluiden. Het lawaai zwelt aan tot een crescendo en is dan ineens verdwenen. De studenten staan in groepjes bij elkaar hun energierepen en flesjes Fiji naar binnen te werken. Ik zoek een mooie platte steen uit om even te gaan zitten. De plek ligt in de schaduw en ik zet mijn hoed af. Conner komt naar me toe slenteren, gooit zijn rugzak af en gaat zitten. Hij kijkt naar de vogels die door de lucht zwieren.

'Heb jij nooit gewenst dat je dat ook zou kunnen?'

'Vliegen?'

'Ja. Toen ik in Afrika was, heb ik een paar vlieglessen genomen. In een tweedekker. Fantastisch gewoon. Ik wenste dat ik nooit meer hoefde te landen. Heb je je wel eens zo gevoeld?'

Zeker weten van niet, denk ik. Wat mij betreft, zijn vogels voorbestemd om te vliegen en mensen niet. Als ik in een vliegtuig zit, wat nog niet zo vaak is gebeurd, verbeeld ik me vaak dat de vogels die op hun telefoonpalen toekijken hoe we opstijgen tegen elkaar zeggen: 'Laat ze maar dood vallen, die klojo's.' Hij zit op mijn antwoord te wachten.

'Nou ja... ik droom wel eens over vliegen,' jok ik.

'Echt waar?' Met een verleidelijke glimlach. 'Je weet toch wat Freud heeft gezegd... dat alle dromen over vliegen in werkelijkheid over seks gaan.'

'Ach, ga weg,' zeg ik ongelovig.

'Waar doet dit jou aan denken? Opstijgen. Gewichtloosheid. Extase. Zwieren, duiken, hijgen...'

'Hou op.' Ik schiet in de lach. 'Ik snap het al.'

'Jij hebt toch op Michigan gezeten?' zegt hij dan ineens abrupt. 'Mijn vriend Steve Anderson geeft daar filosofie. Heb je hem ooit ontmoet?' O shit.

'Eerlijk gezegd is dat al zo lang geleden, dat ik me daar nauwelijks iets van herinner.'

'Waar heb je eigenlijk gewerkt nadat je bij het Wildlife Center bent weggegaan?' Dit gaat van kwaad tot erger.

'O, bij mijn man.'

Conner kijkt verbaasd. Ik zie dat hij naar mijn handen kijkt. 'Wat doet hij dan?'

'Hij was werkzaam in de auto-industrie, maar hij is een paar jaar geleden overleden.'

Hij schuift wat dichterbij en ik wacht op de gebruikelijke teksten. Je bent nog zo jong, hoe lang is het nou geleden... Maar in plaats daarvan zegt hij: 'Dus we hebben een aantrekkelijke weduwe in ons midden.'

Ik voel dat mijn wangen beginnen te gloeien. Ik weet nooit wat ik moet zeggen als iemand me een compliment maakt. Mijn eerste neiging is om er zo snel mogelijk overheen te praten.

'Dat moet heel moeilijk zijn,' gaat hij verder. 'Ik heb nooit iemand verloren die me dierbaar is.'

Ik voel de verleiding opkomen om te zeggen dat hij dat ook helemaal niet was, maar op hetzelfde moment worden we onderbroken door twee meisjes. 'Professor Conner, is het goed dat Andrea en ik vast naar beneden gaan? We hebben het koud.'

'Prima, dan gaan we allemaal. Het wordt toch al donker.' Hij staat op, strekt zijn armen boven zijn hoofd als een zwemmer die op het punt staat een duik te nemen en hangt zijn rugzak over zijn schouders.

Ik zie zijn silhouet afgetekend tegen de zonsondergang, omgeven door een gloed alsof hij een of andere mythische figuur is. Hij kijkt naar de lucht. En wij kijken naar hem.

De meisjes draven nu de berghelling weer af als een stel paarden dat de stal ruikt. Ik hoor ze praten en lachen over de talloze redenen waarom ze allemaal zo'n hekel hadden aan hun dure zomerkampen: de krakkemikkige hutjes zonder horren, de bultige matrassen, de valse leiders, de muggen en het ijskoude meer waarin ze verplicht iedere dag moesten zwemmen. Andrea zegt dat ze haar ouders heeft gesmeekt om haar weer op te halen, maar dat ze toch de volle acht weken had moeten blijven.

'Wat een ellendige manier om de zomer door te brengen,' zegt ze dramatisch.

Nee, dan mijn zomers, waarin ik voor vijf dollar per uur de kooien in het Wildlife Center schoon mocht maken.

Ik loop terug naar mijn eenpersoonskamer en vraag me af wat Conner zou zeggen als hij wist dat ik gelogen had over Michigan. De waarheid is dat ik mezelf steeds opnieuw moet inprenten dat het de enige manier was om deze baan te krijgen. Liegen. Dus heb ik dat gedaan. En ik weiger om over de consequenties na te denken. Dat verdom ik gewoon.

DRIEËNDERTIG

Een paar uur later vallen we met ons allen het eethuisje binnen. Zack, die zich inmiddels al drie keer van de spareribs heeft bediend, vertelt me dat hij zijn rugzak nergens kan vinden. Heb ik die toevallig gezien?

'Ik hoop dat ik hem niet op de berg heb laten liggen,' zegt hij. Dat wil ik graag geloven. Vooral als er weed in zit.

Conner is in een geanimeerd gesprek verwikkeld met een meisje dat kennelijk veel interesse voor vogels heeft. Ze leunt expres voorover en ik zie het spleetje tussen twee tienerborsten. Ik durf trouwens ook te wedden dat ze helemaal niet aan de blauwkeelkolibrie denkt. Ongetwijfeld is dit vaste prik, meisjes die na de colleges blijven hangen, met hem meelopen naar zijn kantoor en hem aankijken met een mengeling van begeerte en geheime liefde. Maar Conner toont nooit enige interesse. In tête-à-têtes met dit soort verliefde meisjesstudenten blijft hij tegen zijn gewoonte in altijd koel en professioneel.

Na het dessert, als een veelgeplaagde serveerster onze borden met veel lawaai op elkaar stapelt en onze tafel schoonmaakt, kan ik de moed opbrengen om Conner te vragen of ik *Walden* mag lenen.

'Dat wordt dus een gezellige avond,' zegt hij ironisch. Dan kijkt hij me even aan.

'Heb je zin om een eindje te gaan lopen?'

We wandelen langs de groenbakken achter het eethuisje en

gaan op een bank zitten die daar in de buurt staat en me het gevoel geeft alsof ik op een blok ijs zit. Hij vraagt welk boek ik momenteel lees, maar het is duidelijk dat hij niet in de stemming is om net als op kantoor gezellig te kletsen of te bekvechten. Dan begint hij over het Wildlife Center en zegt dat hij dat het leukste stukje in mijn cv vond. (Dat komt goed uit, want de rest heb ik uit mijn duim gezogen.)

Hij vertelt me dat hij vroeger cursussen gaf in een centrum in het noorden en ik merk ineens dat ik hem alles zit te vertellen over het werk in het Center, waarbij ik constant Tiffs stem in mijn achterhoofd hoor, die zegt dat ik daarmee op moet houden, want het is helemaal niet interessant. Wat vrijwilligers maar niet schijnen te begrijpen, merk ik op, is dat je om een wild dier te genezen echt moet proberen het contact ermee zoveel mogelijk te beperken. Elk troostend of geruststellend gebaar brengt de dieren in gevaar. Terug in het wild zijn wij nog steeds hun grootste vijand, zeg ik, en Conner knikt.

Dan dwaalt het gesprek af naar andere onderwerpen, zoals zieke vogels, vergiftigde zeeleeuwen en meer van die dingen, tot het me opvalt dat hij naar de lucht zit te kijken.

Misschien heeft Tiff toch gelijk. Ik zit weer door te draven. Bovendien kan ik zien dat zijn oren blauw worden en dat zijn felblauwe ogen tranen van de kou.

'Ze hebben hier volgens mij ook een telescoop. Heb je daar belangstelling voor?' vraagt hij.

'Conner, ik zit hier te bevriezen. Heb jij het niet koud?'

'Nee. Nou ja, wel een beetje, maar dat geeft niet. In deze tijd van het jaar kun je het merendeel van de planeten zien. Alle negen, of alle acht. Of tien, of drieëntwintig.'

'Hoeveel zijn het er nou?'

'Daar zijn de geleerden het niet meer over eens. Jezus, je hebt gelijk, het is hier ontzettend koud,' zegt hij, terwijl hij opspringt en me overeind trekt. 'Kom op.'

Mijn achterste en mijn voeten zijn bevroren en de zitting van

219

mijn spijkerbroek is vochtig. We sjokken samen terug en vlak voordat we bij de kamers zijn, blijft hij staan.

'Weet je wat?' zegt hij met een stralend gezicht. 'Een stukje verder op deze weg staat een kroegje, waar het gezellig en warm is. Met muziek en tapbier. Heb je zin om even te ontspannen?'

Ik aarzel, maar mijn besluit staat al snel vast. 'Nee, dank je,' zeg ik haastig. Na al die mislukte afspraakjes kan ik maar beter op mezelf blijven.

'Weet je het zeker? Ik trakteer,' zegt hij.

'Bedankt, maar ik ben bekaf,' jok ik. Eigenlijk wil ik dolgraag met hem mee. Per slot van rekening vraagt hij me alleen om een slaapmutsje met hem te drinken... net als Freddy. Vergeet het maar. Ik begin er niet aan.

Later op de avond, als de studenten zich twee aan twee terugtrekken alsof we in de ark van Noach zijn, kijk ik uit het raam naar de duisternis buiten. De maan is een bleke zilveren schijf die afwisselend verschijnt en verdwijnt achter de sluierbewolking en de hemel lijkt op een zwarte japon met lovertjes. Dit is zo'n nacht waarin Odysseus geen weerstand zou kunnen bieden aan het zwoele gezang van de sirenen en zijn schip jammerlijk op de ruige kust te pletter zou laten slaan.

VIERENDERTIG

De muren zijn zo dun dat ik alles wat ze zeggen woord voor woord kan verstaan. Ik kan ze praktisch horen ademhalen. Het is twee uur 's ochtends en de loopjongen van Domino's heeft net een paar pizza's afgeleverd. Er klinkt een harde bons. Wat zijn ze nu weer aan het doen? Staan ze op het bed te springen? Ze brullen van het lachen. Ze zitten daar minstens met een man of tien. Ik hoor de woordjes 'weed' en 'kapot'.

Krokusvakantie in Vogelland.

'Stuur dan iemand naar beneden die een rijbewijs bij zich heeft.'

'Ik ben net geweest.'

'Dan moet je Andrea sturen. Die ziet er lekker uit.'

'Neem dit keer Coors mee.'

'Ik moet er twintig dollar bij hebben.'

Ik steek mijn hoofd om de deur en kijk de gang in. Een van de studenten staat voor zijn kamer in een T-shirt met rond zijn middel de tekst: 'Al die dwergen zitten me tot híér.'

'Hé,' zeg ik, terwijl ik een aardige manier probeer te bedenken om 'Hou verdomme je kop' te zeggen.

'Hé.' Hij kijkt me glimlachend en met glazige ogen aan. 'Ik hoop dat we je niet wakker hebben gemaakt.'

'Nee, hoor.' Ik trakteer hem op een gemaakt glimlachje terwijl ik de meisjes hoor gillen en giechelen. Dan trek ik me in mijn kamer terug. Wat ben ik toch een lafbek. Nu wordt er op mijn deur geklopt.

'Ha, die Cassie.' Het is Zack. Hij heeft alleen een boxershort aan, verder is hij bloot, van zijn gladde gespierde ribbenkast tot zijn strakke benen. Bart de Bink met een blauwe plek op zijn dijbeen, waarschijnlijk van een ongelukje met zijn skateboard. 'Steve zei dat je wakker was. Heb je ook zin om naar Andrea's kamer te komen?' Zack komt altijd een tikje ondeugend over, alsof hij echt zijn best moet doen om zich te gedragen.

'Goh, dat klinkt leuk, maar ik ben echt doodmoe.'

'Ach, kom op. Weet je het zeker?'

'Heel zeker. Maar in ieder geval bedankt.' Ik trek de deur dicht en probeer net te doen alsof ik de rapmuziek niet hoor die nu uit hun kamer schalt. *Motherfucker* dit en *motherfucker* dat. *I'm gonna nail that bitch.* Waar hangt Conner in vredesnaam uit?

Halfvier 's nachts. Mijn wekker loopt af. Om vier uur worden we beneden verwacht, in de lobby. De studenten komen strompelend tevoorschijn, de ogen nog halfdicht en min of meer dronken.

'Dit is gewoon maf, hoor,' klaagt Zack tegen een meisje naast hem. 'Ik voel me absoluut belazerd, om het maar eens in één woord te zeggen.'

Het meisje slaat haar armen om hem heen en streelt zijn haar. 'Dat zijn vijf woorden.'

Conner komt kwiek binnenstappen, één en al zakelijkheid. In ieder geval heeft er nog iemand van een goede nachtrust genoten. 'Pillen,' zegt hij met een knipoogje tegen me. 'Dit is voor mij de vijfde keer.'

Hij heeft zijn opvouwbare krukje tussen de banden van zijn rugzak gestoken en is verder gewapend met een Zeiss-verrekijker, een studiegids en een mijnwerkerslamp op zijn hoofd als hij iedereen een ontbijt in een bruine papieren zak geeft. Wat deze jongens en meiden werkelijk nodig hebben, is een 'Bloody Bull', gegarandeerd het enige middel dat de cocktail van illegale genotmiddelen die ze gisteravond hebben geconsumeerd kan neutraliseren.

Conner haalt diep adem als we in een optocht van zombies naar buiten gaan. Er hangt een duidelijke moerasgeur in de ijskoude lucht en hij verheugt zich kennelijk enorm op deze dauwtrappersexcursie. Waarom heb ik niet meer kleren aangetrokken? Het is bitter koud en iedereen loopt er ineengedoken bij. Het zal niet veel warmer zijn dan rond het vriespunt. Conner vertelt ons dat we op weg zijn naar de beste plek in de wijde omgeving om vogels te bestuderen. Er moeten daar op dit moment zeker veertig soorten te zien zijn. Hij heeft het niet over pinguïns.

Om het allemaal nog erger te maken valt er een miezerig regentje als we in het stikdonker op weg gaan. Een paar van de studenten hebben zaklantaarns bij zich en van die oranje oplichtende stokken. We doen ons best om Conner bij te houden terwijl we door smurrie ploeteren, over omgevallen bomen springen en over glibberige, gladde richels klauteren.

Dat gaat zo nog een paar uur door zonder dat we iets te zien krijgen en zelfs als het licht begint te worden is er nog geen vogel te zien. We praten op gedempte toon en op bepaalde momenten, als we een teken van Conner krijgen, moeten we doodstil midden in een weiland blijven staan luisteren. De meeste studenten gehoorzamen met een chagrijnig gezicht, tot Zack ineens uitroept: 'Wie niet weg is, is gezien!'

'Als je vogels op dit uur aan het schrikken maakt, krijg je er niet één te zien,' zegt Conner streng.

Dan gaat het ineens stortregenen en helemaal doorweekt blijven we schuilen onder een boom, waar alles naar natte schors ruikt.

'En we hebben nog steeds niet één verrekte vogel gezien,' moppert een van de studenten als we weer verder waden door de modder.

Als we nog een tijdje doorploeteren, komt de zon door de wolken en de dichte mist begint op te trekken. Conner vindt een open plek waar we met onze 'surveillance' kunnen beginnen. Het lijkt niet op mijn plek, dit is een open ruimte en je kunt kilometers ver om je heen kijken. Hij zet zijn mijnwerkerslamp af, trekt zijn met tefal gevoerde handschoenen uit en zegt dat hij verwacht dat we binnen een uur wel het een en ander voorbij zullen zien vliegen.

En hij heeft gelijk. Binnen een mum van tijd begint de voorstelling. We horen spreeuwen, mussen, winterkoninkjes, vinken en kraaien zingend met elkaar wedijveren. Ze komen alleen, in paartjes, of met een hele groep en cirkelen kwetterend door de lucht waarbij ze adembenemende acrobatische toeren uithalen. Spitsuur in het bos. Zelfs in hun benevelde toestand raken de studenten onder de indruk van de dramatiek van dit moment.

Inmiddels staat de zon hoog aan de hemel, maar het is nog steeds kouder dan een diepvrieskist als we halverwege de berghelling pauzeren op een beboste richel. Iedereen valt aan op zijn ontbijt en Conner biedt me zijn krukje aan en gaat zelf naast me op een rotsblok zitten. Ik voel de hitte van de zon in mijn nek en op mijn armen alsof ik mezelf heb ingesmeerd met tijgerbalsem. Ik ben zo ontzettend moe dat ik zo in slaap zou kunnen vallen. Conner lacht een beetje geniepig en heeft onder zijn parka iets glimmends in zijn hand.

'Alleen voor volwassenen,' zegt hij en overhandigt me een schattig zilveren heupflaconnetje. Ik neem een slok. Het is wodka, ijskoud en heerlijk scherp, met een lange zijdezachte nasmaak. Ik geef hem de flacon terug en hij draait de groep de rug toe om ook een slok te nemen. Vervolgens nemen we stiekem om de beurt een slokje, als twee jongeren die samen aan een jointje lurken. Daarna voel ik me absoluut een stuk warmer en bovendien meer ontspannen en beschaafder.

We zijn even stil. De gedachte die door mijn hoofd schiet, is dat deze vent dan wel een wetenschapper mag zijn, maar hij is ook zo... hoe zal ik het zeggen? Zo gaaf. Dan zie ik dat hij vanuit zijn ooghoeken naar me zit te kijken voordat hij de flacon opnieuw doorgeeft en ik nog een slok neem. Hij legt zijn handen op mijn schouders en begint voorzichtig mijn nek te masseren. Wat mankeert hem? We zitten midden tussen zijn studenten.

'Deze jongelui geven eigenlijk geen bal om vogels, maar ik doe mijn best om ze toch iets bij te brengen.'

Ik denk dat het fijne van wodka is dat je het na een poosje helemaal niet meer proeft.

'Ik geef wel om vogels,' zeg ik. Conner barst in lachen uit.

'Waarom is dat zo grappig? Ik geef écht om vogels. Allerlei soorten vogels. Deze vogels. Mijn vogels...'

'Niets. Je bent gewoon anders.' Hij moest eens weten.

'Ben je wel eens op zoek gegaan naar zeldzame vogels?' vraag ik ineens.

'Vroeger wel. Maar ik ben ermee opgehouden. Het drong eindelijk tot me door dat ik daar niet echt vrolijk van werd.'

'Waarom zouden mensen daar zo geobsedeerd door raken?'

'Nou ja, het gaat eigenlijk om meer. De kwestie van zeldzaamheid op zich. Daar raak je vanzelf aan verslingerd. Ik weet het niet,' zegt hij terwijl hij zijn parka uittrekt, zijn mouwen oprolt en in zijn rugzak begint te rommelen.

'Misschien is het iets diep vanbinnen dat mensen ertoe aanzet om te blijven zoeken,' antwoord ik. 'Om iets te ontdekken dat alleen zij kunnen zien. Het kan best zijn dat ze daar het gevoel van krijgen dat ze de Messias zijn. Zo van: ik ben de enige die met God kan praten of kan voorspellen wanneer ons hele zonnestelsel uit elkaar zal spatten. Ik ben de enige die de onmiskenbare schaduw van het profiel van de maagd Maria op een tortilla heeft gezien. Of misschien gaat het helemaal niet om zulke belangrijke dingen. Zo'n plotselinge glimp is ongelooflijk hypnotisch, te vergelijken met de blik van de Medusa... Adembenemend mooi, maar in staat om een mens in steen te veranderen.'

Conner houdt op met in zijn rugzak rommelen en kijkt me met grote ogen aan.

'Je hebt gelijk,' zegt hij. Dan is hij even stil. 'Goed, je ziet dus een zeldzame vogel. Maar daarmee zijn niet meteen alle geheimen van het leven opgelost, hè? Wanneer je de volgende ochtend wakker wordt, zit je nog steeds met die klotige relatie, dezelfde levensproblemen en hetzelfde verrekte lekkende dak. Toch ben je gedurende een paar momenten onsterflijk geweest. Tegen alle logica in. Je hebt de natuur op haar kop gezet.'

Hij pakt een glazen potje met olijven uit zijn rugzak, maakt het open en houdt het me voor. Ik stop er een in mijn mond. Hij praat verder op een toon die bijna religieus aandoet. Of een tikje bezopen. Maar wie maalt daar op dit moment nog om?

'Om heel eerlijk te zijn,' zegt hij, 'is het fijnste van het kijken naar vogels dat je zo kunt genieten van de meest gewone momenten. Hoe langer je kijkt, des te meer je ziet. Tussen twee haakjes, heb je iets met je haar gedaan?'

'Hè?'

'Het ziet er zo leuk uit.'

Ik wil net antwoord geven als Zack zich naast me neer laat vallen, zijn hoofd op mijn schouder legt en verzucht: 'Ik ben echt békaf.'

Ik ook, denk ik en wend mijn hoofd af om te voorkomen dat hij mijn adem ruikt. Conner geeft hem een duw en zegt: 'Hoog tijd om verder te gaan.' Zack slentert terug naar de groep en Conner legt zijn handen op mijn schouders, laat ze langs mijn armen naar mijn handen glijden en trekt me op.

VIJFENDERTIG

'Ga eens aan de kant, verrekte dikzak!' schreeuwt Zack uit het raampje van de bus, terwijl hij zijn middelvinger opsteekt tegen de chauffeur in de grote zwarte cabine van de vrachtwagen die voor ons op de tweebaansweg rijdt. De vrachtwagen remt vervaarlijk af en de vier kerels in de cabine laten hun raampjes zakken en kijken ons met strakke gezichten aan.

We zijn weer op weg naar L.A. en Conner zit achter het stuur.

'Hou je bek, Zack, anders krijg je het straks nog dubbel en dwars terug,' roept hij zonder echt kwaad te worden. Inmiddels heeft Zack zijn beide handen naar buiten gestoken en trakteert de kerels op twee middelvingers.

De vrachtwagen rijdt nu zo langzaam dat we over de weg kruipen en hij lijkt op een dreigende zwarte wolk. Conner probeert te passeren, maar net als we op gelijke hoogte komen, geeft de boze vechtjas gas en blokkeert de weg. Conner wijkt terug, remt af en kruipt opnieuw achter de vrachtwagen, die vervolgens weer tot een slakkengangetje afremt. De cabine heeft getinte raampjes, dus het enige wat we voor ons zien, is de omtrek van vier uit de kluiten gewassen lijven.

'Volgens mij kunnen we beter geen ruzie maken met die kerels,' zeg ik behulpzaam. Voor de rest blijft het stil.

'Misschien kan ik maar beter even langs de weg gaan staan,' zegt Conner. Ik kijk naar de stickers waarmee de vrachtwagen beplakt is: de Amerikaanse vlag, Harley-Davidson, 'Steun Onze Troepen', 'Blijf Zitten Waar Je Zit' en als klap op de vuurpijl 'Wapens Aan Boord'.

'Dat lijkt me geen goed idee,' zeg ik.

'Ik ga nog een keer proberen om erlangs te komen,' zegt Conner, terwijl hij uitwijkt en dit keer laat de vrachtwagen ons passeren.

Toch klopt er iets niet. Dit gaat veel te gemakkelijk. Op hetzelfde moment komt de vrachtwagen met brullende motor naar ons toe rijden en ramt ons vanachteren. En vervolgens nog een keer, voor het geval we niets gemerkt hebben. Het is een verknipte imitatie van botsautootjes. Klassieke verkeerswoede. Een paar van de studenten worden vooruit geworpen en hun iPods en rugzakken schieten over de vloer. Sommige meisjes beginnen te gillen en te huilen.

'O god, dit overleven we nooit!'

'Bel het alarmnummer,' zegt Conner tegen me en ik toets het meteen in.

'Doe niet zo zeikerig, laat mij dan maar rijden!' zegt Zack die opspringt en naar voren loopt. Je kunt de testosteron die hij uitstraalt gewoon ruiken.

'Hou je bek, Zack!' reageert Conner driftig.

'Ik rij ze zo van de weg af! Geen probleem!' schreeuwt Zack.

'Nee! Ga zitten,' zegt Conner terwijl hij haastig een zandweg op draait. De chauffeur van de vrachtwagen legt zijn hand op de claxon en spuit verder over de autoweg. We stoppen langs de kant van de weg en iedereen springt eruit. Het interieur van de bus ziet eruit alsof de wagen is opgepakt door Godzilla en net zolang bij zijn nekvel door elkaar is geschud tot hij het leven liet. De vloer ligt bezaaid met spullen.

'Heb je nog contact gehad met het alarmnummer?' informeert Zack voorzichtig terwijl hij zijn rugzak bekijkt.

'Nee,' zeg ik. 'Mijn mobiel doet het hier niet.'

'Mooi,' zegt Zack. En ik denk: Laat die weed de volgende keer dan thuis.

Een paar opvallend rustig verlopen uurtjes later zetten we de studenten af bij de universiteit. Conner heeft nog even een 'apart onderhoud' met Zack, die geheel tegen zijn gewoonte in heel berouwvol is en schaapachtig staat te knikken terwijl Conner hem de les leest. Ik hoor woorden als 'stom' en 'onverantwoordelijk'.

Conner rijdt achter me aan als ik het busje ga terugbrengen. Tegen de tijd dat we bij de Super Cheap Discount Rentals aankomen, bungelt de achterbumper erbij.

'Gelukkig dat je zo'n barrel gehuurd hebt. Als dit Hertz was geweest, hadden we hier nog uren vastgezeten. Ik heb behoefte aan een borrel. Zin om mee te gaan?' Het kan me allemaal niets meer schelen. Ik zeg gewoon ja, want ik heb ook behoefte aan een borrel.

We belanden uiteindelijk in Ruth's Steakhouse, een ouderwetse kroeg waar het altijd donker is, hoe laat je ook binnenkomt, en gaan in een van de roodleren zitjes achterin zitten. Conner bestelt een whisky, ik een martini. Dan bedenk ik me en maak er een margarita van, die ik vervolgens weer wijzig in een glaasje witte wijn.

'Weet je zeker dat het geen cola-light moet worden?' plaagt Conner. Wat wil hij van me? Het is halverwege de middag en ik weet nog steeds niet precies hoe ik me voel. Wil ik een tikje aangeschoten raken of erger? Ik heb hoofdpijn.

De drankjes arriveren en Conner gooit het zijne in twee slokken naar binnen. Hij bestelt meteen een tweede. Ik nip damesachtig van mijn wijntje. Ik wil maar één glas en ik ben vast van plan om níét dronken te worden.

'Jezus, die knul is echt niet goed wijs,' zegt hij met een diepe zucht als hij zijn hand door zijn haar haalt op de manier van iemand die zich eindelijk kan ontspannen. We weten allebei dat hij het over Zack heeft als hij met zijn vingers op het tafeltje trommelt en de kelner wenkt. Op zijn vraag of ze sigaretten verkopen, schudt de kelner zijn hoofd.

Ik doe beleefd alsof ik niets hoor.

'Volgens mij is Zack best een lief joch, alleen een beetje jong,' zeg ik. Ook al heeft hij mijn opstel gestolen.

'Nee, het gaat verder. Hij kent geen angst en hij is dom. En hij denkt dat alles zijn goed recht is. Zack is de knul die een bureau uit het raam gooit en nooit betrapt wordt. Iedereen neemt hem in bescherming, hij staat op een voetstuk. Misschien is dat riskante gedrag, die bravoure, iets erfelijks.' Nu besef ik dat hij het niet over Zack heeft.

'Wat heb jíj dan gedaan?'

'Wat heb ik niet gedaan? De universiteit belde constant mijn vader op voor weer zo'n dodelijk gesprekje. Dan kwam hij vanuit New York rijden en zaten we met ons tweeën zwijgend te luisteren terwijl de rector de hele waslijst van al mijn zonden doorwerkte: te laat terug, onfatsoenlijk gedrag tegenover de andere sekse, spijbelen. Mijn vader vertrok nooit een spier. Na afloop gingen we samen lunchen en dan werd er niet meer over gepraat.'

'Werd hij nooit kwaad?'

'Ik had altijd het gevoel dat hij zich precies zo had gedragen toen hij nog jong was,' zegt hij met een droog lachje. 'Ik weet eigenlijk niet precies wat hij heeft uitgespookt. We gedroegen ons altijd zo beleefd tegenover elkaar, dat het net leek alsof ik een zakelijke kennis was.'

'Dan heb je geluk gehad dat je niet van de universiteit getrapt bent.'

'O, maar ik had altijd prima cijfers. Dat is ook gedeeltelijk de reden waarom ze me met rust lieten. Plus het feit dat mijn vader grotendeels verantwoordelijk was voor de geldstroom.'

'Wat vond je moeder ervan?'

'Die stierf toen ik elf was. Mijn vader hertrouwde en het maakte de nieuwe mevrouw Conner geen bal uit. En hoe zit het met jouw familie?' vraagt hij in een duidelijke poging het gesprek op iets anders te brengen.

Ik begin over mijn moeder en haar aan de natuur verslingerde vriendinnen die in vliegende schotels geloven, reformwinkels beheren en uitspraken doen als: 'Knoflook en cholesterol zijn natuurlijke vijanden.' Ik zit net over een paar van haar avontuurlijke escapades te praten als het ineens tot me doordringt dat Conner naar een open balkonnetje zit te kijken waar een paar mensen vrolijk zitten te paffen.

'Af en toe zou ik nog steeds een moord kunnen doen voor een sigaret. Bijvoorbeeld als ik me onderweg weer eens woest heb gemaakt,' zegt hij.

'O,' zeg ik nonchalant. 'Ik heb van Pearce begrepen dat je was gestopt.'

'Dat is ook zo. Zeker weten. Alles hielp geweldig. De pleisters, de kauwgum, de lopende band, het zwembad, mediteren, yoga, acupunctuur, kickboksen, met geld smijten, eten...'

'Eigenlijk vind ik het heel raar, hoor. Een milieudeskundige annex bioloog die rookt. En je hebt zulke mooie witte tanden. Hoe speel je dat klaar?'

'Ik rook niet meer, weet je nog wel? Maar in ieder geval bedankt,' zegt hij. Hij lijkt wat meer ontspannen.

'Het probleem is,' vervolgt hij, 'dat er eigenlijk niets anders is dat zo geestverruimend werkt en zo'n luxueus gevoel geeft als het inhaleren van een flinke dot rook. Dat heb ik ook aan diverse yogi's verteld, maar die weigeren gewoon om dat aan te nemen. Heel begrijpelijk, trouwens.'

'Maak je nou een grapje?' vraag ik.

'Ja en nee. Stoppen met roken betekent dat je je moet neerleggen bij een onafgebroken aandrang die op geen enkele manier bevredigd kan worden. Je wordt constant voor het blok gezet door je zintuigen, ook als je er totaal niet op rekent. Het kan een bepaalde geur zijn, een smaak, of een mooie passage in een boek en zelfs bijvoorbeeld die verdraaide vlinders die we toen bij die tentoonstelling hebben gezien. God, wat had ik daarna behoefte aan een sigaret. Ik weet het niet... je voelt je zo hulpeloos. Alsof er altijd iets ontbreekt.'

'Zoals bij de liefde,' zeg ik ineens. 'Lijkt het daar dan op?'

Conner schudt even zijn hoofd alsof hij zijn oren niet gelooft en schiet dan in de lach.

'Ja, precies. Net als bij de liefde,' zegt hij. En vervolgt: 'Kom op, Cassie, laten we er niet omheen draaien. Hoe lang is je man al dood?'

'Ongeveer drie jaar.'

'Dat moet een ongelooflijke dreun zijn geweest. Ben je er al overheen?'

Ik word echt doodziek van die vraag en het liefst zou ik dan ook zeggen: Toen die smerissen me vertelden dat hij dood was, duurde het even voor het tot me doordrong hoe ik me precies voelde. En toen wist ik het ineens. Ik was dolgelukkig. Ik neem nog een slokje van mijn wijn. 'Och. Dat is allemaal voorbij.'

'We hoeven er niet over te praten als je dat liever niet wilt,' gaat hij verder terwijl hij de kelner wenkt en nog een glas wijn voor me bestelt.

'Ach, het maakt niet uit. Het was een auto-ongeluk. Hij verloor heel even de weg uit het oog. Ik weet het niet. Eén verkeerde beweging en alles verandert. Je trapt op het gaspedaal in plaats van op de rem. Of je besluit op het laatste moment om een andere vlucht te nemen. Het brengt een niet te vermijden kettingreactie op gang waardoor alles ineens in een verdomd drama verandert.'

'Hoeveel jaar zijn jullie bij elkaar geweest?'

'Een jaar of vier. Het lijkt allemaal al zo lang geleden... Ik vind het moeilijk om erover te praten.' Hij werpt me een blik vol medeleven toe en ik besef dat hij, net als de rest van de wereld, ervan uitgaat dat ik van hem hield.

'Nou, dan beginnen we toch gewoon over iets anders.' Hij wendt even zijn blik af en ik zie dat hij de situatie even in ogenschouw neemt. Dan komt hij tot een besluit. 'En heb je weer een nieuwe vriend?'

'Niet echt.'

'Hoezo? "Echt niet" of "echt wel"?'

Ik schiet in de lach. 'Nou vooruit. Niet dan.'

'Mooi zo.'

232

'En jij?' Wie is die juffrouw van de brief? Of Samantha, met haar irritante 'muzikale aanleg'?

'Ik ook niet,' zegt hij vastberaden terwijl hij zijn tweede glas achteroverslaat. 'Wil je een keer met me uit eten?'

'Dat zou ik best leuk vinden.'

Nu springt hij van het ene onderwerp op het andere, van het broeikaseffect tot andere wereldproblemen. Hij vertelt me over vrienden van hem die het leefgebied van de panda in Zuid-West-China beschermen, de pogingen om te voorkomen dat miljoenen tonnen CO_2 de omgeving van de wouden op Madagascar binnendringen en het aankopen van duizenden hectare land voor het Tayna Gorilla Reservaat in de Congo.

'Dat zou ik ook graag willen doen als ik geen college gaf.'

'Nou, je kunt nog altijd bij mijn Wildlife Center terecht om nesten te maken van papieren bekertjes,' zeg ik.

'Elk beetje telt,' lacht hij en knijpt even in mijn arm.

Uiteindelijk laat Conner de rekening komen en vertelt me vervolgens dat hij de komende week voor een conferentie naar St. Louis moet, maar dat hij me zal bellen als hij terug is.

'Het is eigenlijk heel raar,' zegt hij op een toon alsof hij in zichzelf praat. 'Je gaat naar een feestje of zo en daar ben je dan de hele avond bezig om de vrouw in die rode jurk te versieren, of dat blondje in de hoek of dat meisje met die uitbundige lach en dan, als je weggaat, zie je ineens vanuit je ooghoeken iemand zitten met haar dat glanst in het licht terwijl ze met een gebogen slanke nek ingespannen zit te luisteren naar de persoon naast haar. En dan weet je dus zeker dat je eigenlijk met háár had moeten praten.' Hij buigt zich voorover en kust me op mijn wang.

En zo verliep mijn eerste afspraakje met Conner.

ZESENDERTIG

In die verloren momentjes na het eten als het nog te vroeg is voor de tv en te donker om een eindje te gaan lopen, gaat mijn moeder vaak aan het aanrecht zitten om samen met Sam een spelletje patience te spelen. Sam pikt naar de kaarten, doet af en toe ook een duit in het zakje en gapt soms ineens een ruiten of een harten weg (hij houdt alleen van de rode kaarten). Dan schiet hij haastig met de doorboorde kaart in zijn snavel zijn kooi in, maar hij slaagt er zelden in om haar kwaad te krijgen. Ze gaat gewoon door met haar spelletje, zonder zich iets van Sams fratsen aan te trekken.

'Welke kaart heb je gepikt?' zegt ze dan rustig tegen Sam.

'De joker,' antwoordt Sam.

'Is het mijn twee?'

'De joker,' zegt hij nog een keer. Sam zou veel liever jokeren, maar mijn moeder weigert om een ander spelletje te spelen. Het is een gevleugelde status quo.

Ik pik de kaart terug van Sam en ga bij haar zitten om dubbelpatience te spelen. De spelregels zijn nog hetzelfde als toen ik klein was en ze past ze aan zoals het haar uitkomt. En we spelen ook nog steeds met hetzelfde morsige, vettige spel dat al dan niet nog steeds uit tweeënvijftig kaarten bestaat. Het is een traditie die we al ik weet niet hoe lang hebben gedeeld, hoewel ik haar vaak genoeg vertel dat ze ook op internet kan spelen zonder dat Sam haar lastigvalt. Geen interesse.

Het is fijn om even bij haar te zitten. De afgelopen maanden heeft ze een paar nachten per week in het Wildlife Center gewerkt en dan kwam ze pas thuis als ik al naar mijn werk was. Maar zij zegt dat ze het prettig vindt omdat het dan zo rustig is. En mijn moeder houdt van rust.

Vanavond is ze thuis omdat ze al een paar dagen grieperig is en niet werkt. Nu neemt ze af een toe een slokje uit een mok met heet water waarin honing en een scheutje whisky vermengd zijn met een mespuntje Vicks Vaporup. Sam blijft bij haar uit de buurt. Papegaaien houden niet van sterke geuren. Nu begint ze aan een nieuw spelletje terwijl haar bril aan een koordje om haar nek bungelt.

Het valt me op dat ze er een beetje moe en weggetrokken uitziet en waarschijnlijk niet veel te eten heeft gehad. Ze mag dan een bohemien type zijn dat er allerlei naturalistische ideeën op nahoudt, maar voor huishoudelijke zaken heeft ze nooit veel belangstelling gehad. En dan bedoel ik koken en schoonmaken. Ik stel voor dat we even een pauze inlassen. Mijn moeder loopt naar de badkamer om een stoombad te nemen, terwijl ik in de voorraadkast op zoek ga naar iets eetbaars. Als er verder niets te vinden is, kan ik nog altijd spaghetti met olijfolie maken. Net als ik een pan water opzet, gaat de telefoon. Mijn moeder neemt op.

Ze heeft altijd een stem gehad die zelfs dwars door een muur verstaanbaar blijft. Niet dat ze zo luid praat, maar gewoon omdat de klank van haar stem zo warm en welluidend is, dat die als een soort schuldig geweten in mijn hoofd blijft doorklinken. Aanvankelijk heb ik het idee dat het Sylvia is, omdat ik hoor dat ze het over Joshua Tree en Highway 62 heeft. Dan klinkt er een zacht lachje. Dat betekent dat ze met een man praat. En vervolgens hoor ik de naam Conner. Help! Ik zet de pan neer, pak het tweede toestel op en val haar in de rede.

'Hoi,' zeg ik.

'Hoi, hoi, hoi!' herhaalt Sam als een tv-presentator op speed. Hij klautert tegen mijn arm op en gaat op zijn favoriete plekje op mijn schouder zitten.

'Ik wilde je net roepen, lieverd,' zegt mam. 'Maar professor Conner en ik waren zo gezellig aan het babbelen.'

'Hang maar op, mam.'

'Hang op, hang op!' krijst Sam. 'En doe die verrekte deur dicht!'

'Leuk dat ik u even gesproken heb,' zegt mijn moeder haastig en dan hoor ik een klik.

'Is dat je zoon?' vraagt Conner terwijl ik met de telefoon mijn slaapkamer in loop en de deur achter me dichttrek.

'Dat is mijn papegaai. Ik heb geen kinderen.'

'O, die grijze roodstaart, hè?'

'Ja. Hij heet Sam.'

'Laat me maar eens even met hem praten,' zegt Conner jolig.

'Ik denk niet dat je met hem wilt praten. Hij is ontzettend onbeschoft.'

'Nee, toe nou. Geef hem nou maar even. Ik kan ontzettend goed met vogels omgaan.'

'Nou vooruit dan maar. Je hebt er zelf om gevraagd.' Ik zet Sam op het bureau, houd de telefoon tegen zijn kop en hij begint er meteen naar te pikken.

'Hij kan je verstaan,' zeg ik tegen Conner.

'Hé, Sammy, ouwe makker van me. Zeg eens "shit",' zegt Conner. Sam houdt zijn bek.

'Shit! Shit! Shit!' hoor ik Conner herhalen alsof hij het ABC opzegt. Hè ja. Zo is het mooi geweest. Ik druk de telefoon weer tegen mijn oor.

'Leuk, hoor,' zeg ik. 'Hij slaat al genoeg smerige taal uit, zonder dat jij hem er nog iets bij leert.'

'En van wie heeft hij dat dan geleerd?' vraagt Conner lachend. Fijn. Waarom belt hij eigenlijk? Waarom pakt hij de koe niet bij de hoorns en vraagt of ik met hem uit wil?

'Ik heb met je moeder over Bigfoot zitten praten. Als ik het goed begrijp, wil ze opnieuw de woestijn in om hem te gaan zoeken. Of zou ze nog wat foto's willen maken?'

'Luister eens, Conner, ik weet dat het raar klinkt, maar dat is voor haar en haar vriendinnen een bloedserieuze kwestie en helemaal geen grap. Maar je moet niet denken...'

Na gisteravond heb ik er over lopen piekeren hoe ik zou moeten reageren als en wanneer Conner me echt zou bellen. Maar ik had er niet op gerekend dat hij er al zo gauw achter zou komen dat ik een vreemde moeder en een grofgebekte papegaai heb. In tegenstelling tot de beeldschone Samantha met haar beroerde backhand en haar schitterende garderobe.

'Maak je daar nou maar niet druk over, Cassie,' maakt hij vastberaden een eind aan ons gezellige gekwebbel. 'Ik belde eigenlijk alleen maar om je te bedanken voor het feit dat je me bij het vogelreisje gezelschap wilde houden. Ik vond het heel leuk dat je erbij was.'

'Goed. Bedankt,' zeg ik, nog steeds afwachtend.

'Dan zie ik je wel weer als ik terug ben van de conferentie.' En hij verbreekt de verbinding.

'Zeg shit! Zeg shit!' schreeuwt Sam. Precies.

ZEVENENDERTIG

Conner is al een week terug van zijn conferentie, maar ik heb hem nog niet gezien en hij heeft ook niet gebeld. Vanmorgen vroeg Pearce me om naar haar kantoor te komen zodat we een begin konden maken met de planning voor het jaarlijkse kerstfeestje en het eerste wat ze deed, was Conner oppiepen via de handsfree telefoon.

'O ja, dat verrekte feestje,' zegt hij geërgerd.

'Hè, toe nou, Conner. Wij zorgen overal voor, je hoeft helemaal niets te doen,' sust ze.

Ze draagt een lange rok van donkerrood fluweel en een witte zijden blouse met een takje kunsthulst met rode besjes op de kraag gespeld. Ze draagt feestelijke oorbellen, in de vorm van sneeuwvlokken, en een stel schildpadkleurige kammetjes houden haar wilde grijze haar uit haar gezicht. Maar wat Pearce ook aantrekt, ze ziet er altijd gedistingeerd uit en nu spreekt ze op dezelfde toon die ik gebruik als ik Sam wil overhalen om iets te doen waar hij geen zin in heeft.

'Dat zeg je altijd,' mokt hij. 'Maar ik vind dat nu wel eens iemand anders aan de beurt is.'

'Maar jij hebt zo'n fantastisch huis, lieverd,' zegt ze vleiend. 'Het is ieder jaar weer hetzelfde liedje en het feestje is toch altijd ontzettend leuk?'

'Ik weet niet waarom wij per se een feest moeten geven. We kunnen dat geld beter aan een liefdadig doel geven, precies zoals ze bij wiskunde doen.'

'Maar wie zou er nou een gezellige avond met wiskunde willen doorbrengen? Ze willen niet eens iets met elkaar te maken hebben.'

Ze knipoogt tegen me. 'Ik stuur Cassie wel naar Costco met de lijst. Zij kan het strijkkwartet bellen...'

'Wil je me nou voor de negenhonderdste keer laten horen hoe zij dan Pachelbel of de Brandenburgse Concerten zitten te vermoorden? Kunnen we dit jaar niet iets heel anders doen?'

'Als jij dat graag wilt, regelen wij dat wel, hè Cassie?'

'O. Zit Cassie bij je?'

'Zeg maar even hallo tegen Conner, lieve kind,' zegt Pearce tegen me.

'Hallo, Conner.' Dit is ronduit gênant.

'Hallo, Cassie.'

Pearce beëindigt het gesprek en vertelt me wat er allemaal nodig is voor het feestje. De meeste gasten zijn wat zij 'sociale drinkers' noemt, dus ze zegt dat ik gewoon alleen maar witte en rode wijn moet kopen, plus rum voor de eierpunch. Dan moet ik ook nog zorgen voor zes grote lasagnes van Stouffer, een paar crudité-schalen (wat ze voor mij moest vertalen tot groentehapjes met dipsaus) en nog wat andere dingen. Wat me zelf leuk lijkt. Ze wil dat ik aanstaande donderdag inkopen ga doen, omdat het feestje morgen over een week is. Het mooie daarvan is dat ik dan vroeger weg kan om te gaan winkelen. Ik bel Tiff.

Ik zit rustig achter mijn bureau hardop te lezen als ik opkijk en Conner voor de kopieerkamer zie staan. Dan pak ik haastig de telefoon op en doe net alsof ik een gesprek afrond.

'Geweldig! Tot vrijdagavond dan!' Ik kan net zo goed doen alsof ik een druk sociaal leven heb. Als Conner op de muur klopt, leg ik de telefoon neer.

'Heb je al gegeten?' vraagt hij. Ik kijk op de klok. Twaalf uur 's middags.

'Nee...'

'Heb je zin om met mij te gaan lunchen? Ik heb een idee voor een andere studietocht en ik wil graag horen wat jij ervan vindt.'

'Zolang het maar niet naar Joshua Tree is.'

'Eerlijk gezegd wel. Vind je het echt geen goed idee om daar met de studenten naartoe te gaan?'

'Een goed idee? Met die groep? Laat me je dan vertellen dat daar in die woestijn de meest waanzinnige raves in heel Zuid-Californië worden gehouden. En tenzij je wilt dat Zack en de rest van die studenten zich volproppen met xtc en zo stoned als een kudde garnalen in hun blote kont gaan rondrennen met neonstrepen op hun billen zou ik daar nog maar eens goed over nadenken.'

Hij kijkt me stomverbaasd aan. Ik denk dat hij had verwacht dat ik over Bigfoot zou beginnen, of over de flora en de fauna van de woestijn.

'Raves?'

'Van die maffe dansfeesten die de hele nacht doorgaan.'

'Dat is een cultuuruiting die mij is ontgaan. Ben jij er wel eens bij geweest?'

'Ik ben daar alleen met mijn moeder geweest en zij is niet bepaald het rave-type.'

'Dus ik mag aannemen dat je nee zegt tegen Joshua Tree?' zegt hij lachend.

'Laten we maar gaan eten,' zeg ik. Ik heb een spijkerrok aan, met bont gevoerde laarzen van schapenleer en een coltrui. Niets bijzonders, maar hip genoeg om met hem te gaan lunchen. En dankzij Alison draag ik mijn haar tegenwoordig ook opgestoken. Ik heb geleerd hoe je het rond je vingers moet draaien voor je het met een speld vastzet.

Hij neemt me mee naar een Italiaans tentje waar ik Alison over heb horen praten. De kelners kennen hem en geven hem een vierpersoonstafel bij het raam. Ik ben serveerster geweest, dus ik weet dat dit een prima plek is. Er staat een chic olie- en azijnstel op het witte tafellaken, samen met een ongeopende fles Pellegrino. Geen menu's. Dan komt de kelner naar ons toe, pakt mijn servet en legt dat als een sabel over mijn schoot. Vervolgens begint hij de specialiteiten van de dag op te dreunen. Ik kies risotto en Conner neemt vis. Hij bestelt ook een fles Pinot Grigio. Dit wordt een boeiende discussie.

Ik vraag hoe zijn reis was en hij is tien minuten lang aan het woord over alternatieve energiebronnen en het effect daarvan op heterogene diersoorten, waarbij termen vallen als 'de biogeografie van de vogelstand', 'stelselmatige benadering' en 'ornithologisch onderzoek'. Moeilijk, hoor. Vandaar dat ik me maar op zijn gezicht concentreer en luister naar de manier waarop hij dat soort woorden uitspreekt. Ik hoor hem graag praten.

De kelner schenkt voor ons allebei een glas wijn tot de rand toe vol en de druppeltjes parelen op de rand als ik een slokje heb genomen. Dat smaakt.

De lezing die hem bij de conferentie het best is bevallen, werd gegeven door een psycholoog die het had over het verband tussen het rouwen om een familielid en ecologische rouw, de gelijkenis tussen het verlies van een geliefde plek of diersoort en het verlies van een bemind persoon.

'Soms droom ik ervan om terug te gaan in de tijd en in staat te zijn om door enorme, ongerepte wouden te dwalen waar elk dier dat ooit heeft geleefd in blakende welstand verkeert.'

'Heb je het nou over een soort Tuin van Eden, Conner?' wil ik weten terwijl de kelner mijn glas nogmaals volschenkt. Ik zie dat hij zijn hand over zijn glas heeft gelegd.

'Ja, precies.' Het is even stil. Hij zit naar mijn glas te kijken en schenkt een beetje wijn over in zijn eigen glas. Kennelijk heeft hij zich bedacht.

'Wat zat je te lezen voor de lunch?' vraagt hij. Nu ben ik dus aan de beurt.

'Whitman.' Ik neem een grote slok wijn.

'Wat vind je ervan?'

'Ik ben net aan *Lied over Mezelf* begonnen. Het rijmt voor geen meter, maar wat goed!'

'"Ik ben de dichter van het lijf",' citeert Conner. En hoe, denk ik.

'Toen ik nog studeerde,' vervolgt hij, 'identificeerden we ons allemaal in zekere zin met Whitman. Hij overwon zijn problemen, zijn afkomst, zijn armoede, zijn gebreken en begon op zijn zesendertigste aan een heel nieuw leven. Dat gaf ons allemaal hoop.'

'Hij was toch homo?'

'Dat doet er niet toe.'

'Wel waar. Hij worstelde om zichzelf te mogen zijn in een wereld die hem niet wenste te accepteren. Daar draait alles toch om?'

Conner buigt zich voorover en fluistert: '"Ik zing het Lijf Elektriek". Daar draait het om.' Shit. Hij zit weer met me te flirten. 'Trouwens,' zegt hij, 'een vriend van me gaf elk meisje met wie hij naar bed was geweest een exemplaar van *Grashalmen*. Dat is heel erotisch.'

'O ja?' zeg ik, terwijl door mijn hoofd schiet dat we allebei weten wie dat was en dat zijn naam waarschijnlijk op Bonner rijmt. 'Nou, zover ben ik nog niet. Ik lees maar heel langzaam. Ik ben dyslectisch.' Gooi dat maar op één hoop met je elektrieke lijf.

'Een paar van mijn beste vrienden zijn dyslectisch,' zegt hij lachend zonder zelfs maar met zijn ogen te knipperen. 'Grapje. Maar dat moet op school toch een heel probleem zijn geweest, Cassie.'

'Gaat wel.' Ik ben alleen drie keer blijven zitten en hield het toen voor gezien.

'Wist je dat John Irving ook dyslectisch was?'

'Ja.' Het blijft even stil. Zo'n stilte die tussen twee mensen valt op een moment dat er ieder moment een zogenaamde grens overgestoken kan worden, die verboden lijn die je kwetsbaar maakt en alle leugens en illusies verdrijft.

'Weet je wat me aan jou is opgevallen, Cassie?' O jee. 'Er is een heleboel dat je niet zegt als je iets zegt. Ik merk dat ik me iedere keer zit in te spannen om je onuitgesproken woorden te verstaan.'

Ik kijk neer op mijn glas wijn zodat hij niet zal zien dat het schaamrood me naar de kaken stijgt. Hij heeft gelijk. Ik heb geen zin om mezelf binnenstebuiten te keren, maar wat leuk dat hij zelfs geïnteresseerd is in wat ik níét zeg.

'Meestal wil je helemaal niet over jezelf praten. Volgens mij is dit de eerste keer dat ik een echt gesprek met je heb.'

'Wat wil je dan weten?' vraag ik. Wat kan het mij ook schelen.

'Van alles over je leven. Over je huwelijk... over al die dingen waar mensen meestal maar over door blijven zeuren... ik wil van alles vragen.'

'Nou, kom maar op.' Ik kijk hem recht aan en ineens is het net alsof alle geluiden uit het restaurant verstommen en alle bezoekers vertrokken zijn zonder dat wij daar iets van hebben gemerkt.

'Nou, hoe was het echt om zoveel moeite te hebben met lezen? En hoe was je man?'

'Mijn overleden man,' onderbreek ik hem.

'Vertel op.'

'Frank en ik hadden aan het eind grote problemen. Hij had een vriendin. Zie je nou wel? Ik ben een open boek. En wat mijn schooltijd betreft, ik heb gewoon geleerd om mijn fantasie te gebruiken. En ik sloeg op de vlucht, zoals dat genoemd wordt. De bossen in. Dat doe ik nog steeds. Daar kun je zijn zoals je wilt. Een gezellige kletskous of stom of slim, of lelijk, ongeliefd en ongekust... Je hebt toch het gevoel alsof je erbij hoort.' Ik wacht tot Conner reageert, maar hij houdt zijn mond.

Goddank wordt het eten gebracht.

'Voor de schone dame,' zegt de kelner met een Italiaans accent als hij een dampende schaal met risotto voor mijn neus zet. Hij zal wel een acteur zijn. Aardewerk klettert. De achtergrondgeluiden van het restaurant komen extra versterkt terug.

Ik schenk de kelner een stralende glimlach. Conner zit me nog steeds aan te kijken. Nou ja, hij heeft er toch om gevraagd. Nu hoeft hij zich niet meer in te spannen om mijn gedachten te horen. Niks daarvan.

Hij neemt een slokje wijn.

'Tja,' zegt Conner. Zijn gezicht vertoont dezelfde uitdrukking als dat van mijn moeder toen ze per ongeluk bij de paardenrennen een lot voor het verkeerde paard had gekocht en het haar langzaam maar zeker begon te dagen dat ze had gewonnen.

Rond een uur of twee zijn we weer terug op kantoor. Ik ben een uur te laat, maar Alison houdt haar mond als ik langs haar heen loop, omdat ik samen met Conner ben. Hij buigt zich naar haar toe en zegt: 'Ik heb Cassie even geleend. We werken aan een nieuwe studieopdracht.'

'O, prima hoor,' zegt Alison met een allerliefste glimlach.

Hij vraagt of ik nog even mee wil lopen naar zijn kantoor. Hij heeft me nog iets te vertellen. Ik loop achter hem aan naar boven. Als we binnenkomen zit Samantha op zijn bank, compleet met haar slangenleren tas en glanzende hooggehakte schoentjes.

'O, hallo,' zegt hij. Ze staat op en geeft hem een kus op zijn wang.

'Ik kwam de parkeerkaart voor vanavond brengen. Ik moet daar toch vroeg naartoe om alles klaar te zetten.' Conner kijkt haar wezenloos aan.

'Je was het helemaal vergeten, hè? Het theater? En het feestje erna?' We zien allebei die schaapachtige blik op Conners gezicht verschijnen. De blik die zegt: o shit, compleet vergeten.

'O ja. Waar ook. Ik ben weg geweest. Je kent Cassie nog wel, hè?'

'Ja hoor. Hallo, snoes.' Snoes. Zo werd ik ook altijd genoemd toen ik een zomer lang als serveerster werkte. Ik ga ervandoor. Wat hij me te vertellen heeft, zal vast wel tot later kunnen wachten.

ACHTENDERTIG

Déjà vu. Als ik de volgende ochtend over de binnenplaats loop om wat papieren bij Aanmeldingen af te geven, hoor ik een bekend kwak-kwak-geluid, alsof er vette insecten tegen je voorruit te pletter slaan. Ik zie dat Conner zijn backhand staat te oefenen tegen de zijkant van het gebouw. En ik ben er vrij zeker van dat hij er niet omheen loopt.

Als ik langs hem heen draaf, moet ik de neiging onderdrukken om hem te vragen of hij zich geamuseerd heeft in het theater, maar ik hou mezelf in als hij zijn hand naar me opsteekt.

'Hoi! Waar is de brand?'

'O, hallo, Conner,' zeg ik nonchalant, alsof ik hem nu pas zie.

'Druk?' vraagt hij en hij blijft gewoon doorslaan terwijl ik verder loop.

'Ik moet alleen deze spullen bij Aanmeldingen afgeven.'

'Shit!' roept hij uit als de bal over mijn hoofd vliegt en op het nippertje een raam mist. Hij haalt me in.

'Mooie slag,' zeg ik.

'Tennis jij ook?'

'Een beetje.' De laatste keer was op school, op betonvloeren vol barsten en met slaphangende netten. Maar het was één van de weinige dingen die ik goed kon.

'Wat zou je ervan zeggen om zaterdag samen met mij te dubbelen? Mijn vaste partner is verhinderd.'

'Jammer voor je. Maar ik ben ontzettend roestig.'

'Dat maakt niet uit. Dat is zij ook.'

'Maar ik heb echt sinds de middelbare school niet meer gespeeld.'

'Maakt niet uit. We spelen toch alleen voor de lol. Het gaat niet om het winnen.'

'Mag ik het later zeggen? Op zaterdag help ik mijn moeder meestal in het Center.'

'Prima. Geen probleem.'

Samantha zal wel verhinderd zijn. Ik blijf er de hele dag over piekeren. Zal ik wel of zal ik niet? Tiff zou vast zeggen dat ik het moet doen. Maar ik heb onwillekeurig het gevoel dat dit net zo zal aflopen als die toestand met Freddy. Ach verrek, ik heb er gewoon zin in.

Dus nu ben ik onderweg naar de Los Angeles Country Club voor mijn zaterdagse tennispartijtje. Alsof het de gewoonste zaak ter wereld is. De oprit is al veelzeggend genoeg: lang, kronkelend en omzoomd door kaarsrecht gesnoeide heggen. Er is een gigantisch hek dat je in discrete, kleine lettertjes 'privé' toebrult en als mijn auto naderbij komt, stapt een sombere, dikbuikige bewaker gewapend met een klembord uit zijn hokje.

'Goedemiddag. Naam?'

'Cassie Shaw. Ik ben uitgenodigd door William Conner.' Zijn gezicht ontspant terwijl hij mijn naam op zijn lijst afvinkt en me wijst hoe ik bij de velden kom. Ik rijd over het kennelijk honderden hectare tellende golfterrein dat rond het clubhuis ligt en dat regelrecht afkomstig lijkt uit een advertentie van Ralph Lauren, met dien verstande dat hier golfkarretjes staan en geen polopaarden.

Ik zie Conner en zijn vrienden in het wit (tenniskleren zijn kennelijk toch een stuk beter dan andere witte kleren) rond een smeedijzeren tafel zitten, met uitzicht op de banen. De mannen staan op als ik aan kom lopen en ik zie dat ze allemaal een hoog glas ijsthee met muntblaadjes voor zich hebben staan. Ik krijg prompt de neiging om luidkeels het refrein van 'Dixie' te gaan zingen.

Ik draag een roze short met een touwtje in de band en een wit T-shirt (geen tennisshirt) en ik heb het hele huis op de kop moeten zetten om een paar geschiktere schoenen te vinden dan mijn Vans of de versleten Nikes die ik voor mijn wandelingen gebruik. Ik had geen tijd meer om iets te gaan kopen en ergens in mijn achterhoofd had ik ook helemaal geen zin om zelfs maar een kwartje uit te geven omdat hij per slot van rekening een vaste vriendin heeft (ook al zegt hij van niet) en de hemel mag weten wat hij eigenlijk van me wil met al die leuke babbeltjes en dat geklets over de natuur en zijn spirituele connectie met de wereld. Dus van mijn garderobe zullen ze niet flauwvallen. En wacht maar tot ze zien hoe ik speel.

Conner stelt me voor aan het hele stel en geeft me een zilverkleurig racket dat hij uit de clubwinkel heeft geleend en dat volgens hem het nieuwste van het nieuwste is.

'Dus smijt het niet op de grond als je een bal mist.' Ha ha.

'Ik zal eraan denken,' zeg ik zonder een spier te vertrekken.

De anderen, de heer en mevrouw Austin, Wing en Melissa, zijn zijn vaste tegenstanders. Conner vertelt me dat Wing zijn oude kamergenoot is uit de tijd dat hij nog studeerde en dat hij meteen daarna met Melissa is getrouwd.

Wing is lang, blond en slungelachtig. Melissa is klein en gezet, met een enorme zonneklep. Ze zijn allebei van top tot teen in Adidas gestoken. Melissa begroet me met een brede, zonnige glimlach en bedankt me uitbundig omdat ik bereid ben in te vallen. Ze mag dan gezet zijn, ze is ook erg aardig. Ze weet dat ik voor Conner werk, maar ze weet ook alles van het Wildlife Center, dus hij heeft ze kennelijk het een en ander verteld voordat ik kwam opdagen. Melissa loopt naar de achterste baan en begint haar hele lichaam in te smeren met een dikke laag witte zonnebrandlotion. Ik hoor een plop en een zoevend geluid als Wing een doos tennisballen opentrekt.

'Hé, Conner,' zegt hij met een blik op mijn benen, 'waar heb je dit exemplaar verstopt gehouden?'

'Als ik jou was, zou ik me maar liever op de wedstrijd concentreren en ophouden bij je tegenstander in het gevlij te komen,' zegt Conner.

'Nou, ze zal me zeker afleiden. Misschien heb je het wel expres gedaan.'

'Hou je mond, Wing. Let maar niet op hem, Cassie.'

'Ik vind hem uiterst charmant,' zeg ik lachend.

Wing vraagt me of mijn grip goed is. Als hij naar me toe komt om dat te controleren pakt Conner mijn hand vast en zegt: 'Dat is allemaal in orde.' Als we op de baan aankomen, begint Conner uitgebreid te stretchen op die onhandige mannenmanier waardoor ze net op ooievaars lijken.

Tijdens de warming-up lijkt alles nog even beschaafd. Ik sta te volleyen met Melissa, terwijl Conner en Wing gezellig een partijtje staan te rallyen. 'Goeie bal!' roepen ze iedere keer als ze retourneren. De groundstrokes zijn diep en lang. De vorm is volmaakt. De sfeer vriendelijk en niet-competitief. 'Lekkere bal, Slankie!' roept Wing tegen me. 'Volgende keer beter,' zegt Melissa als ik volledig naast de bal sla. 'Goed zo, meid,' roept Conner als ik een slappe, eenhandige backhand over het net werk.

'Goed, de wedstrijd kan beginnen!' roept Conner terwijl hij rond de baan draaft om ballen te verzamelen. Hij schopt ze omhoog met zijn voet en vangt ze op met zijn racket. Ping. Ping. Ping. Melissa lijkt een beetje sloom als ze opnieuw wat lippenbalsem aanbrengt en met een sunblockstift over haar handen wrijft.

Conner verliest de toss en Wing mag als eerste serveren. Ik zie dat Melissa bij het net even subtiel met haar heupen wiegt ten teken dat ze er helemaal klaar voor is. Dan doet ze het nog eens dunnetjes over door haar racket als een baby voor haar witte plooirokje heen en weer te wiegen terwijl Wing de service recht door het midden slaat. Conner stort zich er fanatiek op en vuurt een harde forehand af op Melissa die de bal met een supersonische snelheid in mijn richting stuurt. Voordat ik zelfs maar kan nadenken, springt Conner al voor me en lobt hem terug. Wing stuift naar het net en smasht de bal schuin over de baan, waarop Conner achter me langs duikt, zijn knie schaaft en de bal hoog de lucht in jaagt. Hij landt net achter hun achterlijn.

'Verdomme!' schreeuwt Conner.

'Fifteen-love!' roept Wing.

Van het ene moment op het andere zijn ze ineens veranderd in monsters die met het schuim op de bek, blikkerende tanden en gespannen spieren elkaar op de ene na de andere dreun trakteren. Dit is geen spelletje voor iemand die ook maar enigszins aan zichzelf twijfelt.

Wing serveert nu op mij en ik ga klaarstaan, zonder heupwiegen, huppeltje of andere onzin. Hij slaat een zachte bal naar me en die sla ik prompt uit.

'Thirty-love.'

'Blijf naar de bal kijken!' snauwt Conner.

'Ze houdt dat racket veel te krampachtig vast,' roept Wing behulpzaam. 'Kijk eens naar haar greep.'

Conner past mijn zwetende vingers aan door het racket een halve centimeter te draaien. Ach ja, dat voelt een stuk beter. Nu gaat de service weer naar Conner, die rondspringt alsof hij over een vat zenuwgas is gestruikeld. Het is een ziedende bal die tweeëneenhalve centimeter over het net suist. Conner kreunt luid als hij hem met een dubbele backhand terugslaat en dan als een wilde naar het net stuift. Wing geeft een lob over zijn hoofd naar mij. O jee. Conner rent struikelend achteruit en schreeuwt: 'Voor mij! Voor mij! Die heb ik, aan de kant!' Ik kan nog net op tijd opzij springen voordat hij de volley in het net slaat.

Weer 'verdomme'.

Wing lacht. 'Dat komt ervan als je steeds de bal in wilt pikken, klootzak! Forty-love.'

'Oké, Cassie en ik nemen even een time-out.'

'Laat haar maar zien waar de "sweet spot" zit,' zegt Wing lachend.

'Hou je bek, Wing!' schreeuwt Conner voordat hij vastberaden op me af beent. We gaan bij elkaar staan, met onze rug naar het net, en hij slaat zijn armen om me heen. Waarom vind ik dat helemaal niet geruststellend?

'Zorg dat je in de zone blijft, Cassie.' Verdorie, wat betekent dat nu weer, vraag ik me af. Maar ik zeg: 'Tuurlijk, prof.'

'Game-point, jongelui,' roept Wing en hij zegt met een licht verbaasd gezicht tegen Melissa die alweer in de weer is met haar zonnebrandcrème dat ze bij het net moet gaan staan.

'Sla hem maar over haar hoofd, dan doe ik de rest wel,' vraagt Conner.

Maar Wing serveert opnieuw een gemakkelijke en beleefde bal op mij. Wat een aardige man. Ik reageer met een keurige lob over Melissa's enorme zonneklep. Nu slaat Wing een spectaculaire backhand dwars over de baan. Shit. Die komt recht op mij af. Maar Conner springt opnieuw in de baan van de bal en schreeuwt: 'Voor mij! Voor mij!'

Hij kan er maar net bij met zijn racket, maar de bal raakt het frame en schiet weg in de richting van de tafels en stoelen.

'In de roos!' roept Wing. 'Game voor de familie Austin!' Hij geeft zijn stralende vrouw een high five.

Conner lacht zuur en zegt: 'We zijn nog maar net begonnen, wat zeg jij, Cassie?'

Ik zou graag willen beweren dat we een comeback maakten, maar dit was duidelijk ons hoogtepunt. Ik geloof niet dat ik nog één bal in heb geslagen. Als ik voor de derde keer een dubbelfout maak, mist Conner een gemakkelijke lob en smijt zijn racket op de grond.

'Leuk,' zegt Wing.

Bij zes-nul zegt Melissa dat ze er genoeg van heeft en loopt naar de kleedkamers om zich 'op te frissen'. Conner gaat naar binnen om een telefoontje te plegen (op de baan zijn mobiele telefoons niet toegestaan) en ik ga bij Wing zitten die voor ons allebei een glaasje wijn bestelt. Ik vertel hem dat ik vind dat hij een leuke naam heeft, omdat ik erg veel van vogels houd. Hij zegt dat het een bijnaam is, want toen hij zeven was, is hij een keer uit een raam op de eerste verdieping gesprongen om te proberen of hij kon vliegen. Daarbij brak hij zijn arm en sedert die tijd heeft zijn familie hem altijd Wing genoemd.

'Echt waar?' zeg ik.

Hij geeft me een knipoogje. 'Nee. De naam komt oorspronkelijk uit Wales en wordt w-i-n-q-u-e-t gespeld.'

Ik schiet in de lach en uiteindelijk zitten we gezellig over koetjes en kalfjes te praten terwijl de duisternis invalt en het fris begint te worden. Even later komt Melissa terug in een lange broek en een T-shirt. Ze heeft haar haar in een paardenstaart gedaan en kennelijk haar make-up ververst. Daarna duikt Conner eindelijk ook weer op, met een boos gezicht.

'Hebben jullie zin om samen met ons iets te eten?' kwinkeleert Melissa als een volmaakte gastvrouw.

Voordat ik iets kan zeggen, antwoordt Conner haastig: 'Nee, dat gaat echt niet. Maar bedankt.'

Ik doe mijn best om niet vernederd over te komen als hij me naar mijn auto brengt en me trakteert op een of ander lang verhaal over eerder gemaakte plannen waar hij niet onder uit kan, hoezeer hem dat ook spijt... bla bla bla. Mij best, zeg ik, ik heb toch meer dan genoeg te doen, maar het klinkt niet erg overtuigend. Zelfs niet in mijn eigen oren.

Ik vraag me af wat zijn studenten zouden zeggen als ze met deze kant van hem werden geconfronteerd. Dat gevoelige 'ik ben één met de natuur'-imago van hem is dus ook maar lulkoek. Hij wilde winnen. Per se. Ik was er alleen maar voor de vorm bij. Nou, als Samantha hem zo graag wil hebben, dan kan ze hem krijgen. Ik kijk hem na terwijl hij naar zijn auto loopt, met zijn handen in zijn zakken gepropt, het racket onder zijn arm. Zijn blik is op de grond gericht, alsof er iets heel interessants gebeurt rond zijn voeten, dan rukt hij het portier open en smijt zijn spullen op de achterbank. Zijn telefoon gaat over, hij neemt aan en stapt in de auto.

Als ik over dat keurig verzorgde pad der dwazen rij, hoor ik alleen nog maar zijn stem in mijn oren toeteren: 'VOOR MIJ! VOOR MIJ! VOOR MIJ!'

NEGENENDERTIG

Het is die avond een drukte van belang bij Costco. De mensen staan te duwen en te trekken om in de rij te kunnen staan voor allerlei gratis hapjes, zoals knakworstjes, brownies en stukjes kipsaté. Het is de drukke tijd voor Kerstmis, die in de winkels al meteen na Halloween begint. Ik zie moeders achter volgepakte en hoog opgestapelde winkelwagentjes, terwijl hun kids als gekken door de gangpaden hollen en zich op het uitgestalde speelgoed storten. Ik heb vrienden die hier een kropje sla kwamen halen en thuiskwamen met een elektrische piano.

Ik weet niet precies waar de wijn staat, dus loop ik naar de enige plek waar het niet druk is en vraag het aan twee vrouwen die aan een klaptafeltje zitten. De een is blond, de ander donker en ze zien er allebei lijdend uit, met een gemaakte glimlach op hun gezicht. Dan zie ik de enorme poster achter het tafeltje waarop hun boek wordt aanbevolen. O jeetje. Hier worden boeken gesigneerd.

'Wilt u misschien een boek kopen?' vraagt de een hoopvol.

'Straks misschien,' zeg ik en prent mezelf in dat ik dit gangpad op de terugweg moet mijden.

'Cassie!' schreeuwt Tiff van de andere kant van de winkel.

Haar karretje is al volgestouwd met poinsettia's, koekjes, kerstcadeautjes en haar nieuwste zelfhulpboek, *Van eten word je niet dik (Tenzij je dat echt denkt)*.

'La, la, la, la, la, la, la, la,' zingt ze. 'Volgens mij heb ik zo'n beetje alle kerstcadeautjes voor kantoor.' Dan werpt ze een blik op de wijn en de rum in mijn karretje en zegt: 'Is dat alles? Neem je niet meer mee?'

'Nou ja, ik heb de lasagne nog niet opgehaald... en de hapjes en de dipsaus ook niet.'

'Maar neem je geen sterke drank mee? Dat wordt een gezellig feestje.'

'Mijn baas zei dat het allemaal sociale drinkers zijn.'

'Wat betekent dat nou weer? Niemand is een sociale drinker en als ze dat wel zijn, hebben ze een klotefeestje. Je wilt er toch een gezellige avond van maken?'

'Nou ja... ze zei ook dat ik maar op mijn eigen oordeel af moest gaan.'

'Goed zo. Waar is de tequila?'

Behalve de vijf enorme flessen Viva tequila, 100% gegarandeerd, doen we er een kratje Corona bij, limoenen, plastic borrelglaasjes, een vegetarische schotel, zes enorme Stoufferlasagnes, guacamolesaus, salsa- en cornchips en een stel diepvriespizza's.

Tiff zet er ook nog een paar dozen met chocolade bedekte whiskyballen van Jack Daniel's bij.

'Daar zijn mensen echt gek op. Je kunt al tipsy worden van twee van die dingen.'

We gaan voor de kassa in de rij staan, ik met mijn twee karretjes en Tiff met één.

'Heb je nooit meer iets van Freddy gehoord?'

'Nee.'

Ik heb het gevoel dat het heel lang geleden is dat ik Tiff in vertrouwen heb genomen. Als ik haar had verteld dat het Conner is die mijn gedachten in beslag neemt en niet Freddy, dan zou het een hele toestand worden en daar heb ik geen zin in.

'Ik heb het gehad met Freddy.'

'Zal ik dan een afspraakje voor je regelen met een vent die ik laatst ontmoet heb? Echt een stuk en net gescheiden. En je weet, dan moet je ze meteen in hun lurven pakken. Dat soort kerels loopt hier niet lang vrij rond.'

'Liever niet,' zeg ik en zie Tiffs gezicht betrekken. 'De laatste was een regelrechte ramp.'

Inmiddels heeft de caissière een grote kar laten aanrukken om al onze troep te vervoeren. Mijn kassabon is bijna een meter lang en krult om als een kerstserpentine. Ho ho ho!

Het zou een volmaakt winkelavondje zijn geweest, als er niet nog iets was gebeurd. Op de parkeerplaats trekt Tiff een blik kaviaar uit haar beha.

'Om te beginnen kun je dit met die chique vrienden van je delen,' zegt ze trots.

'Jezus christus, Tiff, wil je soms gearresteerd worden?'

'Wil je het niet hebben?'

'Nee, ik wil het niet hebben,' snauw ik. 'Ga het meteen weer terugbrengen. Zeg maar dat je het vergeten was.'

'O, nou, goed hoor.' Ze slaat dramatisch haar armen over elkaar alsof ze de maagd Maria in eigen persoon is, slaat haar ogen ten hemel en zegt: 'Vergeef me alstublieft, ik was het vergeten.' Dan lacht ze een beetje ongemakkelijk. 'Maak je niet druk, ik breng het wel terug.'

'Goed,' zeg ik met een strak gezicht. 'Ik wacht hier wel.'

'Weet je, Cassie, af en toe heb ik gewoon het gevoel dat je van me af wilt. Je belt me nooit. Je komt nooit meer naar ons toe. Ik bedoel, ik heb het niet over dat jatten, dat was gewoon stom. Ik wou grappig zijn. Maar vroeger werd je daar nooit kwaad om. Wat is er toch aan de hand?'

'Niets. Ik ben gewoon moe. Ik werk me een ongeluk met al die cursussen erbij. En je weet best hoe moeilijk het voor me is om gewoon te gaan zitten lezen. Ik doe er drie keer zo lang over als een ander om alles klaar te krijgen.'

'Dat weet ik. Sorry, hoor. Maar ik heb toch het gevoel dat je mij niet meer ziet zitten.'

'Doe niet zo belachelijk. Ik ben dol op je,' zeg ik, als Tiff ineens begint te huilen. O, god.

'Ik denk gewoon dat je door je nieuwe baan en je nieuwe leven een stap verder bent gekomen en dat ik niet meer meetel.'

'Hè Tiff, toe nou. Niet huilen. Ik ben alleen maar volkomen in de war.' Ik pak een verfrommelde tissue uit mijn tas en geef die aan haar.

'Oké. Laat maar zitten. Het doet er niet toe.' Ze snuit haar neus.

'Nee. Je hebt gelijk. Wil je weten wat er echt aan de hand is? Er is op het werk een professor die ik echt aardig begon te vinden en die heeft me gevraagd of ik afgelopen zaterdag samen met hem wilde dubbelen op een enorm chique country club. Maar het werd een compleet fiasco. Hij had voor 's avonds met iemand anders afgesproken en op de baan was hij zo fanatiek als de pest. Terwijl ik natuurlijk geen bal raakte.'

'Welke country club? Echt waar?' Daar kikkert Tiff weer van op.

'Dat doet er niet toe. Waar het om gaat, is dat ik niet snap waar hij naartoe wil. Af en toe krijg ik het idee dat hij me echt aardig vindt en dan ineens denk ik weer dat hij zich alleen maar een beetje amuseert met die rare natuurfreak van kantoor.'

'In dat opzicht ben je écht een beetje geschift,' zegt ze. 'En dat weet je best. Maar goed, vertel op. Wat had je aan?'

'Ik zag er verschrikkelijk uit.'

'Vast niet. Je ziet er nooit verschrikkelijk uit. Nooit meer, tenminste. Je bent zo chic en mooi terwijl je dat niet eens schijnt te weten.'

We blijven nog even doorpraten over Conner en hoe langer we daar staan te kwekken, des te sterker dringt het tot me door dat Tiff altijd heel hoog op mijn lijst van favoriete personen heeft gestaan, ergens in de buurt van mijn moeder en Sam. Ze durft te wedden dat Conner me wel zal bellen, ook al had ik geen sexy tennispakje aan. 'Hij is een ontwikkeld man die klassieke schoonheid meteen herkent.'

Ik geef haar een stevige knuffel. 'Wil je dat ik meega om dat verrekte blik kaviaar terug te brengen?'

'Oké,' zegt ze. 'Maar zorg er wel voor dat ik niets meer koop.'

VEERTIG

'Maar besef je wel dat als Napoleon de moeite had genomen om op weg naar Moskou de vluchten ooievaars en kraanvogels die over zijn leger vlogen te bestuderen, de hele geschiedenis van Europa een totaal ander verloop had kunnen krijgen?'

'O ja?' zeg ik terwijl ik mijn best doe om ongeïnteresseerd te lijken. Conner leunt achter mijn bureau tegen het kopieerapparaat, weer even charmant als altijd. Dat boze rimpeltje dat steeds verscheen als ik een bal verprutste, is verdwenen en hij heeft kennelijk niets anders te doen.

'De vogels wisten dat er een bijzonder strenge winter op komst was en dus vlogen ze als de wiedeweerga naar het zuiden, maar Napoleon bleef met zijn leger naar het noorden marcheren. Eigenlijk verbazingwekkend als je erover nadenkt.'

Ons tennispartijtje ligt inmiddels bijna een week achter ons. Ik heb zoveel mogelijk vermeden om naar boven te gaan en gelukkig heeft hij het merendeel van de tijd met een paar van zijn ouderejaars in conclaaf gezeten. En dat is maar goed ook, omdat ik als een gek heb zitten leren. Wat een klootzak om me niet eens even te bellen.

'En, Cassie, wat vond je van Wing?'

'Een sportieve vent.'

'In tegenstelling tot mij.'

'Nou ja. Je weet wat Plato heeft gezegd: "Je komt meer over

een persoon te weten door een uur met hem te spelen dan een jaar met hem te praten.""

'Leuk, hoor, Cassie. Hoe heet die professor van je ook alweer?'

'Brooks.'

'Die heeft een monster geschapen.'

'Helemaal niet. "Filosofie is de grootste muziek." Ook Plato.'

'Ik vind hem zwaar overschat. Enfin, het spijt me echt van dat partijtje. Ik wil nog wel eens doordraven. Maar ik moet je een compliment geven. Wing wil dat ik je nog eens meebreng en volgens mij niet vanwege je slagenrepertoire. Ik geloof dat hij het woord "fascinerend" gebruikte, met de nadruk op een "fantastische beenderstructuur".'

'Vertel hem maar dat ik dat heel leuk zou vinden.'

'Ik pieker er niet over. Hij is een flirt,' snauwt Conner.

'Ik vond hem wel interessant,' zeg ik om hem te jennen.

'Ik had nooit gedacht dat hij jouw type was.'

'Wat is mijn type dan?' vraag ik.

'Intellectueel, welbespraakt, bescheiden, een natuurliefhebber, man van de wereld en charmant.'

'Je bent nog een paar dingen vergeten. Zoals competitief, heerszuchtig, kritisch en een hork op de baan.'

'O, dus je hebt er echt plezier aan beleefd?'

'Nou en of. Het kon niet op.'

'Moet je horen. Dat ik er ineens zo op stel en sprong vandoor ging...'

'Je hoeft je niet te verontschuldigen.'

'Nou ja, ik zat in de problemen.'

'Omdat je vrouw je niet begrijpt?'

'Grappig hoor. Begin maar met ex-vriendin.'

'Weet ze al dat ze ex is?'

'Nu wel.'

We horen voetstappen en Pearce verschijnt in de deuropening met een pak papier in haar handen.

'Ik stoor toch niet?' vraagt ze.

'Nee, hoor,' zeg ik. 'We hadden het net over de terugtocht van Napoleon.'

'Ik heb nooit veel belangstelling gehad voor de Fransen. Maar vertel dat alsjeblieft niet verder. Is alles voor het feest geregeld, Cassie?'

Ik vertel haar dat ik nog een paar dingen zal moeten halen en als ze wegloopt, werpt ze Conner en mij nog een nadenkende blik toe. Niets ontgaat Pearce.

'En op wat voor festiviteiten ga je ons morgen vergasten?' vraagt Conner.

'Dat is een verrassing.'

'Ik ben dol op verrassingen.'

'In dit geval gaat het om enorme marimba's, tequila en met chocolade bedekte Jack Daniel's-ballen.'

'Je maakt me altijd aan het lachen.'

'Jij maakt me altijd boos.'

'Daar zullen we dan iets aan moeten doen.'

EENENVEERTIG

Het is vijf uur en nog steeds warm en zoel. Ongebruikelijk voor de tijd van het jaar, zelfs in L.A. Ik draai het raampje van mijn auto open als ik voor Conners huis stop en een wolk naar sinaasappelbomen geurende lucht slaat me in het gezicht. Ik blijf in de stilstaande auto zitten, met de radio aan. Ik geniet zo van het prettige gevoel dat er iets leuks gaat gebeuren dat ik eigenlijk geen zin heb om de motor uit te zetten en naar binnen te gaan. Door het raam zie ik mensen met meubels sjouwen. Het is een drukte van belang: kelners met bladen en andere mannen met emmers vol ijs. Ik denk aan de dingen die ik altijd het leukst vond als ik naar een feestje ging: drank, hapjes en leuke mannen, niet noodzakelijk in die volgorde. En nu verheug ik me op felle discussies met academici, vol intelligente, spitse opmerkingen. Nou goed, en ook een beetje op Conner.

Alison had eigenlijk mee gemoeten om te helpen, maar 'ik ben geen werkster' heeft ze tegen me gezegd. En daarna heeft ze Pearce op de mouw gespeld dat ze hoognodig de stad uit moest.

Conners huis is in de jaren dertig gebouwd door een ster uit de tijd van de stomme film die kennelijk van dramatiek hield. Het huis lijkt op een van rotsblokken gebouwde berghut. Massieve eiken pilaren ondersteunen een plafond vol balken, de vloeren zijn van donker steigerhout en er is een grote stenen open haard die nu versierd is met dennentakken en mistletoe.

Ik moet ineens denken aan hoe Conner zijn huis beschreef toen ik hem voor het eerst ontmoette. Hou het simpel? Ja, dááág. Dit huis staat net zo vol als dat van andere mensen. De kamer is afgeladen met enorme, zware meubels die volgens een van de aanwezigen van Indonesisch teakhout zijn gemaakt. Plus fel gekleurde losse kussens, stapels boeken, folders, hondenspeeltjes en bijna opgebrande kaarsen die spetters kaarsvet hebben achtergelaten op de tafels en de vloer.

Ik kijk naar mezelf in de spiegel naast de deur. Het was mijn bedoeling om eruit te zien alsof ik geen moment aan mezelf heb besteed. Uiteraard heeft me dat ettelijke uurtjes gekost. Ik moest mijn haar wassen en föhnen, mijn benen, armen en andere plekjes ontharen, me opmaken met een discrete hoeveelheid mascara, blush, eyeliner en doorzichtige foundation, me aankleden en weer uitkleden, leuk ondergoed en een push-up-beha. Maar het is me gelukt. En ik ben nog steeds dol op mijn zwarte jurkje, zelfs na alles wat het mee heeft gemaakt.

Toen ik tegen mijn moeder zei dat we iets bijzonders wilden voor het kerstfeestje van de faculteit raadde ze me aan om een marimba-orkest te huren in plaats van een strijkkwartet. Het Wildlife Center had die band vorig jaar ingehuurd voor hun jaarlijkse fondsenwerving en het was een groot succes. De muzikanten zijn op dit moment bezig om hun instrumenten uit te laden en ze zien eruit als een stel clowns dat uit een Volkswagenkever komt buitelen. Een lange, een kleine, een gezin van vier personen, drie tieners en twee oudere kerels slepen een draagbare piano met het formaat van een ouderwetse sleepboot, een bas en uiteindelijk de marimba's naar binnen.

Het hele stel ziet eruit als een troep ouder wordende hippies en, o ja, had ik het al over hun krijsende kinderen gehad die op blote voeten rondrennen als een stel idioten? Een van de kinderen, een knulletje van een jaar of elf met zijn haar in een soort kleine hanenkam, giert langs me heen met een enorme groene plastic zonnebril op. Hij heeft Ahab helemaal opgefokt door hem te plagen met uit de keuken gejatte knakworstjes.

'Raven, hou op met dat gelazer en kom hier,' schreeuwt een van de mannen. Raven doet net alsof hij niets hoort.

'Hallo? Cassie? Ben je daar? Wat een interessante muziek-keuze,' zegt Pearce met twinkelende oogjes. 'Ik ben dol op ker-misorkesten.'

Ze draagt een feestelijk rood mantelpakje met een uitbundi-ge broche en stelt me voor aan haar jeugdvriendin Marion, die rond de een meter vijfentachtig is met vossenrood geverfd haar dat een dode indruk maakt. Je kunt precies zien waar de verf ophoudt en de uitgroei van bruin met zilver begint. Het tl-licht in de keuken benadrukt de oranjekleurige make-up die nu al op haar gezicht samenkoekt.

'Leuk om kennis met je te maken,' zegt Marion met een grui-zige stem terwijl ze mijn hand verplettert. Ze is gekleed in een oversized turquoise tuniek die haar bolle buik moet camou-fleren.

'Dus jij bent het meisje dat zoveel van de natuur houdt,' zegt ze met een scheef lachje alsof ze op het punt staat een grapje te maken.

'Hallo, natuurkind,' zegt Conner met een vermoeide glim-lach als hij de keuken komt binnenwaaien en zijn stropdas rechttrekt. Hij doet een stap achteruit en bekijkt me uitgebreid van top tot teen, voordat hij zich bukt om een kus op mijn wang te drukken. 'Je ziet er vanavond heel erg stads uit,' fluis-tert hij in mijn oor.

Pearce en Marion kijken elkaar even aan.

'Hallo, dames. Even mooi als altijd.'

'En jij bent nog steeds dezelfde charmeur,' zegt Marion ka-meraadschappelijk.

'Wat gebeurt er daarginds?' vraagt hij als we een van de mu-zikanten horen schreeuwen: 'Zet die verdomde tafel eens weg, zo maak je een zootje van mijn kabels!'

'Dat zijn de muzikanten die je moeten vermaken,' grinnikt Pearce, terwijl ze zijn kraag rechttrekt. 'Je ziet er echt knap uit en je hebt zelf gezegd dat je genoeg had van al die strijkkwartetten.' Ze geeft me een knipoogje terwijl ze hem schaamteloos stroop om de mond staat te smeren.

Uit de woonkamer komt het geroezemoes van mensen die levendig met elkaar staan te praten. De gasten beginnen achter elkaar te arriveren, de meesten met een bijdrage in de vorm van hapjes. Conner gaat met een welgemeende glimlach bij de deur staan en begroet iedereen met 'mag ik je iets te drinken aanbieden?', 'zal ik je jas aannemen, of dat blad?', 'wat leuk dat je kon komen' of 'geweldig om je weer te zien'.

De volmaakte gastheer.

Hij grijpt een paar van de mannen stevig vast, met een vleugje van 'ouwe-jongens-krentenbrood'. Het zullen wel studievriendjes zijn.

'Ha, die Brad. Wat zie jij er beroerd uit. Lijk ik ook al zo oud?' zegt Conner gekscherend tegen een van zijn oude vrienden.

'Nee. Jij hebt nog haar, klootzak,' reageert Brad joviaal.

De band is nog steeds bezig met het opstellen. Als ik vraag hoe lang het nog duurt, zegt de vent die de leiding heeft: 'Rustig maar, we zijn bijna zover.' Ik loop terug naar de bar en neem nog een tweede glas wijn. Om me heen wordt druk gekletst.

'College geven aan eerstejaars is pure tijdverspilling,' zegt een man in een jolige rode trui met grijnzende elven die cadeautjes op een slee stapelen.

'Tweedejaars zijn geen haar beter,' antwoordt zijn broodmagere gesprekspartner.

'Parker heeft net weer iets gepubliceerd.'

'De smeerlap.'

'Nou ja, hij hoeft ook nauwelijks college te geven.'

'Hoe gaat het met dat boek van jou?'

'Dat is al in negentien talen vertaald, met inbegrip van Keltisch.'

'Wat geweldig.'

'Ik maakte een grapje. Ik ben nog steeds op zoek naar een uitgever.' Met een gemaakt lachje.

'Waar gaat het precies over?'

'Ach, je weet wel. Het leven. Maar ik mag er echt niets over zeggen.'

Twee vrouwen die samen in een hoekje staan, kijken naar een man van middelbare leeftijd die net binnen is gekomen.

'... onlangs gescheiden van de vrouw met wie hij dertig jaar getrouwd is geweest.'

'... woont in het centrum, in de universiteitsclub.'

'... een of andere ouderejaars.'

Een echtpaar komt door de voordeur naar binnen, een professor en zijn vrouw, die een vest met een bontkraag draagt. 'Denk je dat het veilig is om mijn vest boven neer te leggen?'

'Dat weet ik niet, lieverd. Hij heeft wel een hond.'

'Dat bedoel ik niet,' snauwt ze. 'Ik bedoel dat er ook studenten zijn.' Haar man kijkt haar even aan en hangt het vest zonder iets te zeggen over zijn arm.

Een groep enthousiaste ouderejaars die zich kennelijk niet helemaal op hun gemak voelen in hun nette pak staat bij de bar glazen wijn achterover te slaan. Twee van hen leunen tegen de deurpost.

'Ik begreep Rilke omdat hij begrip kon opbrengen voor het lijden van de mens. Hij respecteerde het. Maar die literatuurprof heeft me echt een verschrikkelijke loer gedraaid.'

'Die vent haalde ook nul komma nul punten op de lijst van de studenten. Je had je nooit voor dat college moeten opgeven.'

'Dat hoef je mij niet te vertellen. Het was het enige werkstuk dat ik dit semester heb gemaakt waar ik echt trots op was en hij zei bijna letterlijk dat het kul was. Waarom zou je je dan nog druk maken?'

'Mijn idee.'

Ze slenteren naar de tafel met de hapjes waar een van de twee een garnaal uit een schaal plukt, het lijfje in zijn mond steekt en de staart op de grond gooit.

Aan de andere kant van de kamer staat Conner met zijn rug

naar me toe met een groep studenten te praten. Hij beschrijft een van zijn avonturen met behulp van zijn handen... ernstig en geanimeerd.

Pearce en Marion komen naar me toe slenteren en zien dat ik naar hem sta te staren.

'Vertel eens, lieverd, gaan Conner en jij veel met elkaar om?' vraagt Pearce moederlijk.

'Niet echt.' Ik moet meteen denken aan wat Conner over 'niet echt' zei: is het 'echt niet' of 'echt wel'?

'Want je weet toch wel waar je met Conner aan toe bent, hè?' Pearce kijkt me streng aan.

'Ellende,' zegt Marion met een grijns.

'Hij is een schat hoor, echt waar. Ik ben dol op hem. Maar je moet wel weten dat hij van variatie houdt,' vervolgt Pearce.

'Hij is nooit getrouwd,' voegt Marion daar nadrukkelijk aan toe. Voor het geval ik het niet begrijp. Maar ik begrijp het donders goed.

'En hij kan wonderbaarlijk goed met vrouwen omgaan. Je zou het zelfs geniaal kunnen noemen. Zijn hoffelijkheid, zijn gave om de gek met zichzelf te steken, zijn ongelooflijke talent om iemand te ontwapenen en dan te verdwijnen... Alles bij elkaar fatale gaven als het om jou gaat,' zegt Pearce op een beschermend toontje.

'Je vindt het toch niet erg dat we dit tegen je zeggen, hè?' dringen ze allebei aan.

'Nee hoor. Helemaal niet. Bedankt voor de waarschuwing,' zeg ik met een gedwongen lachje. Goed, hij is dus een versierder. Alsof ik dat niet allang wist.

'Je moet alleen nooit aanbieden om op zijn hond te letten. Daar schiet je niets mee op,' zegt Marion terwijl ze haar platte schoenen uit schopt. 'Lieve hemel, wat doen mijn voeten zeer. En het feest is nog niet eens begonnen.'

Nu drijft Conner iedereen naar buiten, waar hij op de binnenplaats op het podium klimt en de microfoon pakt.

'Voordat de muziek begint, heb ik nog een belangrijke mededeling voor jullie. Mijn goede vriend en collega Hank heeft alweer, voor het derde opeenvolgende jaar, de Edward Lear Society Limerick Award gewonnen! Vandaar dat ik hem heb gevraagd om een van zijn beste werkstukjes voor te dragen. Kom op, Hank!'

Iedereen klapt, behalve Marion die haar beide wijsvingers in haar mond steekt, een imposant paardengebit toont en een schel gefluit produceert dat je eerder in een stadion zou verwachten.

Hank loopt aarzelend het podium op. Het is de geologie-professor die zo weinig punten scoorde in de populariteitspoll. Hij draagt een gestreepte das en een lang, bosgroen vest. Als hij de microfoon pakt, ligt hij bijna op zijn neus. Meteen daarna gebaart hij dat iedereen moet ophouden met klappen. Zijn neus is even rood als die van Rudolf en zijn ogen staan glazig. Hij heeft hem al behoorlijk zitten. Dit kan leuk worden.

'Welke?' vraagt hij met een elfachtige glimlach aan Conner.

'Kies zelf maar,' zegt Conner.

'Weet je, ik heb het nooit leuk gevonden om voor te dragen, maar nu voel ik me fantastisch. Dat zal wel door de alcohol komen. Vooruit met de geit!' zegt Hank.

'Als ik tijdens het vrijen Bach draaide,
Stond mijn lief in lichterlaaie
Maar als het om Beethoven ging
Kwam ik er nooit bij haar in.
Ludwigs muziek was niet om te naaien.'

'Sjonge jonge!' schreeuwt iemand achteraan. Enthousiast applaus. 'Bis, bis, bis!' roept iedereen. 'Kom op, Hank!' Hank schuifelt met zijn voeten, blozend van het succes. Hij neemt nog een stevige slok tequila en gaat door.

'Wellustige wiskundeballen
Neuken in standjes met priemgetallen.

Ze kunnen de inspanning niet velen,
Om tijdens het naaien ook nog te delen
En zo in hun eigen kwakkie te vallen.'

Conner straalt. Pearce giechelt, terwijl Marion staat te hinni-
ken en te snuiven. Ik geloof dat ze lacht. De rest van de gasten
is niet meer te houden. 'Nog één!'
'Smeriger!' schreeuwen ze. Inmiddels is Hank niet meer van
het podium te slaan. Hij begint nu pas op gang te komen.
'Jullie hebben erom gevraagd!' schreeuwt hij.

'Demosthenes was een groot redenaar
Hij kreeg de mooiste jongens klaar.
Steeds als hij door de knieën ging
En die lul tussen de tanden ving
Werden al die woorden waar.'

Iedereen brult van het lachen. Nu weet ik wat intelligente mensen op een kerstfeestje doen. Ze vertellen schuine moppen in
de vorm van gedichtjes. Ik zie dat Conner Hank gebaart dat
het mooi is geweest door zijn vinger over zijn keel te halen,
maar Hank is nog niet zover. Geen denken aan!

'Ik houd zo van mijn hartendief,
Kreunt en steunt Pinokkio's lief.
Want met zijn neus onder mijn rok,
Brengt die houten jokkenbrok
Me met een leugen mijn gerief.'

Conner heeft er eindelijk genoeg van. Hij gebaart dat de band
moet gaan spelen en Hank verlaat het podium vol triomf
onder het schreeuwen van: 'Saluut, iedereen! Pluk de dag!' Als
hij zich zo tijdens zijn colleges zou gedragen, zou hij gegarandeerd boven aan de lijst komen te staan.
Conner en ik staan naast elkaar tegen de muur geleund en

terwijl de meute zich verspreidt, zie ik dat Hank naar een aantrekkelijke vrouw toe schuifelt.

'Is dat zijn vrouw?' vraag ik.

'Welnee. Hank is niet getrouwd. Hij is wel een keer waanzinnig verliefd geweest, maar zij gaf niets om hem.'

'Wat triest.'

'Dat was het inderdaad. Ik ben samen met hem naar Yosemite gegaan om hem wat op te vrolijken. We hebben ons vol laten lopen, Muir gelezen en ik heb me als een Cyrano gedragen door brieven aan zijn geliefde te schrijven,' lacht hij.

'Daar was je dan kennelijk heel goed in.'

'O ja. Die brief was heel goed, al zeg ik het zelf. Eens even denken... ik heb wat teksten van Whitman gejat... *maar als we samen zijn onderga ik alle geneugten van de hemel en alle ellende van de hel... o, onuitsprekelijke hartstochtelijke liefde...* Ik geloof dat ik zelfs geëindigd ben met *Kom tot me in deze Waanzinnige, Naakte Zomernacht.* Hank vond het allemaal veel te overdreven, dus hij heeft hem nooit verstuurd. Die vrouw heeft zijn hart gebroken.'

Ik vraag me even af of ik hem zal vertellen dat die brief op dit moment in de la van mijn nachtkastje ligt. Maar dan bedenk ik me. Het was dus gewoon Whitman!

Conner buigt zich naar me over en fluistert: 'Wat zou jij denken als je zo'n brief kreeg?' Zijn stem klinkt warm en decadent en ik druk mijn rug tegen de muur en probeer me uit alle macht staande te houden.

'Ik denk dat alles heel anders was verlopen als Hank die brief wel had verstuurd.'

TWEEËNVEERTIG

Het feestje was in het 'Wie Doet Me Wat'-stadium beland. Het gezang begon met een geestdriftige maar valse uitvoering van 'La Bamba' die naadloos overging in een oorverdovend 'Stille Nacht'. Met behulp van mams band en Tiffs tequila kregen we de voetjes wel van de vloer.

Op een gegeven moment klommen Pearce en Marion op het podium, grepen de hamers en begonnen woest met de band mee te timmeren. In ieder geval tot Marion omviel van de pijn in haar borst en iemand het alarmnummer belde. Maar tegen de tijd dat de ambulance arriveerde, was de pijn alweer weg en liep ze samen met Pearce gezapig de deur uit.

En nu is iedereen verdwenen, behalve twee professoren van wie de ene zo dronken is, dat hij een soort geschrokken, glazige poppenogen heeft. Je zou toch denken dat ze wisten wat hun te doen stond. Tiff zegt altijd dat dit soort gedrag regelrecht in haar Guinness Boek van Onbeschoft Gedrag wordt genoteerd... mensen die na een feestje blijven plakken. Ze wachten tot alle gasten weg zijn, lopen de keuken in alsof ze in hun eigen huis zijn en snuffelen in de koelkast op zoek naar etenswaren die al opgeruimd zijn. Dan gaan ze naar de bar en halen flessen tevoorschijn die nog niet eens opengetrokken zijn. En ze blijven gewoon doorgaan met kletsen tot je de neiging krijgt om ze toe te schreeuwen: 'Rot alsjeblieft op!' Dit duo zit nog steeds op hun dikke reet gewichtig over muziek te ouwehoeren.

'Medelssohn, Shmendelsson. Ik heb het over échte muziek.'

'Zoals de Vierde van Sibelius? Dat is zijn beste, hoor.'

'Nee. Het is zijn énige.'

Ik werp Conner een smekende blik toe terwijl ik de sigaret-tenpeuken uit de bank vis, lege tequilaglaasjes uit kamerplanten pluk en platgetrapte garnalenstaarten van de grond veeg. Pearce heeft hem beloofd dat we het huis in dezelfde staat achter zouden laten als toen we erin kwamen. Vergeet het maar. Conner begrijpt wat ik bedoel en werkt de kerels de deur uit.

'Goddank,' zeg ik. 'Hoe heb je dat voor elkaar gekregen?'

'Ik heb gewoon gezegd dat ze nu naar huis moesten.'

'Echt waar?'

'Er gaat niets boven de waarheid. Ze vonden het helemaal niet erg.' Hij pakt me bij mijn arm. 'Kom op. Ik wil je iets laten zien.'

Ik loop achter hem aan naar buiten. Het is nog steeds warm en de krekels maken zo'n herrie dat ze op sleebellen lijken. We gaan op de achtertrap zitten en hij kijkt me aan, met zijn kraag scheef en zijn haar rechtop in de wind.

'Goed, ik heb dus de band betaald, heb ze verteld dat ze echt geweldig waren en ze een flinke fooi gegeven en raad eens wat ik toen van hen kreeg?'

'Een vijfhonderd pond wegende concertmarimba?'

'Bijna.' Hij steekt zijn hand in zijn zak en haalt er een joint uit. Een dikke vette joint. 'Ze zeiden dat dit echt goeie shit was. Wat denk je ervan?'

'Heb je vuur?' vraag ik.

Hij steekt hem op en trekt er zo hard aan dat het vloeitje het bijna begeeft. Dan houdt hij meer dan een minuut zijn adem in, terwijl zijn gezicht vertrekt alsof hij met gewichten staat te stoeien. Pas dan blaast hij de rook weer uit, een beetje kokhalzend en snakkend naar adem.

'Echt geweldig,' zegt hij met een verstikte stem, als hij de joint aan mij geeft.

'Ik zie het,' zeg ik. De laatste keer dat ik marihuana heb gerookt was op de middelbare school, maar daar denk ik nu even niet aan. Ik steek de peuk in mijn mond en hij houdt er een lucifer bij terwijl ik inhaleer. Een fel licht flitst over zijn gezicht en geeft hem het uiterlijk van een heilige. Ik voel zijn hand op mijn dijbeen en een vleugje van dreigend onheil.

We blijven de joint doorgeven tot er nog maar zo weinig van over is dat ik mijn vingers brand.

'Goed spul,' zeg ik. Ik hoor zelf dat ik al een beetje giechelig klink.

'Het is verdomme gewoon een kerstmirakel,' lacht hij.

'Zal ik je eens wat vertellen?' zeg ik. 'Mildred heeft me verteld dat ik voor je moet oppassen.'

'Mildred?'

'Ja, die vriendin van Pearce,' zeg ik grinnikend, voordat ik begin te schateren van het lachen.

'Je bedoelt Marion,' zegt hij en schiet ook in de lach.

'Wat is dat eigenlijk voor mens?'

'Een vuurvreter uit het circus.'

'Welnee. Ze is een olympische kogelstootster.'

'Ze heeft een kat die Mr. Tickles heet.'

'Die op kleine muisjes jaagt en ze vervolgens de nek omdraait.'

'Ze is verslaafd aan chocola.'

'Heb jij chocola? Ik rammel van de honger,' zeg ik.

'Ik denk dat we dat wel even kunnen regelen.' Hij verdwijnt en komt terug met een handvol van Tiffs Jack Daniel's-ballen, die ik achter elkaar naar binnen werk. Ze smaken verrukkelijk.

Ik hou er een paar omhoog. 'Die dingen zijn echt ongelooflijk,' zeg ik.

'Jij bent ongelooflijk,' zegt hij, terwijl hij zich vooroverbuigt en me kust. Ik was vergeten hoe heerlijk het is om te kussen als je stoned bent en word overvallen door een plotseling oplaaiende hitte, die mijn borsten en mijn onderbuik dwars door mijn jurk heen met een laag kolkende lava bedekt. Ik sla meteen mijn armen over elkaar en voel mijn wangen gloeien van onvervalste lust. Zou hij iets merken? Als ik mijn ogen opendoe, zie ik dat hij me aanstaart. Als hij geen hand uitsteekt, stort ik me gewoon op hem, denk ik. Hij lacht een beetje en kust me opnieuw, waarbij hij voorzichtig mijn onderlip naar binnen zuigt. Dan deinst hij weer achteruit, waardoor ik bijna op het punt beland dat ik ga smeken. Waarom doet hij dat? Beseft hij dan niet dat ik hier mijn uiterste best zit te doen om me te beheersen en mezelf in te beelden dat wat er met mijn lijf gebeurt gewoon niet waar is en dat ik die zenuwslopende, wilde verlangens die iedere keer dat hij me aanraakt oplaaien wel kan negeren? Hou op, denk ik geïrriteerd, terwijl ik van harte hoop dat ik níét die roofzuchtige, waanzinnige blik in mijn ogen heb van iemand die echt zit te snakken. Doe nou rustig aan. Je bent stoned.

'Vertel eens, krijg je vrouwen altijd op een presenteerblaadje aangeboden?' vraag ik nonchalant, alsof ik mezelf volledig in de hand heb. Hij brengt zijn gezicht zo dicht bij het mijne dat ik een blauw adertje in zijn slaap kan zien kloppen.

'Nou ja, af en toe moet ik mezelf op een presenteerblaadje aanbieden en dan merken ze nog niets.' Hij kijkt me veelzeggend aan en staat dan ineens op. Vervolgens stopt hij een Jack Daniel's-bal in zijn mond en kijkt naar de lucht.

'Ik ben zoveel jaar op zoek geweest naar ongrijpbare wezens. Vogels, dieren, vrouwen. Nu is dit het enige wat ik nog wil. Alleen simpele genoegens. Lekker in mijn eigen tuin zitten en naar de nachtlucht kijken.' Hij bestudeert me alsof ik een zeldzaam luxueus voorwerp ben. Dan raakt hij mijn wang aan en stort zich min of meer op me.

'Weet je... jij hebt iets exclusiefs dat... ik weet het niet...'

Ik wijk iets achteruit en probeer uit te vissen wat hij precies bedoelt.

'Het is iets... iets onbeschrijflijks... je windt me gewoon om je vinger...' Hij snoert zichzelf de mond en lacht een beetje scheef.

'Ik zeg dit soort dingen eigenlijk nooit tegen iemand.' Hij is even stil. 'Tenzij ik met ze naar bed wil.' Hij lacht. 'En dat is helemaal niet waar,' jokt hij.

'Mooi zo,' zeg ik. 'Want ik ben niet degene die je denkt dat ik ben.'

'Wie ben je dan?'

'Tja…' Daar moet ik even over nadenken. 'Overdag ben ik gewoon Cassie, maar… 's avonds verander ik in de zeldzame, schitterende ivoorsnavelspecht. De meest begeerde vogel ter wereld.'

Hij is weer even stil. Ik glimlach en zeg: 'Heb je nog meer spul?'

Hij staat automatisch op, loopt naar binnen en komt terug met een zakje hasj en een hoge glazen waterpijp.

'Wat weet jij over de ivoorsnavel?'

'Wat weet jíj ervan?' vraag ik.

'Wat weet iedereen ervan? Het beest bestaat niet. Of hij bestaat wel, maar niemand kan het vinden.'

We nemen allebei een teug van de waterpijp en het water op de bodem borrelt op en wordt amberkleurig. Lekker zacht.

'Ik kan hem wel vinden. Ik weet waar ze zitten.'

'Ja, natuurlijk weet je dat.'

'Nee, echt waar.' Ik wil hem alles vertellen. 'Ik weet waar de ivoorsnavel zit.'

Hij buigt zich naar me toe en zijn slaperige stem dringt zacht mijn oor binnen.

'De ivoorsnavel. Wat een schitterende vogel,' fluistert hij.

DRIEËNVEERTIG

Het is een warme winterochtend. Ik kan horen dat het waait – alsof het buiten ver onder nul is – maar deze wind is de Santa Ana en die brengt alleen maar warme en stoffige lucht. Ik kijk naar de andere kant van het bed, waar niets zich verroert. Conner ligt vast te slapen, alsof hij een aangespoeld lijk op het strand is. Ik kan niet eens zien of hij ademt. Ahab ligt languit op het kleedje voor het bed. Hij tilt zijn kop op als hij het geritsel van de lakens hoort en als hij me aankijkt, hoor ik zijn staart tegen de grond roffelen.

Ik glip uit bed en loop stil op mijn tenen naar de badkamer. De houten vloer voelt koud aan onder mijn blote voeten en ik trek de witte badjas aan die aan een haakje bij de douche hangt. Pas als ik wat koud water over mijn gezicht heb geplensd, zie ik dat er twee tandenborstels in het glas op de wastafel staan. Tiff zegt altijd dat je alles over mensen te weten kunt komen door in hun medicijnkastje te kijken. Ik trek het open en bekijk de inhoud. Een hele serie vitaminepillen. Tegengif voor slangenbeten, een middel tegen muggen, scheermesjes, scheercrème, tandpasta en allerlei pijnstillende middeltjes, van Advil tot Tylenol. Twee tubes desinfecterende zalf. Op de een zit een plakkertje met 'Ahab'. Geen vrouwelijke spulletjes te bekennen. Misschien staat er ergens een toilettas. Ik kijk onder de wastafel en zie alleen een plastic mandje met schoonmaakmiddelen en een paar rollen wc-papier.

Ik loop terug naar de slaapkamer en zie Ahab bij de deur zitten. Als ik die rustig opendoe, stuift hij langs me heen, rent de keuken door en gaat via het hondenluik de tuin in. Op het aanrecht staat een koffiezetapparaat. Ik laat water in de pot lopen en stop dan. Waar ben ik mee bezig? Ik moet gewoon weggaan. De honden in de buurt blaffen de vroege vogels onder de joggers na als ik terugloop om mijn kleren op te halen. Conner zit rechtop in bed. Shit. Ik geneer me dood. Hij lacht en klopt op de lakens.

'Het is nog vroeg, kom maar gauw weer in bed.'

'Ahab moest eruit.'

'Nou, hij is nu buiten.'

'Ik moet eigenlijk naar huis,' zeg ik weifelend.

'Ik hoopte eigenlijk dat we samen konden ontbijten.'

'O. Ontbijten?'

'Je weet wel... geroosterde boterhammetjes, gebakken eieren... vannacht was trouwens fantastisch... sinaasappelsap. En misschien kunnen we daarna naar het strand rijden of zo.' Hij staat op en slaat zijn armen om me heen. 'Tenzij je daar geen zin in hebt.'

'Daar heb ik wel zin in.'

Hij leent me een grote wollen trui en een trainingsbroek en daar trek ik mijn zwarte pumps bij aan. Volgens mij moet dit de warmste decemberochtend in de historie zijn. Als hij het portier van zijn Land Cruiser opentrekt, is de lucht erin zo vochtig dat mijn zonnebril beslaat. We stappen in en hij zet alle raampjes wijd open.

'Jezus, het lijkt hierbinnen wel een sauna,' zegt hij terwijl hij zijn mouwen oprolt en dan met de flappen van zijn overhemd begint te wapperen om frisse lucht te creëren. Als hij de airconditioning aanzet, komt er een wolk warme lucht uit. We wachten even tot die kouder wordt, maar dat gebeurt niet.

'Ik zal wel antivries nodig hebben. Ik heb die airconditioning al sinds de zomer niet meer gebruikt,' zegt hij.

'Ik had beter een T-shirt kunnen lenen. Ik sterf van de hitte,' antwoord ik. Bovendien heb ik niet de moeite genomen om mijn beha aan te trekken en die trui kriebelt als de pest.

'Zullen we een spelletje spelen?' zegt hij ineens met een valse grijns. 'Waar of niet waar. Je vertelt de waarheid of je trekt iets uit, schattebout. Je valt toch niet echt op Wing, hè?'

Het duurt even voordat het tot me doordringt waar hij precies op uit is. Dan grijns ik loom. Dit spelletje heb ik als kind al gespeeld. Alleen wedde je er destijds om dat je een hap zand durfde te nemen of ergens belletje trok. Oké. Als hij een spelletje wil spelen, dan doen we dat toch?

'Niet waar. Je had gelijk,' reageer ik prompt. 'Mijn beurt. Waar of niet waar. Pearce zegt dat je een versierder bent. Ben je dat?'

Hij wacht even, grijpt dan een handdoek van de achterbank en dept zijn voorhoofd. 'Niet waar. Ik ben geen versierder. Mijn beurt. Waar of niet waar. Ben jij met Alisons broer uit geweest?'

Hola. Daar geef ik echt geen antwoord op. En hoe is hij daar trouwens achter gekomen? Ik gooi mijn zonnebril af. Hij lacht als ik de handdoek pak en mijn nek droogwrijf. Ik drijf van het zweet.

'Mijn beurt,' zeg ik. 'Waar of niet waar. Dus je bent geen versierder, hè? Hoeveel Samantha's zijn er geweest?'

Hij legt zijn hoofd in mijn schoot, steekt zijn voeten door het raampje naar buiten en schopt met veel misbaar zijn gympen uit.

'Waar of niet waar,' geeft hij meteen lik op stuk. 'Ben jij met Freddy naar bed geweest?' Nu laat ik me achterover op zijn schoot zakken om mijn voeten naar buiten te steken en mijn pumps uit te schoppen. Ze kletteren als loodzware parels van wijsheid op de stenen van de oprit.

'Waar of niet waar,' gooi ik eruit. 'Wat is de ware reden waarom je geen vaste aanstelling hebt?'

Hij trekt een gezicht. 'Nu begint het gemeen te worden.'

Hij trekt zijn overhemd uit, rolt het op tot een bal en mikt het uit het raampje naast mijn schoenen.

'Waar of niet waar,' doet hij weer een duit in het zakje. 'Met hoeveel mannen ben jij naar bed geweest?'

En ik dacht nota bene dat hij anders was. Dat is een vraag die elke man op een gegeven moment stelt, zelfs al ga je maar gewoon een avondje met hem stappen. Maar de waarheid is dat ze dat eigenlijk helemaal niet willen weten en van mij krijgt hij dat ook zeker niet te horen. Ik kijk Conner strak aan en trek langzaam de trui uit. Hij pakt de handdoek en dept voorzichtig het zweet van mijn borst.

'Waar of niet waar,' ga ik hardnekkig door. 'Ben jij voor of nadat je het zaterdag hebt uitgemaakt met Samantha naar bed geweest?' We kijken allebei naar zijn broek. Hij grinnikt vals en zegt: 'Geen van beide. En dat is echt waar.'

Het is bijna niet meer te harden in de auto. We hebben allebei een ontbloot bovenlijf en ik zit eigenlijk te wachten tot een van zijn buren de hond gaat uitlaten en langs komt wandelen. Maar dat zal hem een zorg zijn.

'Oké. Waar of niet waar,' zegt hij lachend en uitdagend. 'Ben je echt zo onschuldig als je lijkt?'

Ik stroop tergend langzaam de trainingsbroek uit, centimeter voor centimeter, over blote dijen, knieën, kuiten en enkels. Dan voer ik een soort verkort stripnummer op, zwaai de broek rond mijn hoofd en mik hem naar buiten. Het is maar goed dat ik mijn string heb aangetrokken.

Hij wil zich met een verhitte kop op me storten, maar ik duw hem weg.

'Waar of niet waar.' Ik moet even nadenken. Ach, waarom ook niet? 'Wat wil je nou eigenlijk écht van me?'

Hij buigt zich naar me over, mompelt: 'De waarheid,' en begint mijn blote borsten en mijn hals te kussen, terwijl zijn handen langs de binnenkant van mijn dijbenen glijden. Dan haakt hij zijn vingers in het taillebandje van mijn string en trekt het broekje naar beneden terwijl hij in mijn oor fluistert: 'Daar kan ik het met mezelf niet over eens worden, want iedere keer dat ik je zie, ben je anders. Je bent vreemd, gesloten en ongrijpbaar...' Hij kust mijn mond en trekt me naar zich toe. 'En vol verhalen over vogels en magische wezens...' Ik kijk om me heen en zie glanzende stofdeeltjes als verpulverde diamanten in de lucht dansen. Vlak voordat we ons op elkaar storten, mompelt hij: 'En met jou reik ik bijna tot in de hemel.'

Het is twaalf uur 's middags en we zijn weer terug in de slaapkamer. Ik kijk naar het stille licht op de donkere muren en naar het groen buiten. Ahab ligt hijgend languit op het voeteneind van het bed.

En wij zijn bezig met de 'morning-after' terugblik en liggen met de hoofden vlak bij elkaar onder de lakens te fluisteren. We praten over het feest. Wie met wie is weggegaan. De band. Pearce. En dan zegt hij zonder enige aanleiding: 'Waarom begon je nou gisteravond ineens over de ivoorsnavel?'

Ik ga langzaam zitten en strijk met een nerveus en afwerend gebaartje het haar achter mijn oren. 'Ik was stoned.'

'Grappig, de dingen die er dan uitkomen.'

'Ja, hè?' Ik ben even stil. 'En als ik je nou eens vertel dat ik de ivoorsnavel gezien heb?'

'Dat heb je me al verteld.'

'Ik stel je op de proef, doe eens net alsof het waar is.'

'Ik slaag altijd met vlag en wimpel voor elke proef.'

'Nou, ik niet. Geef maar gewoon antwoord.'

'Je meent het echt, hè? Dan zou ik je eerst vragen waar je hem gezien hebt... ik neem aan ergens in Florida of in Louisiana, die contreien. En dan zou ik zeggen: ik geloof er geen barst van. Die vogel is uitgestorven.'

'Kom morgenochtend maar naar het begin van Topanga Canyon toe,' zeg ik. 'Dan zal ik je iets laten zien.'

VIERENVEERTIG

We hadden de volgende ochtend om vier uur afgesproken. Hij had niet alleen zijn mijnwerkerslamp en zijn verrekijker, maar ook al zijn andere spullen bij zich, en hij stak zijn sceptische houding niet onder stoelen of banken. Hij bleef me maar weifelende blikken toewerpen terwijl we steeds dieper het woud in liepen, maar ik prentte mezelf in dat ik me daar niets van aan hoefde te trekken, omdat ik weet hoe hij zich zal voelen als hij de ivoorsnavels ziet: verrukt. Hij zal zijn ogen niet geloven. Maar in plaats daarvan staan we hier nu, nat van het zweet, door de takken van de bomen naar een koude blauwe hemel te staren. Niets. Alleen een holle muur van lucht, die plotseling heel leeg lijkt. We staan al twee uur te wachten en nog steeds niets. De vogels zijn er niet.

De stilte is zenuwslopend. Hij blijft me ongelovig aankijken. Een bliksemschicht schiet voor mijn ogen langs en snijdt dwars door mijn hersens alsof het een glasscherf is. Ik heb een metalige smaak in mijn mond en ik ben een beetje misselijk. Ik voel me alsof ik ieder moment in elkaar kan zakken.

'Zullen we ergens gaan ontbijten?' zegt Conner toegeeflijk.

'Waar zouden ze gebleven zijn?' zeg ik in paniek. Ik weet eigenlijk niet wat ik erger vind: dat ze er niet zijn of dat Conner ze niet gezien heeft. Ik kijk hem beschuldigend aan. 'Je gelooft me niet.'

'Ik weet het niet, Cassie. Je zult vast wel iets gezien hebben.'

'Maar je denkt dat het geen ivoorsnavels zijn geweest.'

'Alleen maar omdat ze nooit zover naar het westen zijn gesignaleerd.'

'Maar ze zijn hier wél geweest. Kijk zelf maar, je kunt de gaten die ze hebben gemaakt nog zien,' zeg ik smekend.

'Er zijn heel wat vogels die dit soort schade veroorzaken. Andere spechten, bijvoorbeeld. Of marmotten of wasberen.' Hij ziet dat ik op het punt sta om in tranen uit te barsten.

'Toe nou, Cassie. Het is al meer dan zeventig jaar geleden dat iemand die vogels heeft gezien. Ze zijn uitgestorven. Mensen beweren wel dat ze ze hebben gezien, maar niemand kan dat bewijzen.'

'Ik wel. We moeten alleen nog wat langer wachten.'

We gaan weer achter de struiken zitten en kijken door de bladeren onder de bomenkoepel omhoog naar de wolken. Ik blijf roerloos als een standbeeld zitten. Misschien hebben we te veel lawaai gemaakt. Dat is het. Het komt door onze stemmen.

'Cassie, waar gaat het nou eigenlijk om?'

'Ssst!' zeg ik tegen hem. 'Ze hebben ongelooflijk scherpe zintuigen.'

'Verdorie, dat weet ik ook wel.'

We blijven nog een halfuur zwijgend naast elkaar zitten. Niets. Ik span wanhopig mijn oren in om elk geluidje te horen. Maar hij begint ongeduldig te worden. 'Hoe ben je in vredesnaam op dit idee gekomen?'

'Hoe bedoel je: "op dit idee gekomen"?'

'Ik bedoel dat je een levendige fantasie hebt en dat je inderdaad dingen in de natuur ziet die andere mensen ontgaan, maar dit komt in de buurt van Bigfoot.'

Hij denkt dat ik niet goed wijs ben. Ik barst in snikken uit. Hij slaat zijn arm om me heen.

'Luister,' bindt hij in. 'Ik zal er eens rustig over nadenken. Misschien kom ik wel terug met mijn digitale camera. Als we die in een boom hangen, krijgen we wellicht iets te zien.'

'Oké,' zeg ik en doe mijn best om hoopvol te klinken. Dan

lopen we zwijgend terug naar onze auto's. Ik hoor eekhoorns, kikkers, kraaien en zelfs ergens de kreet van een havik. Maar op dit moment ervaar ik alle andere geluiden in het bos als een persoonlijke belediging. Ik wil alleen dat ene levensbelangrijke gekrijs horen. En dat blijft uit.

Als we onder aan de canyon komen, geeft hij me iets wat op een troostend kusje lijkt, knijpt in mijn arm en zegt: 'Zit er niet zo over in, Cassie. Ze kunnen best terugkomen.'

Ik knik, stap in mijn auto en kijk hem na als hij wegrijdt. Ik blijf nog een minuut of zo zitten en besluit dan om terug te gaan.

Toen ik tien jaar was, ben ik 's zomers een keer in het bos verdwaald. Ik was samen met mijn moeder en haar familie op vakantie in Noord-Michigan waar mijn tante een blokhut aan een meer had gehuurd en zo'n beetje ieder familielid in het land had uitgenodigd. Ik moest een zolderkamertje delen met een heel stel bazige neefjes en nichtjes en ik weet nog dat ik, toen we een keer onderweg waren naar de stad, tegen mijn moeder zei dat het in de kamer stonk naar schimmel en vieze sokken en dat de kinderen nooit hun mond hielden.

Ik was chagrijnig en moe en zeurde over het eten, de hitte, de insecten en alles waar ik destijds maar op kon komen. Mam zei tegen me dat ze hoofdpijn had en vroeg of ik alsjeblieft wilde ophouden, maar ik bleef gewoon doorgaan. Uiteindelijk had ze er genoeg van en gaf me een grote mond. Ik was zo woest dat ik eiste dat ze meteen zou stoppen om mij uit te laten stappen. Tot mijn stomme verbazing deed ze dat inderdaad en ik rende woedend het bos in. Achter me hoorde ik haar roepen, maar haar stem stierf snel weg en daarna heerste er alleen nog maar stilte.

Ik weet niet wanneer het tot me doordrong dat ik verdwaald was. Ik besefte ineens dat ik moe was, maar toen ik terug wilde lopen naar de weg, was die er niet meer. Om me heen zag ik alleen maar bomen en struiken voor zover het oog reikte. Ik liep knorrig door en schopte stenen opzij met het gevoel dat ik gevangenzat op de plek waar zoekgeraakte dingen terechtkomen.

Ik verwachtte toch dat ik op een gegeven moment wel iets zou zien dat me bekend voorkwam, dus liep ik maar verder, hoewel ik geen meter leek op te schieten. En toen zag ik hem ineens. Het was pikdonker, maar ik voelde dat er iemand in mijn nabijheid was. Het bleek een grote bruine man te zijn, met lange zwarte haren en mocassins. De geur van vochtige boomschors hing om hem heen en hij straalde een geruststellende kalmte uit.

Hij vroeg me waar ik vandaan kwam en bood toen aan om me terug te brengen naar de stad. Het bleek dat ik zo'n zeveneenhalve kilometer verwijderd was van de plek waar mijn moeder was gestopt. Toen ik in mijn eentje het politiebureau binnenliep, zat mijn hele familie daar te wachten. Mijn gids was verdwenen.

Mijn moeder vroeg me later wat voor man hij was geweest, maar ik kon haar niet veel vertellen. Alleen dat hij had gezegd dat hij het bos kende, dat de bomen tegen hem praatten en dat hij wist wat er diep vanbinnen in ze omging.

Iedereen zei dat ik jokte, niet alleen over de indiaan maar ook over de afstand die ik had afgelegd. Het hele verhaal deugde niet. Alleen mijn moeder zei dat ze me wel geloofde. Woord voor woord.

Daardoor voelde ik me een stuk beter, tot ze me jaren later vertelde dat die indiaan in werkelijkheid de geest van het bos was geweest die me bij de hand had gepakt om me door het duister naar het licht te leiden. Er was zelfs een kleine kans dat het Bigfoot zelf was geweest.

VIJFENVEERTIG

Ik ging terug naar de open plek in de hoop dat Conner op de een of andere manier de vogels aan het schrikken had gemaakt en dat ze zich als door een wonder wel aan mij zouden vertonen. Ik heb uren zitten wachten, maar er was geen vogel te zien. Ik moest steeds maar weer denken aan een artikel dat ik had gelezen over de laatste ivoorsnavelspecht die in Amerika was gesignaleerd. Het was een vrouwtje, helemaal alleen in een steeds kleiner wordend bos. De spechten blijven elkaar een leven lang trouw en kennelijk heeft ze daar een eeuwigheid om haar man zitten roepen tot ze uiteindelijk verdween. Die gedachte maakte me verdrietig.

Ik liep terug naar de auto in de wetenschap dat mijn leven een paar uur geleden volledig op zijn kop was gezet. Toen was ik nog samen met iemand om wie ik gaf en aan wie ik mijn geheim kon toevertrouwen. Ik had geen seconde verwacht dat de vogels er niet zouden zijn. En dat hij me niet zou geloven.

Terwijl ik naar huis reed, dacht ik terug aan mijn verleden, aan die aaneenschakeling van mislukkingen, de ene na de andere. En ineens doemde Franks gezicht weer op.

'Jij zult nooit iets bereiken, Cassie. Misschien moet je je bij de Weight Watchers aanmelden. Of Italiaans koken leren. Of een cursus makelaardij volgen. Of huis-aan-huis make-upproducten gaan verkopen.'

Misschien had hij wel gelijk gehad. Ik heb op de radio een

dokter, een zekere Estelle Ramey, horen zeggen dat vrouwen in vergelijking met mannen biologische wondertjes zijn en dat hun lichamen veel efficiënter omgaan met stress. Mannen zijn volgens haar voorbestemd voor een kort, akelig en wreed leven, terwijl vrouwen juist een lang en ellendig bestaan voor de boeg hebben. Ik weet niet of dat waar is, maar het is me wel bijgebleven.

Die avond bereikte ik een absoluut dieptepunt. Ik zat mijn hart uit te storten bij Sam toen ik ineens aan die vogelfluisteraar moest denken. Misschien kon zij erachter komen waar de ivoorsnavels gebleven waren. Het bleek dat ze zich Sam nog goed kon herinneren en ze bood me de 'vaste-klantenkorting' aan. Vijftig dollar.

'Denk je dan echt dat je in contact met ze kunt komen?' vroeg ik zwak. (Ik had haar trouwens niet precies verteld om welk soort specht het ging en ook niet de juiste locatie doorgegeven. Zo goed van vertrouwen ben ik ook weer niet.)

Ze vertelde me dat ze energetisch met de vogels in contact kon komen, maar dat ze daar wel een foto voor nodig had. Ik zei dat ik die niet had.

'Tja...' zei ze aarzelend, 'dat maakt het een stuk lastiger, maar ik kan nog steeds met behulp van pure energie telepathisch contact met de vogels zoeken om erachter te komen wat ze denken en wat hun wensen en verlangens zijn. Ik kan er ook achter komen of er gezondheids- of gedragsproblemen zijn.'

Ik hoorde mezelf zeggen dat ze ze naar hun locatie moest vragen. En toen dacht ik ineens: waar ben ik in vredesnaam mee bezig? Ik vertelde haar dat ik me bedacht had en verbrak de verbinding.

Ik verheugde me niet bepaald op maandag. Het idee dat ik mijn best zou moeten doen om een normaal gesprek met Conner te voeren was meer dan ik kon verdragen. Maar bij nader inzien had ik me daar niet druk over hoeven maken. Ik kreeg hem nauwelijks te zien. Hij vertelde me dat hij onverwacht terug moest naar de oostkust vanwege 'familiezaken', maar dat zijn assistent de camera zou installeren om het gebied te observeren zodra het droog werd. Want nu goot het natuurlijk van de regen. We zouden wel verder praten als hij weer terug was. Allemaal heel zakelijk. Allemaal heel beleefd. Allemaal klote.

Toen hij terug was, zocht ik hem nog dezelfde dag op. Toen hij vroeg of ik geen ander bewijs had, begon ik over mijn dagboeken. Hij leek geïnteresseerd, dus pakte ik alle boekjes van de afgelopen zes maanden van de plank in mijn slaapkamer en bracht ze de volgende dag naar zijn kantoor. Toen ik binnenkwam, zat hij achter zijn bureau met Ahab aan zijn voeten. De hond sprong op en begroette me enthousiast toen ik voorzichtig de aantekenboekjes op zijn kast legde. De laatste keer dat Ahab me had gezien, lag ik bij Conner in bed.

'Cassie, we moeten met elkaar praten. Ga zitten.' Hij is bloedserieus. 'Luister, dit is niets persoonlijks.' (O jee. Ik heb geleerd dat als iemand zegt dat iets 'niets persoonlijks' is, je erop kunt wachten om genaaid te worden.) 'Mijn assistent zet grote vraagtekens bij het hele plan.'

'O ja?' Ik wijk achteruit en laat me op de bank zakken, waar Ahab gezellig naast me komt zitten.

'Om te beginnen heb ik je al verteld dat dit niet het natuurlijke leefgebied van de ivoorsnavels is. De Cornell-universiteit heeft al zeventig jaar lang experts op pad gestuurd om ze te vinden. Er zijn mensen die er hun hele leven aan hebben gewijd... Het lijkt gewoon onmogelijk dat ze hier in Topanga zijn opgedoken.'

'En hoe zit het dan met die vogels die duizenden kilometers uit de koers raken? Vogels uit Siberië die in Texas terechtkomen. Dat heb ik je zelf tijdens je college horen vertellen.'

'Cassie, het is gewoon zo onwaarschijnlijk,' zegt hij kreunend.

'Ze waren hier. Die vogels waren hier echt. Het staat allemaal in mijn dagboeken.'

'Misschien was het de helmspecht. Daar kunnen zelfs deskundigen zich in vergissen. Het merendeel van die vogels lijkt allemaal op elkaar.'

'De ivoorsnavel lijkt op geen enkele andere vogel.'

'Nou ja, toen je dat onderzoek ernaar deed, heb je misschien...' Hij bladert door een van mijn dagboeken.

'Ik heb er geen onderzoek naar gedaan. Dit is het verslag van wat ik gezien heb.' Ik duw de hond van me af en sta op. Ik voel de neiging om te gaan schreeuwen.

'Maar dat kun je net zo goed overgeschreven hebben!' Hij aarzelt. 'Ik bedoel dat deskundigen vast zouden denken dat je gewoon waarnemingen uit het verleden heb gekopieerd.'

'Dat heb ik niet gedaan. Ik dacht dat jij me zou geloven.'

'Ik weet niet wat ik moet geloven.'

'Jij bent de enige die ik dit heb toevertrouwd. Ik dacht...'

'Cassie. Het is gewoon niet mogelijk,' valt hij me op gedempte toon in de rede. Hij klinkt geërgerd. Hij begint zijn geduld met me te verliezen, alsof ik een lief maar onnozel kind ben. 'Het is pure verbeelding.'

'Wil je zeggen dat ik lieg?'

'Het is geen leugen als je er zelf in gelooft. We moeten het gewoon maar laten rusten en verdergaan.'

Ik zou hem graag van repliek willen dienen, maar alles klinkt even pathetisch. Ik loop het kantoor uit en sla met een klap de deur achter me dicht, zonder mijn dagboeken mee te nemen. Ik denk aan mijn naamgenoot, Cassandra, en de vloek die Apollo over haar uitsprak: dat niemand haar ooit nog zou geloven. Een nooit afnemende bron van verdriet.

ZESENVEERTIG

De rest van de week is niet bepaald gezellig. Uiteindelijk bel ik Tiff en die biedt aan om samen met me te gaan lunchen. Ze heeft een dagje vrij en ze hoort dat ik in de put zit.

'Wat is er aan de hand, Cassie? Je klinkt afschuwelijk.'

'Daar hebben we het wel over als we elkaar zien.'

Tiff is nog nooit bij mij op kantoor geweest, dus het was de bedoeling dat ze langs zou komen om me op te halen en dat we dan samen naar dat Italiaanse tentje zouden gaan waar we allebei dol op zijn. Maar net als ik op het punt sta om weg te gaan belt Pearce om te vragen of ik even iets wil afgeven bij biologie en dat is helemaal aan de andere kant van het universiteitsterrein. Ik hol ernaartoe, terwijl ik in mijn verbeelding zie hoe Tiff constant blokjes rond moet rijden, maar als ik eindelijk weer terug ben op kantoor zie ik haar nota bene met Alison praten. Ik loop naar ze toe en Alison schenkt me een vreemde stralende glimlach.

'Ga maar lekker lunchen, meiden. Enig om je even gesproken te hebben, Tiffany,' zegt ze met de nadruk op 'enig', terwijl ze mij strak blijft aankijken.

We staan nog maar net buiten als ik aan Tiff vraag: 'Waar heb je het met Alison over gehad?'

'Ze is echt niet zo kwaad, Cassie. Ik vond haar best aardig, hoewel ze niet eens wist waar je bureau stond.'

'Hoezo?'

'Ze bracht me naar een bureau bij het fotokopieerapparaat waar een lijstje van de universiteit van Michigan op stond. Ik zei meteen dit kan haar bureau niet zijn, want Cassie heeft geen spullen van Michigan en Alison zei, waarom niet, daar heeft ze toch op gezeten en ik zei, welnee, helemaal niet en ik kan het weten want ze is mijn beste vriendin.'

'En wat zei ze toen?'

'Nou, ze vroeg waar je dán had gestudeerd en ik zei dat je niet was gaan studeren en ik ook niet. Maar goed, daarna kregen we het over mij en waarom ik die juridische opleiding ben gaan volgen en toen kwam jij binnen... Cassie?'

Inmiddels zitten we in Tiffs auto. Ze is doodsbleek. De laatste keer dat ik haar zo heb zien kijken, was toen haar vader dronken op school verscheen om haar op te halen.

'Cassie, waarom heb je me dat niet verteld? Dan had ik toch mijn mond gehouden, dat zweer ik!'

'Ik weet het niet. Misschien wilde ik gewoon dat iedereen zou denken dat ik die baan op eigen kracht had gekregen. Misschien begon ik ook wel te geloven dat ik de persoon was voor wie ik wilde doorgaan. Zielig, hè?'

'Maar die persoon ben je toch ook, Cassie. Nou ja, niet precies, maar ze lopen hier toch met je weg?'

'Nou ja, ze lopen weg met wie ze denken dat ik ben. Ach, laat maar zitten. Het maakt toch niets uit. Alison loopt rechtstreeks naar mijn baas en dat zal de doodsklap zijn. Wegwezen. Op staande voet. Verleden tijd.'

Tiff barst in tranen uit.

'O, hou in vredesnaam op. Hoe kon jij dat nou weten? Maar goed, het zou toch een keer gebeurd zijn. Ik had de waarheid moeten vertellen.'

'Wat is er zo geweldig aan de waarheid?' wil Tiff weten.

'Geen idee. Uiteindelijk schiet je daar toch meer mee op.'

'Maar niet in het begin. Dan had je die baan nooit gekregen.'

'Zet me maar bij mijn auto af, Tiff.'

'Oké. Maar ik hou nog steeds van je. Je hebt jezelf toch in ieder geval wel cum laude gegeven, hè?'

Als ik naar huis rij, schiet me door mijn hoofd dat dit hetzelfde gevoel moet zijn als wanneer je op heterdaad betrapt wordt bij een overval op een winkel of het jatten van iemands portemonnee. Ik zet de radio aan, maar de muziek bestookt me als een zwerm nijdige bijen en ik druk de knop weer in. Ik voel me beter als alles om me heen stil is en ik me rustig in schaamte kan rondwentelen. Als ik de snelweg op rij, heb ik pijn in mijn borst. Het enige wat ik nog kan denken is: wat moet ik nu beginnen? Wat moet ik nu beginnen?

Als ik thuiskom, staat mijn moeder net in de keuken Zwartmans te eten te geven.

'Wat ben je vroeg, Cassie,' zegt ze, terwijl Sam als een krekel rondhupt en mijn naam tsjirpt. Ik heb hoofdpijn en sta op het punt iets te zeggen, als ik plotseling in snikken uitbarst en haar het hele verhaal vertel, waarbij ik het gevoel krijg dat ik elk teugje lucht verbruik dat ik ooit heb ingeademd.

Ze luistert geduldig, terwijl Sam opvliegt van zijn stok en op mijn schouder komt zitten. Hij weet dat ik overstuur ben en begint zacht aan mijn oren en mijn hals te knabbelen. Mam zegt niet veel, ze blijft zwijgend luisteren tot ik uitgeraasd ben.

'Luister eens, ik ben vorige week naar het graf van je vader geweest. Gewoon, om onkruid te wieden en wat verse bloemen te brengen. Soms loop ik rond om te zien wat er op de andere stenen staat en dat is meestal hetzelfde. Beminde vader, geliefde zus, vertrouwde vriend. Denk je dat er ook maar één steen te vinden is met "president-directeur van Exxon, rector van de Universiteit van Los Angeles, of afgestudeerd aan de universiteit van Michigan?"'

'Op de mijne zou staan: "Hier rust een leugenares".'

Ze schudt haar hoofd alsof ik onzin uitkraam.

'Wat moet ik nu doen, mam?'

'Zorg dat het waar wordt. Blijf die cursussen volgen en haal een diploma. Je weet dat je het kunt.'

'Maar ik was juist dol op dié baan. En op die mensen. Ze zullen me nooit opnieuw aannemen.'

'O, jawel hoor. Mensen zijn heel gauw geneigd om anderen iets te vergeven,' zegt ze terwijl ze mijn haar uit mijn gezicht streelt.

'Jij leeft in een droomwereld. Waarom luister ik eigenlijk naar je? Je gelooft zelfs in Bigfoot.'

'Maar, Cassie, lieve schat, hij bestáát!'

ZEVENENVEERTIG

Ik veronderstel dat ik best de volgende week terug had kunnen gaan om mezelf te verdedigen en te vertellen waarom ik die baan zo graag wilde hebben dat ik ervoor had gelogen. Maar de week ging voorbij en ik kon de moed niet opbrengen. Inmiddels was de kerstvakantie aangebroken en mijn besluit stond vast. Ik ging niet meer terug.

Ik vroeg een nieuw mobiel telefoonnummer aan en aangezien we alleen maar een postbusnummer hebben, hoef ik ook niet bang te zijn dat er ineens iemand bij me op de stoep zal staan. Alsof ze zoiets zouden doen. Nou ja, Conner misschien. Maar waarom zou hij? Hij denkt toch dat ik een leugenaar ben, net als de rest van de wereld.

's Ochtends sjouw ik meestal bij het krieken van de dag naar de open plek in de hoop dat ik iets te zien krijg. Maar het is hetzelfde als wachten op een telefoontje van een minnaar die nooit belt. Zelfmedelijden is een gevoel dat eigenlijk uitgeband zou moeten worden. Met wortel en tak uitroeien, die handel. Ik loop erheen in dezelfde trainingsbroek en hetzelfde T-shirt waarin ik slaap en als ik het koud heb, trek ik er gewoon iets over aan dat ik uit de wasmand haal. Mijn beha's liggen op één hoop in een la met niet bij elkaar passende, uitgerekte sokken en broekjes. En het is veel te veel moeite om mijn kleren los te maken, uit te trekken en vervolgens weer aan te doen. Ik kan me niet herinneren wanneer ik voor het laatst mijn haar heb gewassen. Vorige week donderdag waarschijnlijk. Ik doe het met een elastiekje in een staart, dan ziet het er niet zo vies uit, hoewel mijn hoofdhuid jeukt en het gewoon pijn doet als ik mijn vingers erdoor haal. De blonde plukken zijn er inmiddels uit en ik heb een slonzige donkere uitgroei. Ik heb ook niet de moeite genomen om te douchen. De douche ziet er koud en streng uit, het ruikt er naar schimmel en op de tegelvloer zitten zepresten. En als ik wegga, is het trouwens veel te vroeg om met het draagbare kacheltje te gaan slepen of een handdoek te zoeken die niet al gebruikt is. Of een scheermesje. Er hangt een goor luchtje om me heen, het parfum van verloren en eenzame zielen.

Als ik terugkom van de open plek plakken mijn kleren aan mijn lijf en parelt het zweet op mijn borst en onder mijn oksels. In ieder geval is Sam dolblij dat ik thuis ben. Hij zit op mijn arm zijn veren glad te strijken, veegt zijn snavel af aan mijn broek en laat overal glimmende spoortjes zaad en vogelslijm achter. Wanneer ik eindelijk zo ver ben dat ik aan opruimen begin te denken ben ik doodmoe en daarna is het bijna tijd om te gaan eten. Trouwens, waar zou ik me druk over maken, want ik ga immers toch nergens heen? De volgende dag is van hetzelfde laken een pak, net als de dag daarna en de dag dáárna. Er is inmiddels een week voorbij en ik ga niet meer naar de open plek. De vraagtekens zijn verdwenen. De vogels zijn weg.

Ik vermoed dat ik geen haar beter ben dan die andere fanatieke speurders naar ivoorsnavelspechten. Betoverd en verlaten. Op zoek naar een sleutel of een reden om erin te blijven geloven. Ik heb het gevoel alsof me iets kostbaars wordt ontzegd... of dat ik in de steek gelaten ben. Vergeef me, Heer, ik ben het niet waard.

Ik weet dat mijn moeder zich zorgen maakt, want ze heeft een baan voor me geregeld in het Wildlife Center, waar ik na Nieuwjaar kan beginnen. En ze heeft het rooster zo aangepast dat ik nog steeds verder kan gaan met mijn cursussen als ik dat zou willen. Om eerlijk te zijn, zou ik mezelf nog liever verzuipen dan me weer op de universiteit te vertonen. Vlak voordat ik een nieuw mobiel nummer kreeg, heeft Freddy nog gebeld. Alison heeft hem natuurlijk alles verteld over mijn 'misleidende' sollicitatieformulier. Hij heeft de boodschap achtergelaten dat het 'niets uitmaakt, want iedereen sjoemelt immers. Wat zou je denken van zaterdagavond?'

'Zie je nou wel?' zei hij. 'Ik heb je toch gezegd dat ik het zou uitmaken met mijn vriendinnetje.' Wat een held. Ik heb hem niet teruggebeld.

En dan is Tiff er nog. Ze blijft maar proberen om me mee te slepen naar het winkelcentrum of naar het eettentje of naar de bioscoop. Zij trakteert. We bellen met elkaar, maar ze begint steeds weer over wat zich op kantoor heeft afgespeeld en herhaalt dan het hele gesprek, alsof ze daardoor haar woorden kan inslikken en met iets anders op de proppen kan komen dat niet zo fataal voor mij zou zijn. Ik word er knettergek van.

'Dat hele gedoe zit me zo ontzettend dwars, ik had moeten beseffen wat er aan de hand was,' zegt ze. 'Ik weet niet waarom ik maar bleef volhouden dat je niet had gestudeerd terwijl Alison zei dat dat wel zo was.'

Ik moet mezelf inhouden om niet tegen haar te gaan schreeuwen, want ik weet best dat het haar schuld niet was, maar uiteindelijk zeg ik alleen maar dat ze op moet houden. Er valt een ongemakkelijke stilte en dan zegt ze: 'Als je maar geen hekel aan me krijgt.' Dan voel ík me weer schuldig omdat zíj zich schuldig voelt en hangen we maar op.

Ergens midden in al dat gedoe kregen Tiff en haar familie het goede nieuws dat Guy jr. verlof heeft gekregen voor de feestdagen, dus werden we gedwongen om een eind te maken aan dat dramatische gedoe, zodat we samen op het nippertje nog alles aan konden slepen om haar huis een feestelijk tintje te geven. Ieder jaar wordt de kerstversiering weer tevoorschijn gehaald alsof het de kostbaarste schatten zijn. Het heeft voor mij iets troostends. Het lijkt er bijna op alsof het leven voor hun gezin nooit zal veranderen. Alleen maar massa's vrolijke muziek, fijne berichten en opgewekte gezichten, waarmee alle doffe ellende van het afgelopen jaar weggespoeld wordt.

Vanavond is kerstavond en het heeft me de hele dag gekost om mezelf weer in de hand te krijgen. Tiff bood aan om mijn haar opnieuw te doen, dus toen moest ik haar wel vertellen dat de kapper alles nog eens dunnetjes had overgedaan. Francks assistent had nog een plekje open vanmorgen en die kans heb ik aangegrepen. Maar ik moest mijn haar wassen vóórdat ik naar hem toe ging, zo erg was het met me.

Toen ik nog klein was, vond mam het altijd een akelig idee dat er een omgehakte dennenboom in de woonkamer stond dood te gaan en ze wilde geen kunstboom hebben. Bovendien gebruikten de lichtjes veel te veel stroom. Maar op kerstavond stapten we altijd wel in de auto om langs al die verlichte huizen te rijden. Dan zetten we de radio aan en luisterden naar 'White Christmas' en 'Winter Wonderland' terwijl we langs de palmbomen reden en de reclameborden met advertenties voor zonnebankcentrales vol meisjes in bikini die een oranjeachtig bruin tintje hadden. Ik vond dat altijd bespottelijk in een stad waar de zon driehonderd dagen per jaar schijnt.

Om vier uur lopen mam en ik met tassen vol cadeautjes, eigengemaakte cranberrysaus en een stoofschotel van zoete aardappeltjes naar het huis van Tiff. Het is een frisse, heldere avond, veel beter dan de afgelopen paar dagen, toen je het gevoel kreeg dat je natte cornflakes inademde. We lopen langs het huis van onze buren, waar zoveel betonnen beelden op het gazon staan dat de voordeur bijna onzichtbaar is. Tussen het slaphangende badmintonnet en een oud plastic zwembad dat bedekt is met bladeren staan trollen, kabouters, vogelbadjes en zelfs een levensgrote Abraham Lincoln, compleet met hoge hoed. Vanavond hebben de bewoners snoeren met gekleurde lampjes over alle beeldjes gedrapeerd, waardoor de tuin op een midgetgolfbaan lijkt.

Je kunt de kerstboom van Tiff al door het raam zien staan,

helemaal bedolven onder snoeren met knipperende gekleurde lampjes en lange zilveren ijspegels. De geborduurde kerstkousen, allemaal voorzien van een naam, hangen zoals gewoonlijk aan de schoorsteenmantel, alsof de kinderen nog vijf en zes zijn. Vroeger maakte oom Guy kerstversiering uit de roodwitte Marlboro-pakjes, maar dat is nu zelfs bij hen niet meer politiek correct.

Guy jr. zit in de speelkamer in het souterrain samen met een vriendje videospelletjes te spelen op een nieuwe X-Box 360 die oom Guy al klaar had staan voordat hij thuiskwam. Je hoort hun opgewonden, dreunende stemmen door de gangen galmen, gevolgd door een enorme lachbui vermengd met behoorlijk stevige krachttermen.

'Guy, Cassie is er!' roept tante Ethel naar beneden, terwijl ze mijn moeder meetroont naar de keuken.

Ik loop de trap af en zie Guy en zijn vriend gespannen op de aftandse bruingeblokte bank zitten, de benen wijd en de joysticks op schoot, terwijl ze zenuwachtig van links naar rechts bewegen en van boven naar onder, alsof ze twee epileptici zijn die achter elkaar aan met honderdvijftig per uur over een circuit scheuren.

'Verdomme! Schiet jij soms uit een hinderlaag, slappe homo?' schreeuwt zijn vriend.

'In de kop! Ha! Ik hoef helemaal niet in hinderlaag te gaan liggen om jou verrot te knallen, smerige nazi! Op slag dood... blijf vooral doorkletsen.'

'Stomme klootzak... ik zal je verdomme naar de andere wereld blazen.'

'Shit, dat zag ik! Je zit naar mijn scherm te kijken, vuile valsspelende rat!'

'O, hoi, Cassie,' zegt Guy jr. Hij zwaait even, maar blijft nog steeds manisch met de joystick in de weer. Ik zie dat hij een nieuwe tatoeage op zijn arm heeft, met het woord 'sacrifice'.

'Hallo, Guy,' zeg ik en geef hem een plichtmatig kusje op zijn wang. Het scherm druipt van het bloed en toont met kogels doorzeefde Amerikaanse soldaten uit de Tweede Wereldoorlog en nazi's. Als iemand doodgaat, spatten de bloedrode golven van het scherm af. Ik hoor gegil van pijn en doodskreten terwijl figuren op hun buik in gebouwen of loopgraven kruipen, zwaaiend met pistolen, handgranaten, geweren en machinegeweren. Hij stelt me voor aan zijn vriend Carlos, een vent met vierkante kaken, dunne lippen en pezige armen die me een onbehaaglijk gevoel bezorgt.

Guy jr. vertelt me dat ze *Call of Duty II* spelen, een 'hartstikke gaaf spel'. Hij zegt dat er ook een heel stel nieuwere oorlogsgames zijn over Irak, waaronder een met 'fantastische' luchtopnamen van de Golfoorlog en supergave smartbommen, maar dat hij toch liever de games over de Tweede Wereldoorlog heeft, want 'toen namen we het allemaal samen op tegen een echte vijand, en de hele wereld had ook niet de pest aan je, je kon verdomme gewoon een held zijn, snap je?'

Hij kijkt even op van het scherm, neemt me van top tot teen op en richt dan zijn aandacht weer op het scherm. 'Hé, Cassie, je ziet er fantastisch uit... net een fotomodel. Dat meen ik echt. Ik had je bijna niet herkend.'

'Dank je wel,' zeg ik een beetje verbluft. Ik kan onmogelijk hetzelfde van hem zeggen. Om te beginnen ziet hij er mager en weggetrokken uit, maar wel veel gespierder dan ik me kan herinneren. Hij heeft wel iets weg van een uitgehongerde krijger. Er ligt een rossige gloed over zijn huid, die er rood en ruw uitziet alsof hij in de wind is verbrand. Zijn hoofd is kaalgeschoren, met uitzondering van een paar sprietjes bovenop, en hij heeft bijna zwarte kringen om zijn ogen. De oude, charmante gretigheid heeft plaats moeten maken voor iets wat op vijandige berusting lijkt.

Ik heb Guy jr. altijd beschouwd als een joch dat, als hij de kans kreeg, best een van de sterren van zo'n goedkope soap zou kunnen worden. Hij had die lobbesachtige charme en een lief smoeltje dat hem iedere keer opnieuw uit de moeilijkheden redde. Toen vergoelijkte iedereen altijd al zijn fouten of negeerde ze. In mijn verbeelding zag ik hem vaak ergens in het buitenland, waar hij een of ander buitenissig baantje had gescoord. Een losgeslagen, betoverende vent. Misschien dacht hij er precies zo over en is hij daarom in dienst gegaan. En om de studiebeurzen die hem beloofd werden. Tiff zei dat ze hadden gezegd dat hij een afgeronde opleiding zou hebben als hij afzwaaide.

Het kerstdiner begon gezellig. Maar naarmate de avond vorderde, werd de sfeer een tikje gedwongen. Alsof dit niet precies de thuiskomst was, waar iedereen op had gerekend.

Tante Ethel probeert te doen alsof alles weer net als vroeger is.

'Zoals het klokje thuis tikt, tikt het nergens, jongens,' kwettert ze terwijl ze de grote kalkoen die bijna uit zijn voegen barst van de hoeveelheid vers geroosterde kastanjevulling op tafel zet. Haar gezicht is rood aangelopen en zit vol meel.

'Vertel eens, zoon,' zegt oom Guy, 'hoe is het daarginds?' De beide jongens wisselen een veelbetekenende blik en de grijns van Carlos heeft iets angstaanjagends. Iets wilds. Guy jr. werkt een hap vol kastanjevulling naar binnen en likt zijn vork af.

'Het nieuws is één en al ellende,' doet tante Ethel ook een duit in het zakje. 'Ik ben blij dat jullie tweeën tenminste niets is overkomen.'

'Mam, ik geloof niet dat ze zin hebben om daar nu over te praten,' zegt Tiff.

'Dat maakt niet uit. Je raakt vanzelf gewend aan al dat geweld,' zegt Guy jr. nonchalant, terwijl zijn ogen door de kamer schieten als de balletjes in een flipperkast.

'Ja. We zaten altijd met elkaar over al die onwezenlijke dingen te praten. We hoorden bijvoorbeeld ineens keihard *Bóém!*' – Carlos lacht als wij schrikken – 'en dan sloten we weddenschappen af over het formaat van de bommen terwijl ze gewoon bleven komen.'

Guy jr. lacht, zinderend van nerveuze energie. Zijn knie blijft als een metronoom tegen de tafelpoot bonzen.

'Ja, was het een twintig- of een dertigponder? Ik durf er wel vijf dollar op te zetten dat het een vijftiger was.'

'Is er dan geen veilig gebied? Jezus christus, ik bedoel maar,' zegt Tiff.

'Het maakt niet uit waar we naartoe gaan,' zegt Carlos. 'We zitten overal midden tussen de moordcommando's. Iedereen is zo gestoord als de pest. We slapen met negenmillimeters onder ons hoofdkussen.'

'Maar voor de bevelhebbers maakt het geen barst uit,' valt Guy jr. hem in de rede. 'Ze komen naar ons toe vliegen om te horen hoe de stand van zaken is en dan gaan ze er weer vandoor. Zij zitten lekker hoog en droog op een plek waar ze niks kan overkomen. Ze snappen er geen donder van.'

In de keuken begint de fluitketel tekeer te gaan en niemand zegt iets. Op dat moment tikt mijn moeder me op mijn schouder en fluistert: 'Ik voel me niet zo lekker, lieverd. Zou jij een kopje gemberthee voor me willen zetten?'

Mijn moeder klaagt eigenlijk nooit als ze zich niet goed voelt. Meestal wijt ze het aan het chloor in het kraanwater of aan het feit dat de kleine bijplaneet van Pluto in ons zonnestelsel het loodje heeft gelegd. In dit geval denk ik dan ook dat ze alleen maar een tikje overstuur is. We dachten allemaal dat de verandering Guy jr. goed zou doen, maar soms houden veranderingen helemaal geen verbetering in.

Als oom Guy opstaat om piano te gaan spelen, lopen Guy jr. en zijn vriend weer naar beneden. Mijn moeder legt zorgvuldig haar cadeautjes onder de boom, om morgen open te maken. Dit jaar zijn het pakjes zaad, exotische bloembollen en haar zelfgemengde potpourri met appel en kaneelstokjes. Tiff heeft me mijn cadeau al gegeven, een naar vanille geurende cadeauverpakking met parfum, bodylotion en een kaars.

'De make-upverkoopster vertelde me dat het bijna onmogelijk is dat een mens niet van vanille houdt,' zegt Tiff alsof het een blijde boodschap betreft.

Ik was negen jaar toen ik mijn eerste cadeautje van Tiff

kreeg, een naar snoepgoed smakende roze Cutex-lipstick met glittertjes. Ze was altijd erg bij op het gebied van mode. Ik heb Tiff een chique zwarte trui gegeven, die ze waarschijnlijk alleen maar zal dragen als ik in de buurt ben en verder nooit.

Ik bied aan om haar te helpen met opruimen, maar zeg er meteen bij dat ik daarna direct wegga, omdat mijn moeder naar huis moet. We zijn allebei nog ondersteboven van het gesprek tijdens het eten en Tiff is ongewoon stil.

'Denk je dat Guy iets gebruikt?' fluistert Tiff met een verslagen, haast verschrikt gezicht.

'Dat weet ik niet, maar die vriend van hem is wel een rare,' zeg ik.

'Zeg dat wel. De spanning is hier te snijden. Ze slapen de hele dag en dan gaan ze rondlopen in hun ondergoed of zitten in de speelkamer liters bronwater te hijsen en sigaretten te roken en te gamen.'

'Hij is gedeprimeerd. Zou jij dat niet zijn?'

Tiff houdt even haar mond terwijl we met routineuze gebaartjes de restanten van de gevulde kalkoen van de borden schrapen en besluit dan over iets anders te beginnen. 'Hoe gaat het met jou? Voel je je alweer iets beter?'

'Niet echt.'

'Weet je, vroeger dacht ik altijd dat je wel weer gelukkig zou worden als je maar eenmaal van Frank af was. Maar dat was niet zo. Je blijft echter het gevoel hebben dat je jezelf moet bewijzen. Waarom?'

'Dat weet ik niet,' zeg ik. 'Ik wilde gewoon weten hoe de andere helft leefde en dat weet ik nu. Ik hoorde er helemaal bij. Maar toen werd ik zonder pardon de deur uitgezet.'

'Het spijt me echt...' begint Tiff, maar ik val haar in de rede.

'Het gaat niet om dat baantje, echt niet Tiff.'

'Wel waar.'

'Nee, niet waar. Het gaat om mannen, vogels, het leven... Ach, laat maar zitten.' Ik kan de energie niet opbrengen om over mijn ivoorsnavels te beginnen.

'Ik wou dat ik iets voor je kon doen,' zegt Tiff gefrustreerd.

'Ik ook,' zeg ik.

Samen met mijn moeder loop ik zwijgend naar huis. Het is de stilte die altijd volgt op een schok en die je hart kan breken. Het is een van die winternachten waarin je iedere ster aan het firmament kunt zien. Zelfs Orion, de krijger, en zijn glanzende gordel.

ACHTENVEERTIG

In januari wordt iedereen geacht een nieuw begin te maken, maar ik blijf rondwentelen in een poel van spijt. Er hangt een waas over de canyon en zelfs als de zon erdoorheen piept, worden haar stralen gedempt door mistige, verkleurde wolken. De bomen gaan gebukt onder ladingen halfdode bladeren en het hoge gras langs de weg is bruin en bros.

Ik blijf maar denken aan hoe het misschien was gelopen en wat er gebeurd zou zijn als ik alles anders had aangepakt. Nadat Tiff een beetje was bekomen van haar aandeel in mijn zondeval begon ik er weer over dat ik gewoon de waarheid had moeten zeggen.

'Weet je wat het met de waarheid is?' zei ze toen ze daar even over had nagedacht. 'Je moet gewoon de vorm kiezen die je past.'

'Er bestaat geen "vorm" van de waarheid,' antwoordde ik.

'O, jawel hoor,' zei ze. 'Jij bent intelligent. Je kunt het vast wel weer lijmen. Je moet gewoon iets bedenken dat geloofwaardig is.'

'Nee, Tiff, ik kan niets anders zeggen.'

'Maar neem nou *CSI* of *Law & Order*, daar hebben ze het toch ook altijd over verzachtende omstandigheden?'

'En wat zouden die in mijn geval dan zijn?'

'Dat je die baan wilde hebben.'

Mijn moeder blijft maar vragen hoe het met me gaat. Ik weet

niet zeker wat ik daarop moet zeggen. Dat ik het gevoel heb dat ik weer terug ben bij af. Dat er nooit iets verandert. Dat je bent wie je bent, of je dat nu leuk vindt of niet. Zij denkt dat ik mijn perspectief kwijt ben. Maar ik zie gewoon geen mogelijkheden meer. Misschien krijg je maar één keer in je leven de kans om alles anders te doen. Meer niet. Eén kans per klant.

Om echt berouw te tonen moet je soms iets doen waar je ontzettend bang voor bent. Je moet kiezen voor de moeilijke weg. Dwars door het hellevuur.

Vlak voordat ik weer bij het Wildlife Center ging werken, nam ik een besluit. Ik belde professor Pearce op haar privénummer, midden op de ochtend, en vroeg of ik met haar kon praten. Er viel een korte stilte, waardoor de adrenaline door mijn aderen begon te bruisen en toen zei ze met dat imponerende Britse accent: 'Schikt vier uur vanmiddag?'

Uiteraard is het theepauze als ik haar kantoor binnenloop en voor de duizendste keer die stomme deur van haar een hengst geef. Alison zit niet op haar plaats – dat is een zegen op zich – en Pearce glimlacht zelfs als ze achter haar bureau gaat zitten en thee voor me inschenkt in een van haar flinterdunne kopjes. Ze gebaart dat ik tegenover haar moet komen zitten.

'Dit is echt ontzettend jammer, lieve kind,' zegt ze, terwijl ze rode wangetjes krijgt van de stoom die van haar thee af slaat. (Aan dit gesprek komt geen heupflacon te pas.) 'Ik vond je meteen al aardig en het deed me ontzettend veel verdriet toen ik hoorde...'

'Ik kan u niet vertellen hoeveel spijt ik van alles heb,' val ik haar in de rede, omdat ik nauwelijks in staat ben haar aan te horen. 'Uiteraard verwacht ik niet dat ik mijn baan terug zal krijgen, maar ik wilde u toch vertellen dat het helemaal niet mijn bedoeling was om...' Het geluid van de telefoon snerpt door de lucht en verrassend genoeg grijpt Pearce de hoorn op alsof ze ergens dringend op zit te wachten.

'Weten jullie nu al iets?' zegt ze dreunend, terwijl ze dwars

303

door me heen kijkt. Er volgt een lange stilte waarin ik haar ge-ergerd haar hoofd zie schudden. Dan slaakt ze een diepe zucht.

'Nou goed, bedankt. Ja... ik bel later nog wel terug.' Ze ver-breekt de verbinding en kijkt me aan.

'Neem me niet kwalijk dat ik dat gesprek aannam, lieve kind, maar ik heb net een uiterst irritant gesprek met een lucht-vaartmaatschappij achter de rug. Marion en ik zijn vorig week-end naar een conferentie in Florida geweest en ik moet zeggen dat we het daar geweldig hebben gehad.'

Ik heb het gevoel alsof ik net de verkeerde rechtszaal binnen ben gestapt, maar ik blijf toch vol aandacht luisteren, terwijl mijn maag zich omdraait bij het vooruitzicht van wat me nog te wachten staat.

'Alles was echt geweldig,' gaat ze verder. 'Interessante lezin-gen, een leuk hotel en dan komt bij thuiskomst haar koffer wel aan en die van mij niet. En natuurlijk zat mijn favoriete antieke armband in mijn toilettas. Je hoort natuurlijk wel vaker dat dit soort dingen gebeurt, maar ik dacht altijd dat het mij niet zou overkomen.'

Schiet nou eens op. Ik zit hier zo'n beetje te sterven.

'Maar goed, ik heb dus iedere dag de balie voor de zoekge-raakte bagage gebeld om al mijn codenummers door te geven en met een reuze vriendelijke dame en meneer te spreken en dan gebeurt er nog niets. Helemaal niets! Hoe kan dat nou? Ze blijven me maar verzekeren dat alles op een gegeven moment wel op komt dagen, maar daar is geen sprake van. Vandaar dat ik heb gevraagd wie er nou eigenlijk verantwoordelijk is. Ik snap er echt niets meer van. Wij hebben precies gedaan wat er van ons verwacht werd, dus waarom willen zij dan niet ge-woon toegeven dat ze de boel in het honderd hebben laten lopen?'

Ik kijk haar wezenloos aan. Ik ben volkomen van mijn à pro-pos. Ik ben hier binnengekomen als een schoolmeisje dat ver-wachtte van school te worden gestuurd en het enige wat ik te horen krijg, zijn verhalen over de chaos bij luchtvaartmaat-

schappijen. Maar nu verandert haar toon. Ik ben bijna dankbaar. Het is tijd voor de genadeklap en die wordt snel en efficiënt uitgedeeld.

'Als ik het voor het zeggen had,' zegt ze, 'dan mocht je blijven. Maar helaas heb ik te horen gekregen dat ik na de feestdagen een andere sollicitant met de juiste opleiding moet aannemen. Hoe oneerlijk het ook is, zelfs ons kantoorpersoneel
moet een universitaire opleiding hebben.' Goddank maakte ze
er geen misbaar over.

Ik antwoord dat ik dat begrijp en dat ik, als ik het over zou
moeten doen, vast de waarheid zou vertellen. Verder hebben
we elkaar niets meer te zeggen. Volgens mij vond ze me echt
aardig, maar dat heeft hier niets mee te maken. Of misschien
vond ze de persoon die ik volgens haar was aardig. Maar ik
ben wie ik volgens haar was. In zekere zin. Hou op!

Ik heb haar vijf maanden gekend. Wat had ik dan verwacht?
Als ik hier langer was geweest, was ze misschien wel voor me
opgekomen, maar ik heb het vermoeden dat de uitslag dan hetzelfde zou zijn geweest. Eigenlijk wel raar. Uiteindelijk raakt
iedereen in de knoop, verstrikt in al die kleine ergernissen en
oplopende kwesties die toch in je leven binnensluipen, ook al
doe je nog zo je best om ze te vermijden. Voor Pearce, Alison
en alle andere mensen op dat kantoor ben ik maar een nietig
vlekje in hun universum. En nu ben ik weg.

NEGENENVEERTIG

Ik werk weer hele dagen in het Wildlife Center en ben steeds minder vaak thuis. Af en toe neem ik Sam mee, maar het gebeurt ook wel dat we zoveel zieke vogels in het center hebben, dat ik bang ben dat hij besmet zal raken. En dan laat ik hem thuis. Ik probeer langs hem heen naar buiten te sluipen, maar hij merkt het altijd.

'Hallo, Cassie. Hallo, hallo,' krijst hij. Om me vervolgens na te fluiten.

'Hoor eens,' zeg ik dan tegen hem, 'nou moet je geen rolberoerte krijgen, maar ik kan je vandaag niet meenemen. Ik blijf maar een paar uurtjes weg.'

Niemand die ooit een papegaai heeft gehad twijfelt er ook maar een moment aan dat ze menselijke gevoelens hebben. Sam slaakt een trieste kreet en begint dan als een oud kereltje in zichzelf te mopperen. Papegaaien kunnen ongelooflijk mokken. Ze weten precies wat ze willen en dat willen ze nu meteen, wat af en toe behoorlijk irritant kan zijn.

Vanochtend, toen hij me betrapte terwijl ik de deur uit sloop, nam hij zijn 'stervende zwaan'-houding aan, waarbij hij op zijn rug gaat liggen met de pootjes omhoog, zodat zijn buik helemaal bloot ligt. Wat een aansteller.

Hij laat me geen keus. Ik loop nonchalant terug naar de slaapkamer, waar ik zijn snoepjes bewaar. Mijn moeder wikkelt die altijd in aluminiumfolie zodat het net chocolaatjes lijken en ik probeer ze voor speciale gelegenheden te bewaren. Maar er mankeert niets aan Sams gehoor en hij weet precies wat ik doe. Ik hoor dat hij weer op zijn stok springt en op en neer zit te wippen. Zijn slechte humeur is als bij toverslag verdwenen.

Ik gooi hem een paar snoepjes toe en dan doe ik het deurtje van zijn kooi open en zet die vlak bij zijn stok, zodat hij daar gedurende de dag op kan gaan zitten. Als ik naar de deur loop, hoor ik hoe hij met zijn lange nagels het krakende aluminiumfolie openmaakt, kwetterend van genoegen.

Ik heb de afgelopen drie weken geprobeerd om niet aan Conner te denken als ik naar boven rijd over het naamloze rotspad dat naar het Wildlife Center leidt. Op dit moment staan er honderden hokken, kratten en kooien langs de weg, in afwachting van het drukke seizoen dat in maart begint. Dat is de maand waarin moedervogels hun jongen uit het nest beginnen te schoppen.

Inmiddels zullen de colleges ook wel weer begonnen zijn en in gedachten zie ik hoe Zack en de andere studenten die meestal bij mij in de buurt zaten zich afvragen wat er eigenlijk gebeurd is met dat maffe mens dat samen met hen de colleges bijwoonde. Ik voel me als die vrouw die op een cruise naar Mexico ging en ergens tussen Puerto Vallarta en Baja spoorloos verdween. Niemand weet waar ze is gebleven. Goh, en gisteren zat ze zich bij dat grote buffet nog vol te proppen... Ik kan me niet voorstellen wat er gebeurd is.

Het schijnt dat iedereen tegenwoordig een verdwijntruc uithaalt. Tiff was gisteravond hier en vertelde me dat er een paar marechaussees bij hen op de stoep stonden, die op zoek waren naar Guy jr. Hij is niet meer komen opdagen op de basis. Gedeserteerd.

'Daar ben ik blij om,' zegt Tiff uitdagend. 'Niemand wilde dat hij terug zou gaan.'

'Maar kan hij daarvoor niet de gevangenis indraaien?'

'Alleen als ze hem vinden. Trouwens, mijn vader heeft al een advocaat en een psychiater ingeschakeld die een heleboel soldaten vertegenwoordigen die tegen de oorlog zijn.'

'Lieve hemel.'

'Die man zei dat we een behoorlijk goeie kans hadden. Guy heeft niet alleen last van allerlei allergieën, maar ook van migraineaanvallen en een posttraumatisch stresssyndroom. Hij doet geen oog dicht.'

'Maar moet je dat soort dingen niet aankaarten vóórdat iemand deserteert?'

'Ja, daar had die advocaat het ook over. Maar ze krijgen hem toch niet te pakken,' zegt ze en aarzelt dan.

'Cassie, ik wil je om een gunst vragen. Zou je de komende paar dagen de huisdeur alsjeblieft niet op slot willen doen, alleen maar voor het geval... Je weet wel. Zou dat een probleem zijn?'

Ik kan merken dat ze enigszins in verwarring is.

'Ach, dat zal wel gaan. Ik doe de deur toch meestal niet op slot. Maar zeg wel tegen Guy dat hij goed op Sam en Zwartmans moet letten.'

'Ontzettend bedankt.'

'Zit er maar niet over in,' antwoord ik en bedenk dan dat ik me naast al mijn andere overtredingen nu ook schuldig maak aan het 'opzettelijk hulp bieden bij het plegen van een misdrijf'.

VIJFTIG

Het is eigenlijk een beetje ironisch dat ik werk op een plek waar mensen welbewust geweerd worden. Het Wildlife Center ligt verstopt in een afgelegen stuk bos, diep in de Santa Monica Mountains, zodat mensen niet zomaar elke gewonde havik, uil, buidelrat of prairiewolf kunnen afgeven die ze gewond langs de weg hebben gevonden. En telefonisch is het van hetzelfde laken een pak. Je kunt niet zomaar hiernaartoe bellen om te zeggen dat er een zieke uil op je tennisbaan zit. De vaste hulpkrachten beoordelen de telefoontjes en die worden aan het eind van de dag geëvalueerd, wanneer bepaald wordt wie mag blijven leven en wie niet. Nou ja, zo zwart-wit is het ook weer niet, maar het gaat erom wie wij met ons beperkte budget denken te kunnen redden. De wet van de sterksten is een van de belangrijkste gegevens voor ons. En trouwens, God kan niet overal tegelijk zijn.

Een paar dagen geleden belde Conner voor het eerst naar het Wildlife Center. Een van de hulpkrachten nam het gesprek aan en legde de boodschap op de stapel van niet-dringende gevallen. Ik kreeg het pas te horen nadat mijn moeder die doorgewerkt had.

'Is dat niet jouw professor?' vroeg ze aan me.

Ik pakte de boodschap aan en maakte mezelf wijs dat ik hem wel zou bellen als ik thuis was. En toen ik thuis was, maakte ik mezelf wijs dat ik hem na het eten wel zou bellen. Maar toen viel ik in slaap. En de volgende ochtend kwam ik tot de slotsom dat ik het niet kon opbrengen. Nog niet, tenminste. Misschien over een jaar of tien.

Het tweede bericht dat hij achterliet, was iets specifieker.

'Cassie, we moeten over die dagboeken van je praten. Bel alsjeblieft terug.' Hij heeft opnieuw zijn mobiele nummer achtergelaten.

Dus hij wil gewoon die dagboeken terugsturen. Ik verdring een gevoel van teleurstelling. Wat had ik dan verwacht? 'Cassie, kom alsjeblieft terug'? Ik bel morgen wel als hij college geeft en dan laat ik gewoon mijn adres achter.

Ik ben al sinds zes uur bezig met het rechtzetten van de stomme fouten die de hulpkrachten hebben gemaakt. Zo hebben ze de konijnenhokken naast die van de haviken gezet en een handdoek vol gaten in de kooi van een jong vogeltje gelegd, dat er dan misschien met de kop in verstrikt kan raken om zichzelf op die manier te wurgen. Nu is het twintig over acht. Ik controleer het schema van Conner en zie dat hij inmiddels midden in een college moet zitten. Ik loop het pad af naar de snelweg om een plek te vinden waar mijn mobiele telefoon het doet. Dat is meestal vlak naast de brievenbus. In mijn gedachten zie ik Conner samen met Ahab in de aula op het podium staan, waar hij een verhandeling geeft over Emerson of Thoreau, of over koeienmest die als brandstof kan worden gebruikt. Ik toets het nummer in.

'Hallo?' zegt hij zacht. Shit.

'O, Conner. Ik dacht dat je op dit moment college gaf. Ik was van plan om een bericht in te spreken.'

'Wacht even,' fluistert hij. Dan hoor ik hem tegen de studenten zeggen dat hij zo terug is. Shit in het kwadraat. Welke professor neemt nou tijdens een college zijn mobiele telefoon aan?

'Cassie. Ik moet met je praten. Waarom heb je me niet eerder teruggebeld?'

'Sorry. Het spijt me echt, maar ik had gewoon geen zin om te praten.'

'Kunnen we een afspraak maken voor morgenavond?'

'O. Ik weet het niet, Conner. Waarom?'

Het blijft een hele tijd stil. Het is nog zo vroeg in de ochtend dat het behoorlijk fris is en er staat een scherpe wind. Ik kijk naar de hemel en wens dat al je zonden uit het verleden zomaar uitgewist konden worden. 'Goed dan. Waar moet ik naartoe komen?'

We spreken af voor morgenavond zeven uur in een kroeg vlak bij Topanga. Ik voel me een tikje ongerust, maar concentreer me dan op iets totaal anders. Wat zal ik aantrekken?

De volgende dag ga ik op een holletje wat vroeger naar huis en zie dat de deur op een kier staat. Mijn eerste gedachte is dat Guy misschien nog steeds binnen zit, samen met die zenuwlijer die hij zijn vriend noemt. Daar heb ik nu geen tijd voor. Ik voel echt met hen mee, maar ik wil nu alleen zo snel mogelijk onder de douche.

Het enige waar ik me op dat moment druk over kan maken zijn de mogelijke scenario's van mijn komende afspraak met Conner. Wat ik zal zeggen. Wat hij zal zeggen. Hoe hij naar me zal kijken.

Ik loop naar mijn slaapkamer, gooi mijn rugzak af en begin mijn kleren uit te trekken. Zwartmans komt de kamer binnensjokken en besnuffelt me. Ik aai hem afwezig over zijn nek en dan dringt het ineens tot me door. Het is zo rustig dat het bijna angstaanjagend is. Waar is Sam? Ik hol terug naar de woonkamer. Mijn hart bonst. Hij zit niet op zijn stok. En ook niet in zijn kooi. Hij is nergens te bekennen.

'Sam? Waar ben je?'

EENENVIJFTIG

'Ik heb een keer gehoord hoe een prooi werd gedood, nog voordat ik het zag. Ik hoorde een bons en vervolgens een hele serie hese en schorre kreten. Een havik had een konijn tegen de grond gedrukt. Het gebeurde allemaal zo snel en zo dichtbij dat ik het slaan van zijn vleugels hoorde, alsof het een indiaanse oorlogstrommel was. Toen ik me omdraaide, zag ik het konijn op zijn rug liggen met de klauwen van de havik in zijn buik geboord terwijl die gebogen snavel het op zijn keel voorzien had. Heel even keken ze elkaar recht in de ogen. Judas die klaarstaat om Jezus de kus des doods te geven.'

Mijn ogen glijden langs het gemêleerde gezelschap rouwenden dat in een kring naar mijn verhaal zit te luisteren. Zij weten niet waar ik naartoe wil. Maar ze denken vast en zeker dat het iets te maken heeft met de beminde die ik heb verloren. En dat is ook zo.

Dit is de eerste bijeenkomst die ik bijwoon van de gemeentelijke Hulpdienst voor Rouwverwerking van Topanga. Ik vond hun kaartje in de onderste la van mijn toilettafel, samen met andere papieren die iets met Franks dood te maken hadden en ik besloot dat zij me misschien konden helpen om eroverheen te komen. Mijn moeder dacht dat ik meer zou hebben aan een groepering die zich concentreerde op huisdieren. Ze zei dat het de andere rouwenden misschien zou beledigen als ze wisten dat ik het over een papegaai had. Maar ik kon het niet opbrengen om allerlei zielige verhalen over een poesje of een schildpad te moeten aanhoren. Sam was een mens.

Gisteravond heb ik het boek *Als Gods wegen ondoorgrondelijk zijn* van de plank gepakt en het van begin tot eind gelezen. Af en toe leek het me wat soelaas te bieden, maar toen ik het dichtsloeg, voelde ik me nog net zo ellendig als daarvoor.

Dus zo voelt dat aan. Verdriet. Ik ben er ondersteboven van en helemaal uit mijn doen. Ik loop te kokhalzen en mijn botten rammelen in mijn lijf. Alles valt in duigen, niets geeft meer houvast. Ik val in slaap en droom dat hij nog steeds bij me is. Wanneer ik weer wakker word, kan ik door zijn zachte veertjes krauwen, hem een schoteltje lekkers geven en met hem praten over wat er die dag is gebeurd.

Ze vragen me van alles over Sam. Hoe lang we samen zijn geweest. Tot hun verbazing zeg ik dat het meer dan twintig jaar is geweest. En hoe hij is gestorven. Ze denken dat het verhaal over de havik symbolisch is voor een vreselijke dood. Ik zeg dat ik daar nog niet over kan praten... nu nog niet, tenminste. Ik vertel niet dat ik een plukje veren op het terras heb gevonden. En dat daar overal kleine rode bloedspetters waren, waaruit duidelijk bleek wat er was gebeurd. Guy jr. heeft de deur open laten staan. Sam is in pure doodsangst naar buiten gevlogen en daar heeft een havik hem te pakken gekregen. Of een prairiewolf, of een van de katten uit de buurt. Op dit moment maakt dat niets uit. Ik doe mijn best om niet aan dat soort dingen te denken, want als ik dat doe, hoor ik hoe hij mijn naam roept.

'Ik mis hem,' zeg ik tegen de groep. Ik luister hoe de anderen over hun verdriet praten en bedenk hoe vreemd het is dat iemand met wie je je leven hebt gedeeld voorgoed verdwenen is. Kort na Franks dood vertelde mijn moeder dingen over de dood van mijn vader die ik nooit heb geweten. Dat ze als een maniak al zijn papieren en kleren sorteerde en al zijn zakken binnenstebuiten keerde op zoek naar... naar wat eigenlijk? Alles wat vertrouwd aandeed: los geld, sleutels, verscheurde boodschappenbriefjes. Maar die vertrouwde dingen maakten haar wanhoop alleen maar groter, zei ze. Haar leven leek stil te staan en alles in haar omgeving werd steriel en grauw. Mensen lachten veel te vaak en te lang en verliefde paartjes op straat gaven haar een gevoel van schaamte, waardoor ze zich wel om moest draaien. Ze vertelde me dat ze zich als een gefileerde vis voelde en dat ze geen flauw idee had hoe ze in haar eentje verder moest. Ik vond het naar voor haar dat ik nog te jong was om haar te kunnen helpen en daar helemaal niets van gemerkt heb.

Nu ben ik met Sam aan de beurt en moet leren omgaan met die loodzware teleurstelling die me iedere keer bekruipt als ik de keuken binnenkom en zie dat hij er niet meer is. Er zitten krassen in de tegels op het aanrecht waar zijn kooi jarenlang heeft gestaan en de houten rand zit vol afdrukken van zijn snavel. Ik kan niet langs het raam van de woonkamer lopen waar zijn nieuwe stok stond. En het ergste is dat ik nog steeds voel hoe zijn lange klauwen me vastpakken en hoe het gewicht van zijn lijfje op mijn schouder drukt.

Toen Tiff hoorde wat er met Sam was gebeurd belde ze om te zeggen dat ze Guy jr. erover aangesproken had en dat hij haar had verteld dat hij maar een uur bij mij thuis had gezeten en 'geen vogel had gezien'. Ik kon de energie niet opbrengen om tegen haar tekeer te gaan, dus hield ik mijn mond. Ik denk dat er bepaalde dingen in het leven gebeuren, waarvan je de waarheid nooit echt zult achterhalen, wat je ook probeert, en dat je er ook niet echt iets mee opschiet als dat wel het geval zou zijn.

Mijn moeder heeft Sams kooi schoongemaakt en in de garage gezet. Maar ik wilde niet dat die daar bleef staan. Ik heb hem voorzichtig op de achterbank van mijn auto gezet en naar het Wildlife Center gebracht. Ze heeft hints laten vallen over een jong papegaaitje dat met de fles is grootgebracht en ik wilde niet dat ze bepaalde ideeën zou krijgen.

Toen mams vriendin Sylvia me belde en zei dat ze het vreselijk vond om te horen wat er met mijn huisdier was gebeurd, snauwde ik dat hij helemaal geen huisdier was. Dat hij een buitengewoon intelligent wezen was geweest. Mijn jeugdvriend. Dat ik samen met hem was opgegroeid en dat we van alles hadden meegemaakt.

Eigenlijk raar. Toen Frank stierf, vond ik het gênant dat ik niet verdrietig was. En nu schaam ik me juist omdat ik niet kan ophouden met rouwen.

Ongeveer een week nadat het was gebeurd heb ik samen met mijn moeder bij een openluchtveiling van meubels aan de Pacific Coast Highway een abstract beeldhouwwerk van drijfhout gekocht, samen met een van geknoopt touw gemaakte hangmat. We hebben de hangmat opgehangen tussen twee grote oude bomen in de achtertuin en er het beeld naast gezet. Dat is nu Sams Plekje en op een mooie dag sla ik mijn benen over de rand van de hangmat en ga liggen schommelen. En dan is er maar één liedje dat als een treurzang door mijn hoofd klinkt.

Pack up all my cares and woe,
Here I go, singing low,
Bye Bye Blackbird.

TWEEËNVIJFTIG

De avond dat ik Sam kwijtraakte, was ik zo overstuur dat ik er pas aan dacht om Conner te bellen toen het al te laat was. Op het moment dat het me te binnen schoot, was het al bijna negen uur en dacht hij waarschijnlijk dat ik hem een blauwtje had laten lopen. Ik liet de boodschap op zijn mobiele telefoon achter dat we een sterfgeval in de familie hadden en dat ik hem wel zou bellen als ik me weer wat beter voelde. Hij belde meteen terug en liet een lief berichtje achter dat hij het heel naar voor me vond en dat ik hem kon bellen wanneer ik wilde.

Een paar dagen later dwing ik mezelf om weer aan het werk te gaan en breng mijn eerste ochtend door allerlei met boodschappen doen, voorraden inslaan en de bevrijding van een uil die tijdens de zondagse brunch ergens in een schoorsteen is blijven steken. Als ik bij het Center stop, staat iemand die me bekend voorkomt buiten met mijn moeder te praten. Wat doet Conner hier? Ze zijn druk in gesprek en hij bewerkt mijn moeder zoals hij dat met iedereen doet, door haar blik vast te houden en zijn woorden met handgebaren te onderstrepen.

'Je bent hiernaartoe gekomen,' zeg ik, terwijl ik mijn ogen niet af kan houden van de stapel dagboeken die hij onder zijn arm heeft.

'Het kostte heel wat moeite om je te vinden,' zegt hij. Mijn moeder staat met een maffe glimlach naar ons te kijken.

'Ik vond het heel naar voor je toen ik hoorde wie je verloren had,' zegt Conner terwijl hij me op mijn wang kust.

'Cassie en die vogel waren echt onafscheidelijk,' zegt mam. 'We waren er kapot van toen we hem kwijtraakten,' gaat ze verder. Ik wou dat ze wegging. Conner kijkt me strak aan om te zien hoe ik op zijn komst reageer.

Hij is even opvallend als altijd, een dominante figuur in elke omgeving. En zijn hele houding lijkt te vragen: 'Vind je het niet geweldig dat ik ben gekomen?'

Daarna vertelt Conner ons het verhaal van een goede vriend van hem die zijn Afrikaanse roodstaart kwijtraakte op de dag dat hij naar de universiteit vertrok. De vogel was al sinds zijn geboorte bij hem en was als een broer voor hem.

'Tot op de dag van vandaag kan mijn vriend niet over die vogel beginnen zonder dat de tranen hem in de ogen schieten... Ze waren gelijkgestemde zielen.' Mijn moeder staat enthousiast te knikken, alsof ze de blijde boodschap te horen krijgt. Als ik haar aankijk, begrijpt ze meteen wat ik bedoel en maakt zich met een smoesje uit de voeten.

'Vertel nou eens eerlijk hoe het echt met je gaat,' zegt Conner. 'Is alles in orde? Pearce vertelde me dat je met haar had gepraat. Ik wou dat je eerst naar mij toe was gekomen.'

'Wat had jij dan kunnen doen?'

'Cassie, ik begrijp best waarom je beweerde dat je gestudeerd had. Het hele systeem is zo star als wat, dat weet iedereen. Mensen krijgen niet eens de kans om zich te bewijzen. Ik had Pearce kunnen overhalen om het voor je op te nemen.'

'Dat denk ik niet. Ze wond er geen doekjes om. En trouwens, ik wilde jou en haar niet tot last zijn.'

'Je had me moeten vertrouwen.' Ik werp hem een sceptische blik toe. We weten allebei dat ik aan de ivoorsnavels denk.

'Maar goed, ik moet hier echt met je over praten.' Hij houdt me mijn dagboeken voor.

'Wat valt daar over te zeggen?' vraag ik somber.

'Ik kon ze niet meer uit mijn handen leggen.' Hij slaat er een open en begint te lezen.

'"Het mannetje vliegt op ooghoogte voorbij, hooguit op viereneenhalve meter afstand. Als hij eindelijk neerstrijkt op een boomstronk zet hij zijn poten uit elkaar en gaat met gespreide vleugels achterover op zijn staart zitten, net als Zwartmans altijd doet. Zijn glanzende pak is zo zwart dat de veren in het zonlicht haast purper lijken. Nu begint hij zijn vrouwtje aan te roepen, met een zachte intieme stem. De onwerkelijke toon is bijna in staat om haar van gedachten te doen veranderen, alsof het een soort drug is." En dan citeer je zelfs Keats: "… alsof de gifbeker me was aangereikt".'

'Een van mijn professors hield heel veel van Keats,' val ik hem in de rede.

'Nou, het is subliem.'

Conner legt het dagboek neer en pakt een ander.

'O, dit stuk… dit stuk vond ik ook geweldig.' Hij begint weer voor te lezen. '"Ze vliegt snel en rechtuit, als een wilde gans met gestrekte kop en nek, zonder te wiebelen. Vlak voor mijn neus vliegt de ander met haar mee. Ik kijk op en zie zijn snavel… die heeft vanuit deze hoek wel iets weg van een kleine kano. Deze vogels… het zijn vagebonden die rondzwerven op de wind." Wat ik maar wil zeggen, Cassie, die dagboeken zijn gewoon fantastisch.'

'Misschien heb ik alles wel gewoon van iemand anders overgeschreven. Weet je nog wel?'

'Dat denk ik niet. Ik hoor jouw stem… jouw unieke waarnemingen.'

'Misschien zag ik wel een andere vogel. Of een marmot. Of een spookverschijning. Of niets.'

'Dat kan best. Maar toen ik wat research ging doen en de hele geschiedenis van die vogel nog eens doornam, viel me één ding met name op. Iedereen is weer teruggegaan naar de plek waar ze de ivoorsnavels hebben gezien, zelfs de mensen die ze gefilmd hadden, en dan waren de vogels weg. Foetsie.

Er was nooit een verklaring voor. Niemand snapte er iets van. Geen roofdieren te bekennen, geen teken te zien van ongedierte of ziekte. De vogels waren gewoon gevlogen. Spoorloos verdwenen.'

Ik zie een paar van de hulpkrachten naar ons kijken terwijl ze met kooien naar binnen lopen. Er staat een auto luidruchtig stationair te draaien op de parkeerplaats en een paar vrijwilligers komen de weg oprijden met een of andere boot achter hun truck. Ik pak hem bij zijn arm en neem hem mee naar de achterkant, waar een muur van op elkaar gestapelde hokken voor wat privacy zorgt.

'O, Conner, ik weet niet waarom ik je met die hele toestand opgescheept heb. Het spijt me echt ontzettend.'

'Dat hoeft niet. Als je wetenschapper bent, word je om de haverklap met dit soort dingen geconfronteerd. Het is een kwestie van vertrouwen. Zoals Galileo die de mensen al voorhield dat de aarde om de zon draaide toen niemand zich daar ook maar een voorstelling van kon maken, laat staan dat ze het begrepen. Of Leonardo da Vinci die verklaarde dat hij kon vliegen. Het is Darwin. Het zwarte gat. Al die dingen in de wetenschap die nieuw of onzichtbaar zijn. Je moet een keuze maken om erin te geloven. En dan moet je je aan die keuze houden. Tussen twee haakjes, dat stuk over de havik was ook behoorlijk goed.'

'Wat? Hoe weet je dat?'

'Ik herken jouw manier van praten. Ik ken de ongewone manier waarop jij dingen beschrijft. Dat, plus het feit dat er een geel plakbriefje tussen de bladzijden zat met de tekst: "Hoi, Zack, ik hoop dat je hier wat aan hebt. Cassie."' Ik barst in lachen uit.

'Wat een lui varken. Hij heeft niet eens de moeite genomen om het over te tikken of zelfs maar dat plakbriefje weg te halen. Dus je wist het ook al toen je daar tijdens dat college zo'n ophef over maakte?'

'Natuurlijk. Daarom heb ik je ook gevraagd om mee te gaan

op die vogeltrip. Ik dacht dat een van jullie dan wel met de waarheid op de proppen zou komen. Ik wilde er wel iets over zeggen, maar eigenlijk vond ik het helemaal niet belangrijk.'
Hij blijft me rustig maar strak aankijken.

'Dus je gelooft me nu?' dring ik aan.

'Het is niet belangrijk of ik je geloof. Begrijp je dat dan niet?'

'Dus je gelooft me niet.'

'Dat heb ik niet gezegd.'

'Wat zeg je dan wel?'

'Dat het best mogelijk is.'

'Oké. Ik begrijp het,' snauw ik.

'Hè, Cassie, toe nou. Doe niet zo dramatisch.'

'Ik doe niet dramatisch. Daar heeft nog nooit iemand me van beschuldigd.'

'Maar je bent onredelijk. Wat kunnen mij die verrekte vogels nou schelen? Ik wilde je gewoon zien. Doe niet zo stom.'

En dan loop ik zomaar weg.

DRIEËNVIJFTIG

Thoreau ging naar Walden omdat hij 'doelbewust wilde leven en de essentiële feiten van het bestaan onder ogen wilde zien'. En uit alles wat ik het afgelopen jaar heb opgestoken, blijkt dat hij daar vrede vond en gemoedsrust. Oké, het mag dan een romantisch idee zijn om naar een afgelegen hutje in het bos te vertrekken, maar op dit moment spreekt me dat toch het meest aan.

En het toeval wilde dat Sylvia, de vriendin van mijn moeder, zei dat ik net zolang als ik wilde gebruik mocht maken van haar blokhut. Die heeft ze zelf toch pas het komend voorjaar weer nodig, bij het begin van het vogelaarsseizoen. De hut ligt twee uur ten noorden van L.A., aan de andere kant van Lake Arrowhead en de naaste buren zitten een paar kilometer verderop. Je moet gewoon de San Bernardino Freeway helemaal af rijden, stoppen bij het benzinestation om sneeuwkettingen om je banden te leggen en vervolgens rustig over de kronkelende tweebaansweg van bosbeheer naar boven rijden.

Er is hier boven geen elektriciteit, en telefoon en mobieltjes doen het niet. Een grote open haard dient als verwarming en alle keukenapparatuur werkt op butagas. Als het donker wordt, moet je gewoon kaarsen aansteken en zorgen dat je een zaklantaarn naast je bed hebt liggen. Geen herrie, want van echte buren is geen sprake, maar je hoort wel in de verte honden of prairiewolven blaffen en af en toe het gebrom van de motor van een snowmobiel. Het is precies de plek waar ik naar verlangde, zo'n plek waar je naartoe gaat als je niet meer weet wat je moet doen.

Ik sla allerlei etenswaren in, gezond voedsel dat me volgens mijn moeder absoluut weer nieuwe energie en enthousiasme zal geven. Op het laatste moment, als ik al in de auto wil stappen, valt mijn blik op Zwartmans die zielig in een hoekje ligt. Ach, wat maakt het ook uit, ik neem hem gewoon ook mee. Ieder levend wezen kan wel een weekje in de rimboe gebruiken.

Ik kom pas rond tienen bij de blokhut aan. Sylvia heeft ervoor gezorgd dat een vent van het eethuisje de sleutel onder de mat heeft gelegd, de voorraad water en brandhout aangevuld en aanwijzingen achtergelaten hoe de gasoven aangestoken en de klep van de open haard opengezet moeten worden. Het eerste wat ik doe, is de haard aanmaken en wachten tot het een beetje warmer wordt. Ik steek een paar kaarsen aan, zet ze in de vensterbank en kijk om me heen. Er staat een oude boekenkast vol vergeelde pocketboekjes, er zijn bordspelletjes en er liggen wat boeken over wandelroutes in de directe omgeving. Tegen een van de wanden staat een afgeragde gitaar. Het is maar goed dat mijn moeder er niet bij is, anders zouden we tot vervelens toe 'Michael Row The Boat Ashore' en 'Blowin' in the Wind' moeten zingen.

De versleten houten vloer loopt een tikje scheef, alsof de blokhut geen fundering heeft. Het voelt een beetje aan als een spookhuis op de kermis, alsof alles onder je voeten beweegt. Sylvia heeft gezegd dat ik de butagaslamp alleen moet gebruiken om te lezen, dus die zet ik zorgvuldig op de bank langs de muur. Ondertussen staat Zwartmans nog steeds bij de voordeur. Hij heeft geen poot verzet sinds we binnen zijn, dus ik besluit om hem even uit te laten. Buiten kunnen we geen hand voor ogen zien en hij blijft bevend en zenuwachtig stijf naast me lopen. Ik heb hooguit vijftien passen gelopen als hij zich omdraait, naar de auto rent en begint te blaffen.

'Nee, we gaan niet naar huis!' zeg ik streng tegen hem en

mijn stem weergalmt over het meer. Ik heb geen flauw idee wat voor leven die hond heeft gehad voordat hij in die stormachtige nacht mijn huis binnendrong. Uiteindelijk geef ik het op en loop de blokhut weer in, met Zwartmans op mijn hielen. Ik ben doodmoe, dus ik besluit om op te ruimen en naar bed te gaan. Ik kijk om me heen. O jee. Waar is het toilet? Ik zie een wc-bril aan een haakje naast de open haard hangen. Dat is geen goed teken. Sylvia is vergeten om me op dit detail voor te bereiden. Ik kijk naar buiten en ongeveer vijftig passen ten noorden van de blokhut staat een driehoekige keet. Jezus, wat een gezeik. Letterlijk.

Ik was mijn gezicht in de keuken en poets mijn tanden om het onvermijdelijke nog even uit te stellen. Dan pak ik mezelf goed in, trek mijn sneeuwschoenen aan, verman me en pak de warme wc-bril. Vooruit met de geit. Het pad naar het buitentoilet is in geen maanden sneeuwvrij gemaakt. Bij mijn eerste stap op de krakende, ongerepte sneeuw zak ik er tot mijn knieën in weg en moet me door een halve meter sneeuw ploegen tot ik bij het toilet ben. De deur staat halfopen en is kennelijk in die stand vastgevroren. Ik leg de wc-bril op het gat en zit naar de met schaduwen overgoten bergtoppen te kijken. Ik zie een oud tijdschrift op de grond liggen, maar ik zou het nog voor geen miljoen willen oprapen.

Als ik eindelijk weer terug ben in de blokhut is Zwartmans in alle staten en begroet me alsof ik tien dagen weg ben geweest. Uiteindelijk komen we naast elkaar op het ijzeren ledikant terecht en Zwartmans ligt constant onder het dekbed te rillen als hij een uil of een prairiewolf hoort. Op die manier krijgen we niet veel slaap.

De volgende ochtend maak ik een kop koffie en bekijk een paar van de foto's die aan de wand hangen. Er is een oude groepsfoto bij waarop Sylvia samen met haar ex-man staat en die zeker twintig jaar geleden is genomen. Ze ziet eruit als een ouderwetse uitvoering van een Scandinavische stewardess: sluik blond haar, een fikse dosis make-up en een of ander rood met wit pakje. Haar ex lijkt met zijn volle baard en zijn flanellen overhemd op een houthakker. Wat moet dat een vreemd stel zijn geweest. Nu heeft ze net als mijn moeder lang, met grijs doorschoten donker haar en ik geloof niet dat ik haar ooit in iets anders heb gezien dan in spijkerbroek en T-shirt.

Ik ga op een van de brede houten treden van de verandatrap zitten en warm mijn handen aan mijn mok. De lucht is bewolkt en vuilgrijs en Zwartmans is nog steeds één bonk zenuwen. Hij staat gespannen te luisteren, met zijn oren in de nek, en stort zich praktisch in mijn armen als de kop van een kousenbandslang ineens uit de kussens van een oude fauteuil op de veranda opduikt.

Ik was van plan geweest om een ochtendwandeling rond het meer te maken, dan iets te eten voor mezelf te maken, een dutje te doen en uiteindelijk rond vier uur naar het eethuisje te rijden om mijn moeder te bellen. Maar ik kom pas na elf uur echt op gang en dan is het inmiddels slecht weer geworden. Gemene, ijzige sneeuwvlokken slaan me in het gezicht als ik mijn hoofd om de deur steek, dus ik besluit dat ik beter binnen kan blijven. Ik leg nog wat houtblokken in de open haard en pak mijn speelkaarten voor een paar spelletjes patience.

Ik weet niet waarom mijn moeder dit zo'n leuk spel vindt. Het is frustrerend en saai. Je kunt alleen maar winnen als je vals speelt en dan is er geen lol aan. Nu moet ik weer naar het toilet. Ik ben al gestopt met drinken. Ik kijk naar de sneeuwbui en probeer het zo lang mogelijk uit te stellen.

Ik haal mijn boeken over de natuur tevoorschijn en begin te lezen. Conners zachte, warme stem galmt door mijn hoofd. Ik moet steeds aan hem denken. En aan de ruzie. Hij zei dat ik stom was, maar dat kan best gewoon een manier van spreken zijn geweest. Precies zoals Sam me altijd een stomme trut noemde. Sam. Nu voel ik me pas echt belabberd. De sneeuw blijft in dikke gordijnen omlaag komen. Het is nog kouder geworden en de gevoelstemperatuur moet wel onder nul zijn. Ik vraag me af of er hier ergens iets te drinken staat.

In de diepvrieskast vind ik een fles wodka. Waarom zou Sylvia in vredesnaam een diepvrieskast hebben? Zwartmans is nog steeds onrustig en nu staat hij iets op te graven wat vastzit in een hoek van de houten vloer. Hij krabt de hele boel los. Ik geef hem wat hondenbrokjes en neem zelf een stevige bergborrel, hoewel ik nog even overweeg om het andersom te doen. Misschien dat hij dan wat rustiger wordt. Oké. Hoog tijd.

Ik pak de fles wodka, hang de wc-bril over mijn schouder alsof het een designertas is en loop de sneeuwbui in. Bij nader inzien valt het best mee. Als ik weer terug ben, trek ik mijn natte kleren uit en kruip in bed, waar ik lig te luisteren naar de oeroude dennenbomen waarvan de takken tegen het dak slaan. Zwartmans is eindelijk zover gekalmeerd dat hij voor de open haard is gaan liggen. Het is ijzig koud, ondanks het vuur, en de schaduwen van de vlammen dansen als woudnimfen over de wand.

Ik neem nog een glaasje wodka en kijk de kamer rond. Er valt niets te zien, behalve een rij kledinghaken naast de deur en een spiegel naast het bed, waarin ik mezelf zie liggen.

Er is een oude mythe waarin wordt verteld dat de wereld ooit in twee koninkrijken verdeeld was. Het koninkrijk van de spiegels en het koninkrijk van de mensen. De inwoners leken totaal niet op elkaar, maar ze leefden in vrede en konden vrijuit heen en weer reizen tussen de beide koninkrijken. Maar op een gegeven moment deden de spiegelmensen een inval in het koninkrijk der mensen. Na een felle strijd werden ze teruggeslagen en hun straf was dat ze voorgoed opgesloten werden in hun eigen wereld en in spiegelbeelden veranderden. Ik herinner me nog dat het verhaal eindigt met de hoop dat op een dag de spiegelmensen de vloek kunnen verbreken en weer individuen worden.(Jorge Luis Borges, *El libro de los seres imaginarios*) Dat zou toch wel geweldig zijn.

VIERENVIJFTIG

Ik val in een onrustige slaap en word 's nachts een paar keer wakker. De volgende ochtend sta ik bij het krieken van de dag op, gooi nog wat hout op het vuur, trek mijn parka aan over mijn flanellen nachtpon en loop naar buiten. De lucht is van blauw glas, zo schoon en scherp dat het pijn doet aan je ogen en rond het meer laten een miljoen zangvogels zich horen. In de lucht is de lente al te ruiken hoewel het midden in de winter is. Het is een schitterende ochtend. Zelfs Zwartmans is vrolijk en dartel.

Ik besluit om een ochtendwandeling te gaan maken en loop naar de steile helling achter de hut. De sneeuw lijkt op een zacht wit konijnenvelletje en er staat een licht briesje dat over het metalig glanzende wateroppervlak van het meer strijkt. Het meer weerspiegelt de dennen als Zwartmans en ik een zwijgende wandeling maken waar geen eind aan lijkt te komen.

Als we terug zijn, is het stil in de hut waar het zachte ochtendlicht naar binnen valt. Ik schud de dikke sneeuw van mijn laarzen en schop ze vlak achter de deur uit. Mijn gezicht is nat van het zweet en ik heb spierpijn in mijn benen omdat ik de afdaling veel te snel heb gedaan.

Ik ga op de bank zitten en staar in het niets, terwijl Zwartmans zich in een hoekje oprolt en in slaap valt. Zijn zware ademhaling wordt geleidelijk aan rustiger als hij onder zeil gaat. Nu ligt hij te dromen – dierendromen zijn echt zichtbaar.

Hij slaakt kleine kreetjes, zijn ogen rollen onder zijn oogleden, hij snuffelt en hij trekt met zijn poten alsof hij achter iets aan jaagt. Maar bij Zwartmans lijkt het waarschijnlijker dat hij wegrent voor een denkbeeldige confrontatie. Of misschien ook niet.

Misschien droomt hij wel van een vijfgangenmaaltijd. Worstjes, slagroom en botten. Of misschien van een gloednieuwe doos vol papieren zakdoekjes die hij allemaal aan snippers kan scheuren. Nu begint zijn staart tegen de vloer te roffelen. Hij is ergens blij over. Misschien hangt hij met zijn snuit uit een autoraampje waarbij zijn oren als molentjes in de wind wapperen. Of hij denkt aan rennen over het strand. Misschien rolt hij wel door het zand. Of laat zich over zijn buik aaien. Hij is dol op feestjes. En op het openscheuren van pakjes. Misschien droomt hij wel over verjaardagen, over Kerstmis en over de Vierde Juli. Nee. Uitgesloten. Het vuurwerk zou hem de stuipen op het lijf jagen.

Wat ik zo leuk vind aan honden, is dat alles zo simpel is. Ze weten precies wat ze gelukkig maakt. Volgens mijn filosofieprofessor is dat al duizenden jaren de drijfveer van de westerse beschaving geweest: de pogingen om erachter te komen wat een mens gelukkig maakt. De oude Grieken dachten dat het een kwestie van noodlot was – of de goden je welgevallig waren of niet. Aristoteles en Plato beschouwden het als een volmaakte toestand die vrijwel onhaalbaar was voor de mens. De eerste christenen dachten dat de mens alleen in de hemel gelukkig kon zijn. Maar die theorie werd door de renaissance aangevochten: de mens kan hier op aarde best gelukkig zijn, zolang hij maar heilig, kunstzinnig en briljant is, plus nog een hele stoot andere dingen die voor de meeste mensen onbereikbaar zijn. De romantici hielden hardnekkig vol dat het een puur zintuiglijke kwestie was: verliefd zijn, in een roes raken, en goede wijn drinken. En toen dook ineens Freud op, dat stuk chagrijn dat beweerde dat de mens nóóit gelukkig is. Daar geloof ik niets van. Als Frank langs de kassa van een tolweg reed, gooide hij de glimlachende man in het hokje een paar dollar toe en zei dan: 'Waarom ziet hij er zo verrekte gelukkig uit?'

Ik moet steeds weer denken aan mijn moeder die me in Joshua Tree vertelde dat je in bepaalde nachten dwars door ons sterrenstelsel naar een ander stelsel kunt kijken en ook naar het stelsel daarachter en het daaropvolgende en ga zo maar door, tot in de oneindigheid. Dat was de puurste vorm van geluk die ik ooit heb gezien... Op dat moment was mijn moeder volmaakt gelukkig omdat ze precies deed wat ze graag wilde.

Ik kan de sneeuwploegen in de verte horen. Als ik nog een uurtje wacht, heb ik niet eens sneeuwkettingen meer nodig. Ik ga naar huis.

Vlak voordat ik wegga, ren ik nog even naar binnen en vul de fles wodka met water bij, zodat het lijkt alsof er niets uit is. Ik stuur Sylvia wel een mooie plant.

VIJFENVIJFTIG

Zodra ik thuis ben, ga ik achter mijn computer zitten en schrijf me in voor twee avondcursussen in dit kwartaal: Engels en Filosofie 240. En ik besluit om de volgende middag naar Conner toe te gaan.

Ik vertrek wat vroeger uit het Wildlife Center en ben net op tijd op de universiteit voor zijn college van vier uur.

De middagzon valt door de hoge smalle ramen naar binnen als ik de trap op loop naar de collegezaal en ik zie mezelf weerspiegeld in het glas. Misschien ben ik wel een van de tot leven gekomen spiegelmensen. Vastberaden pas, laarzen, een studentikoos uiterlijk. Eerlijk gezegd herken ik haar niet eens.

Ik kijk naar de gezichten om me heen als de studenten de aula binnenkomen en op hun plaats gaan zitten. Het is nog steeds dezelfde verzameling van sikjes, gebarsten lippen, nagelbijters, afgezakte broeken, gympen zonder veters en wezenloze gezichten. Een paar scharrelen rond op zoek naar hun vrienden en wippen van hun ene been op het andere alsof ze op de bus staan te wachten. Anderen, voornamelijk een verse aanvoer van enthousiaste, fris ogende eerstejaars, gaan vooraan zitten waar Conner op ze staat te wachten en hij stelt ze niet teleur. Hij schotelt ze de feiten voor met zijn aloude boeiende zijsprongetjes en moeiteloze voordracht, waarbij hij van het ene onderwerp op het andere springt. Zijn gehoor springt met hem mee en ik doe hetzelfde.

Vanmiddag heeft Conner het over de gevolgen van het broei-kaseffect op dierlijke gedragspatronen en met name over de reden waarom beren geen winterslaap meer houden. Ik vind het moeilijk om de tijd in de gaten te houden terwijl ik daar op de bovenste rij in de schaduw zit. Op een gegeven moment tijdens zijn betoog dringt het ineens tot me door dat ik in de blokhut het idee kreeg dat ik in de verte een beer zag en me afvroeg wat die daar uitspookte. Had die niet ergens in een grot moeten liggen, om zijn overtollige vet te verbranden?

'Dit is waarschijnlijk een van de duidelijkste signalen dat de klimaatsverandering gevolgen heeft voor het dierenrijk. Beren horen tijdens de winter te slapen en meer dan veertig procent van hun lichaamsgewicht te verliezen,' zegt Conner, terwijl hij de trap op komt lopen.

'De beren in Spanje houden helemaal geen winterslaap meer. We kunnen niet bewijzen dat dit het gevolg is van het broei-kaseffect, maar dit jaar heeft een...' Hij ziet mij en houdt op met praten. Het blijft doodstil in de zaal.

'Neem me niet kwalijk,' zegt hij tegen de studenten. 'Ik werd even afgeleid...'

Hij blijft de trap op lopen en komt met een geconcentreerd gezicht naar me toe. Ik zie dat hij zich vandaag niet geschoren heeft en dat zijn haar slonzig zit. Het valt me ook op dat hij zijn colbert scheef aan heeft en dat de kraag wijkt en ik kan de neiging om het recht te trekken en zijn haar glad te strijken nog net onderdrukken.

'Zoals ik al zei, het afgelopen jaar was een van de warmste sinds mensenheugenis... Maar goed, daar houden we het voor vandaag bij.'

Studenten kijken met een verrast gezicht op hun horloge. Eigenlijk zou het college nog twintig minuten langer moeten duren. Een paar steken aarzelend hun hand op, maar ze bedenken zich kennelijk als de meerderheid opstaat en haastig naar buiten draaft. Conner glimlacht zonder zich te verontschuldigen en blijft de trap op lopen tot hij bij mijn rij is.

Hij loopt naar de stoel naast me, valt erop neer en blijft me even nadenkend aankijken. Zijn blik heeft iets cynisch, dat is te zien aan de manier waarop hij zijn kin houdt. Ik heb het gevoel dat hij dwars door me heen kijkt en onderdruk het verlangen om er als een haas vandoor te gaan en nooit meer terug te komen.

'Ik heb je gebeld,' zegt hij. 'Twee keer.'

'Ik weet het.'

'Je hebt niet teruggebeld.'

'Ik zat ergens waar mijn mobiele telefoon het niet deed en... Ik weet het niet. Ik wilde je in eigen persoon spreken.'

'Je moeder zei dat je in een of andere blokhut zat. Wou je Thoreau nog eens dunnetjes overdoen?'

'Het leek meer op een imitatie van Sylvia Plath, alleen werkte mijn fornuis op butagas en niet op gas.'

'Heel grappig, Cassie.' Zijn stem klinkt onverwacht teder. Geen spoor van de emoties waarop ik eigenlijk rekende: boosheid en ongeduld. Hij grinnikt.

'Iedere keer dat ik jou zie, krijg ik behoefte aan een sigaret. Hoe zou dat komen?'

'Omdat ik je irriteer?' Hij legt zijn hand in mijn nek en begint met mijn haar te spelen.

'Ik word stapelgek van je.' Hij kust me zo teder dat ik naar adem hap. 'Je bent al even ongrijpbaar als die verrekte vogels van je.'

Maar die zijn geen onderwerp van gesprek meer als we over het universiteitsterrein lopen, langs de met klimop begroeide gebouwen, over het met gras begroeide pad naar de met rode klinkers geplaveide binnenplaats waar ik hem voor het eerst heb gezien. Ik voel de warmte van zijn lichaam naast me en hoor hem op die tedere en ironische toon tegen me praten. Als ik om me heen kijk, kan ik alleen nog maar denken: nou, hier ben ik dan.

EPILOOG

A f en toe, als ik van de universiteit naar huis rijd, met de zon die als een purperen striem door de Stille Oceaan wordt weerspiegeld en de zeemeeuwen die hun lieve klagende kreten laten horen, kijk ik naar de bergen en denk aan mijn vogels. Soms wens ik dan dat ik terug kan gaan in de tijd om ze weer te zien, naar hun stille magie, de vrijheid en de eindeloze mysteries. Maar dan moet ik weer aan mijn huidige leven denken, aan mijn toekomst die zich met hemelse gratie ontvouwt, en dan weet ik weer dat mijn bestemming ergens anders ligt.

Nog één semester, dan studeer ik af. Het is een heel gepuzzel geweest om onze schema's aan elkaar aan te passen en ook nog naar een nieuw huis in de canyon te verhuizen. Ahab en Zwartmans slapen naast elkaar in de keuken, als een peper-en-zoutstelletje. Ik denk dat je wel kunt zeggen dat wij een normaal leven leiden en dat bevalt me prima. Het is heel geruststellend om dag in dag uit te weten wat er gaat komen als ik 's nachts naast hem in bed lig en luister naar de vertrouwde verkeersgeluiden in de verte. Om te weten dat hij me belt als hij er is, of als hij op weg gaat naar huis, of als hij wat later komt, of als hij in de file staat. Gewoon omdat hij mijn stem wil horen, precies zoals ik zijn stem wil horen.

Als we uitgaan, en dat gebeurt niet al te vaak, komt mijn moeder op onze dochter passen. Dan gaan ze samen mythes lezen en naar vallende sterren kijken, waarna zij over Philomela begint, die in een nachtegaal werd veranderd, en over de vogels die beschouwd werden als boodschappers van Zeus. Ik heb mam zelfs een keer in de achtertuin betrapt toen ze haar een voetafdruk liet zien die 'verdacht veel op die van Bigfoot' leek.

Af en toe heb ik nog steeds de drang om voor dag en dauw op te staan, mijn laarzen aan te trekken en naar mijn geheime open plek diep in het bos te gaan. Dan ga ik op mijn eigen plekje zitten, haal mijn dagboeken tevoorschijn en breng een bezoek aan mijn kleine schattebouten. Maar ergens, diep vanbinnen, dringt een gedachte zich aan me op.

Het lijkt op een gefluister. Het lijkt op een waarschuwing. Misschien zijn die vogels hier nooit echt geweest.

DANKBETUIGING

Niet verder vertellen is een roman, maar dan wel geschreven vanuit de overtuiging dat onze snel verdwijnende natuur mysterieus en spiritueel van aard is. Net als de verteller in *De goddelijke komedie* van Dante raakt onze hoofdpersoon Cassandra verdwaald in de wildernis, een wildernis vol eeuwenoude wouden, bedreigde diersoorten en ontelbare mythische personages. In onze pogingen om die vreemde en geheime wereld van Cassie vorm te geven, hebben we de hulp ingeroepen van klassieke natuurschrijvers en aanhangers van transcendentale filosofie, onder wie Ralph Waldo Emerson, Walt Whitman, Henry David Thoreau en John Muir, die stuk voor stuk getuigden van een diep doorvoelde en gepassioneerde visie op de wonderen van de vrije natuur en die uiteindelijk ook de ware aard daarvan ontdekten.

Met betrekking tot de vreemde en verbazingwekkende dingen die Cassie ziet, willen we graag wijzen op het werk van diverse ervaren vogeldeskundigen die uitgebreid onderzoek hebben gedaan naar de 'verstoppertje spelende' ivoorsnavelspecht en daarover uitgebreid publiceerden. Onze dank gaat uit naar Tim Gallagher *(The Grail Bird)*, die volgens zeggen een van de eersten is geweest die de verafgode vogel heeft gezien, Philip Hoose *(The Race to Save the Lord God Bird)* en Jack Hitt *(13 Ways of Looking at an Ivory-Billed Woodpecker)*.

Voor het personage van 'Sam', Cassies schattige en wispeltu-

334

rige grijze roodstaartpapegaai, zijn we dank verschuldigd aan Sandi Shapiro en haar papegaai Seymour, Joanna Burger die het informatieve en bitterzoete *The Parrot Who Owns Me* schreef en Ruth Hannessian voor haar geweldige handboek *Birds on the Couch*. Beide schrijfsters schreven over hun eigen papegaaien die een opvallende gelijkenis vertoonden met Jennifers geliefde en inmiddels gestorven Sara. Daarnaast willen we ook Sharman Russell *(An Obsession with Butterflies)* bedanken voor haar beschrijving van de gehakkelde aurelia en andere gevleugelde wondertjes.

Onze bijzondere dank gaat uit naar het fantastische werk en de onvermoeibare inzet van de vrijwilligers en de staf van Malibu's California Wildlife Center in de Santa Monica Mountains. Zij redden en verzorgen jaarlijks duizenden inheemse dieren om ze terug te zetten in het wild.

Onze verlegen geologieprofessor, Hank, veranderde in een grof gebekte limerickschrijver dankzij Robert Nachman, die ons heel vriendelijk toestemming gaf om bepaalde gedeelten uit zijn werk te gebruiken. Daarnaast zijn we dank verschuldigd aan Franck Verhagen, niet alleen kunstenaar maar ook een echte heer.

En natuurlijk bedanken we Kim Dower uit het diepst van ons hart. Ze deed ons regelmatig versteld staan met al haar energie, vindingrijkheid en grenzeloos optimisme. Hetzelfde geldt trouwens voor de intelligente en getalenteerde Frances Jalet-Miller, die volgens ons de enige is die *Oorlog en Vrede* dusdanig zou kunnen bewerken dat het boek er nog beter van wordt.

Ten slotte moeten we ook de geweldige mensen bij Bantam Dell bedanken, met name onze gerespecteerde eindredactrice Danielle Perez die zich met haar intelligentie en aanmoedigingen een waardig gids heeft getoond. En aan Molly Friedrich, onze legendarische literair agent, die zich met integriteit, humor en wijze raad volledig voor ons heeft ingezet.

En tot slot gaat onze dankbaarheid en liefde natuurlijk vooral uit naar onze eigen gezinnen.